A BRUXA do BOSQUE

SKYE MCKENNA

A BRUXA do BOSQUE

TRADUÇÃO
Sandra Martha Dolinsky

Ilustrado por Tomislav Tomic

PUBLISHED IN 2023 BY WELBECK FLAME
AN IMPRINT OF WELBECK CHILDREN'S LIMITED,
PART OF WELBECK PUBLISHING GROUP.
TEXT COPYRIGHT © 2023 SKYE MCKENNA
COVER ILLUSTRATION COPYRIGHT © 2023 SAARA KATARIINA SÖDERLUND
INTERIOR ILLUSTRATIONS COPYRIGHT © 2023 TOMISLAV TOMIC

COPYRIGHT © FARO EDITORIAL, 2023

Todos os direitos reservados.
Nenhuma parte deste livro pode ser reproduzida sob quaisquer meios existentes sem autorização por escrito do editor.

Diretor editorial **PEDRO ALMEIDA**
Coordenação editorial **CARLA SACRATO**
Preparação **DANIELA TOLEDO**
Revisão **ANA PAULA SANTOS e BÁRBARA PARENTE**
Adaptação de capa, projeto gráfico e diagramação **VANESSA S. MARINE**

DADOS INTERNACIONAIS DE CATALOGAÇÃO NA PUBLICAÇÃO (CIP)
JÉSSICA DE OLIVEIRA MOLINARI CRB-8/9852

McKenna, Skye
 A bruxa do bosque / Skye McKenna ; tradução de Sandra Martha Dolinsky ; ilustrações de Tomislav Tomic. — São Paulo : Faro Editorial, 2023.
 256 p. : il.

 ISBN 978-65-5957-425-4
 Título original: Woodwitch

 1. Ficção infantojuvenil australiana I. Título II. Dolinsky, Sandra Martha III. Tomic, Tomislav

 23-3979   CDD 028.5

ÍNDICES PARA CATÁLOGO SISTEMÁTICO:
1. LITERATURA INFANTOJUVENIL AUSTRALIANA

1ª edição brasileira: 2023
Direitos de edição em língua portuguesa, para o Brasil, adquiridos por FARO EDITORIAL
Avenida Andrômeda, 885 - Sala 310
Alphaville — Barueri — SP — Brasil
CEP: 06473-000
www.faroeditorial.com.br

A meu pai, que me ensinou a encontrar meu caminho na floresta.

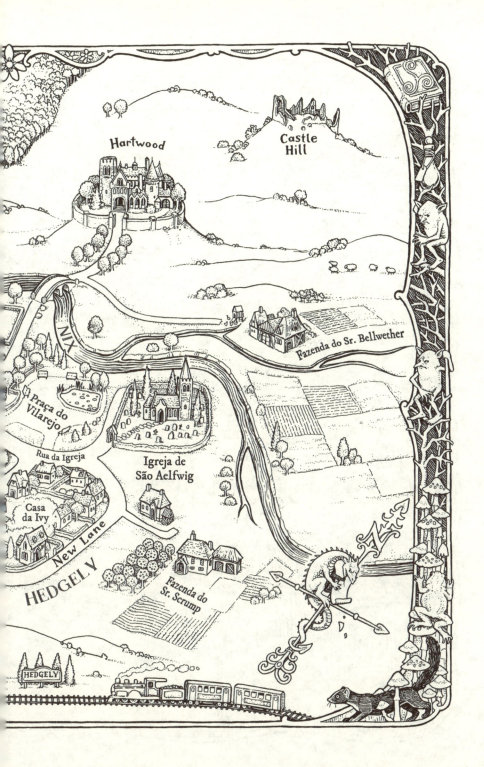

Três são os Vigilantes dentro da floresta.
As árvores têm ouvidos, por isso é melhor você ser bom.
Um é perverso, o outro é selvagem,
E o outro tem dentes grandes para comer a criança mais lenta!

Brincadeira feita no pátio na escola de Hedgely

Capítulo 1

A bruxa novata

Cassandra Morgan estava preparando poções no galpão de jardinagem. Debruçada sobre o caldeirão, que fervia devagar, ela mediu três gramas de hortelã em pó, uma pitada de alecrim seco e treze gotas de tintura de gengibre. Estava ali havia horas – tanto tempo, na verdade, que Montéquio até tinha desistido de perseguir os bichos-da-seda e estava tirando uma soneca entre as mudas de repolho. De vez em quando, o gato abria um olho dourado para ver o progresso dela e fazia comentários úteis, como "você contou errado, são quatorze grãos de pimenta" ou "eu ralaria mais fina a casca de limão, se fosse você".

Cassie estava trabalhando no galpão de jardinagem porque havia sido proibida pela sra. Briggs, a governanta, de usar seu caldeirão de acampamento dentro de casa depois de sem querer ter posto fogo no tapete verde musgo de seu quarto. Ficou só um pouquinho chamuscado, mas, como a sra. Briggs tinha explicado, havia muita madeira em Hartwood Hall e muitos móveis antigos. Cassie havia se queixado de que não poderia trabalhar ao ar livre, porque estava tentando fazer um elixir revigorante que exigia um controle constante de temperatura, e o vento esteve forte a semana toda.

Brogan, o jardineiro, teve pena dela e a deixou usar o galpão. Assim, lá estava ela, no meio de torres de vasos de barro e gerânios cor de salmão, alimentando com cuidado, com grama, o fogo sob seu pequeno caldeirão de cobre.

— Deveria estar ficando com um tom de damasco forte — disse Cassie, olhando seu *Manual da Bruxa* mais uma vez.

— Ficaria, se você lhe desse tempo suficiente e *continuasse mexendo* — disse o gato cinza.

Montéquio era o familiar de Cassie; ele sabia fazer um pouco de magia sozinho, mas estava lá especialmente para dar conselhos irritantes a cada oportunidade.

— Não tenho *tempo* — disse Cassie, olhando o relógio que havia na parede do galpão. — Preciso ir ao *coven* depois daqui.

Cassie estava decidida a chegar com uma garrafa de elixir perfeitamente preparado e realizar as tarefas necessárias para ganhar seu distintivo branco de preparadora de poções.

— Você tem tempo de sobra. Tem só treze anos, e para dominar o ofício de bruxa são necessários anos de trabalho duro. Humanos não são como gatos — disse Montéquio, alisando os bigodes. — Nós nascemos com agilidade e graça, ao passo que vocês têm que desenvolver suas habilidades por meio da prática constante e persistente. Haverá ainda muito mais distintivos para ganhar e testes pelos quais passar depois deste.

Mas esse era apenas um dos problemas. Na verdade, Cassie tinha três.

O primeiro era que ela havia começado atrasada em comparação com as outras jovens bruxas de seu *coven*. Todas elas haviam sido criadas no vilarejo de Hedgely, ou em famílias de bruxas em outras partes do país, e conheciam o mundo das fadas e seus perigos desde que aprenderam a andar. Cassie, por outro lado, tinha passado metade da vida em um internato em Londres. Seus professores lhe haviam dito que *fadas não existiam*. Mas seus professores estavam errados, e quando se tratava do perigoso e enganoso povo da Terra das Fadas, ela ainda tinha muito o que aprender.

O segundo problema de Cassie era que sua mãe, Rose Morgan, ainda estava desaparecida. Fazia sete anos e meio que Cassie não a via, mas agora, pelo menos, sabia *aonde* sua mãe tinha ido. Cassie havia visto uma carta na qual Rose explicava que pretendia ir à Terra das Fadas para encontrar algo precioso que havia perdido, e que alguém tinha se oferecido para ajudá-la. Cassie não sabia o que a mãe estava procurando, ou quem a havia ajudado a atravessar a fronteira, mas tinha certeza de que Rose pretendia voltar para casa.

O último problema, e mais intransponível, era sua tia. Miranda Morgan era tutora de Cassie, mestra do *coven* e a Bruxa da Floresta; era a guardiã da extensa Floresta, que formava a fronteira entre a Inglaterra e a Terra das Fadas. Ela era a única pessoa que poderia ajudar Cassie a ir atrás de sua mãe na Terra das Fadas, mas Miranda a havia proibido de ir – isto é, até que a menina conseguisse sua licença e fosse uma bruxa totalmente qualificada.

Portanto, Cassie precisava ganhar esse distintivo e todos os outros que estavam entre ela e o teste final. Precisava provar que tinha todas as habilidades necessárias para atravessar a fronteira, sobreviver na Terra das Fadas e voltar em segurança para casa.

— *Cassandra...* — disse Montéquio, baixinho.

Ela tinha que aprender, e rápido, se quisesse provar seu valor para a tia. Não tinha tempo para ficar voando de vassoura com as outras meninas ou brincando de jogos bobos como cabra-cega. Ela havia lido o *Manual da Bruxa* de fio a pavio e estava determinada a dominar cada runa, cada feitiço, cada poção contida nele.

— CASSANDRA! — sibilou Montéquio.

— Que foi? — perguntou Cassie, voltando de seus pensamentos ao galpão de jardinagem, aos gerânios e às chamas alaranjadas que lambiam as laterais do caldeirão. — Ai, não... não, não, NÃO! — gritou, soprando o fogo.

Mas isso só fez as chamas subirem mais. O líquido marrom-arroxeado estava borbulhando e subindo pela borda do caldeirão; e ao se derramar, sibilando, atingia as chamas e provocava nuvens de vapor com cheiro de alecrim.

— O regador, depressa! — disse o gato.

Cassie pegou o regador e esvaziou seu conteúdo sobre a bancada, apagando as chamas e inundando tudo. Os gerânios haviam sido molhados com o elixir diluído e, um a um, levantaram suas pétalas rosadas e começaram a cantar. A melodia sem palavras do coro de flores encheu o galpão de jardinagem, e as flores balançavam a cabeça diante dessa estranha melodia.

Cassie se largou em seu banquinho e suspirou. Em um momento de descuido, tinha perdido horas de trabalho meticuloso; e a poção não foi a única coisa que ela estragou. O *Manual da Bruxa* estava encharcado, e suas páginas, tingidas de cor de berinjela.

— É melhor você limpar isso antes que Brogan veja — disse Montéquio batendo a pata ao ritmo da melodia dos gerânios, que estava bastante desafinada. — Ou você vai acabar tendo que preparar poções lá fora durante todo o inverno.

Assim que Cassie acabou de limpar o galpão de jardinagem, correu escada acima para colocar seu chapéu pontudo e a capa de bruxa e voltou para a cozinha para pendurar seu manual ensopado perto do fogo para secar. Já estava atrasada.

— Ei, devagar aí! — disse a sra. Briggs, deixando o pão que estava amassando e se voltando para tirar uma bandeja do forno. — Fiz pãezinhos de avelã, você pode levar alguns ao salão do *coven* para o chá da tarde. Nossa, o que aconteceu com isto aqui? — disse, pegando o manual de Cassie pela capa para inspecionar o conteúdo encharcado.

— Houve um pequeno acidente no galpão de jardinagem.

— Outro? — disse a sra. Briggs. — Bem, vai secar, mas você não pode ficar sem manual. Espere aqui um instante.

— Mas vou me atrasar! — gritou Cassie, enquanto a governanta desaparecia pela copa e subia a escada dos fundos.

A sra. Briggs voltou um instante depois com um livrinho preto e o entregou a Cassie. Era um exemplar do *Manual da Bruxa*, igual ao dela, com o tríscele prateado e rodopiante na capa, só que mais antigo, e suas páginas estavam amareladas e tinham orelhas.

— Era de sua mãe; eu o encontrei da última vez que estive no sótão e o guardei, por via das dúvidas. Agora, endireite esse chapéu, e não esqueça os pãezinhos!

A vassoura de Cassie, que se chamava Galope, curtiu muito o voo alucinante descendo a colina de Hartwood, sobrevoando o rio Nix e atravessando o vilarejo de Hedgely até chegar ao salão do *coven*. Açoitada pelo vento, Cassie mal conseguia controlar a ansiedade de Galope, mas ficou grata pela velocidade quando ela e Montéquio desceram, derrapando até parar em frente ao salão. Ela costumava ir ao *coven* direto da escola às tardes de sexta-feira, mas esse era o último dia das férias de verão e a primeira reunião do *coven* desde julho.

O salão do *coven* era uma construção baixa e redonda, de pedra amarela, situada nos arredores do vilarejo, entre a última fileira de casas e a sombra iminente da Floresta. Tinha um telhado pontudo de ardósia, como um chapéu de bruxa, e era cercado por um jardim de ervas floridas. Naquela estação havia papoulas, poejos e lythrum roxos, mas Cassie não tinha tempo para parar e admirá-los. Já ouvia o canto provindo de dentro do salão.

O céu está claro enquanto voamos,
Sob as estrelas deslumbrantes.
Sabemos seus nomes e histórias.
A sabedoria delas é nossa.

Uma dúzia de vozes se erguiam em uníssono na canção do *coven*; a reunião já havia começado. Deixando a vassoura fora, sob o sol de setembro, Cassie subiu os degraus de pedra e empurrou devagar a porta entreaberta.

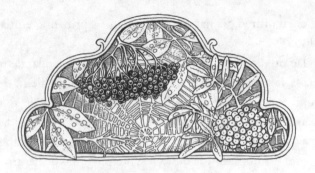

Capítulo 2

A floresta sussurrante

O caldeirão ferve e borbulha,
Uma bebida doce e curativa.
Colhemos ervas e flores
Para que nossas poções se tornem reais.

Doze meninas formavam um círculo ao redor da lareira central, mais uma mulher alta, vestida de preto da cabeça aos pés — a tia de Cassandra, a Bruxa da Floresta. Do outro lado do círculo, uma menina com cachos escuros e sardas avistou Cassie e sorriu. Rue Whitby era a líder da patrulha de Cassie e uma de suas duas melhores amigas. Ela não ia delatar Cassie.

A noite está calma e pacífica,
O cordeiro bale em seu estábulo.
Nós protegemos o vilarejo e as casas
Dos perigos grandes e pequenos.

As meninas continuavam cantando. Uma voz se erguia com confiança acima das demais. Pertencia a Ivy Harrington, a melhor bruxa do *coven*, segundo sua própria avaliação, e que pegava no pé de Cassie desde que esta tinha chegado. Ivy era alta, orgulhosa, e seus broches de latão polidos brilhavam, além das fileiras e mais fileiras de distintivos que ostentava em sua capa preta. Ela também viu Cassie chegar, e seu sorriso presunçoso sugeria que mal podia esperar para ver a Bruxa da Floresta repreender a sobrinha pelo atraso.

Pois somos bruxas, uma e todas,
E não temos medo
De duendes, fantasmas e andarilhos noturnos,
Nossos amuletos e feitiços foram lançados.

Esgueirando-se o mais silenciosamente que pôde, com Montéquio deslizando como uma sombra ao seu lado, Cassie entrou no círculo entre Rue e Tabitha Blight, a terceira integrante da Patrulha do Carvalho e sua outra melhor amiga. Tabitha deu a Cassie um sorriso com covinhas e abriu espaço para ela, apertando sua mão, enquanto a amiga se juntava aos versos finais da música.

Pois nós somos bruxas, uma e todas,
Um coven das melhores.
Amigas fiéis que estão unidas
Contra qualquer ameaça ou prova.

Pois somos bruxas, uma e todas,
Nós sabemos proteger e curar,
Com corações nobres, leais e bondosos,
E uma coragem firme como o aço.

O círculo de jovens bruxas ficou em silêncio quando a Bruxa da Floresta se dirigiu a elas:

— Hoje, voltamos ao trabalho depois das longas férias de verão. Se bem que — Miranda falou olhando para Cassie —, parece que há gente que esqueceu a que horas nossas reuniões começam. Espero que todas vocês tenham passado as férias praticando suas poções e amuletos, e quero muito ver o progresso que fizeram no trabalho por seus distintivos individuais. Mas agora começa uma nova estação; o outono é a época mais movimentada do calendário das bruxas, temos a grande celebração do Halloween. Hoje, vamos trabalhar nos distintivos de forrageiras, colhendo nozes e frutas nos arredores da Floresta. Forragear não é apenas recolher ingredientes para fazer poções, mas também uma habilidade de sobrevivência essencial para uma bruxa que se encontre perdida em uma floresta. Recordo a vocês que as bruxas nunca pegam mais do que necessitam e fazem o possível para não deixar rastros de sua passagem; o povo da Terra das Fadas que vive na floresta se ofende com a violência em suas casas e não demora a punir a forrageadora imprudente. Agora, chefes das patrulhas, peguem as cestas, vamos nos reunir lá fora.

— Você deu muita sorte, Cass — disse Rue, entregando a Cassie uma cesta de vime e colocando a sua sobre o ombro. — Achei que ela ia acabar com você! Atrasada logo no primeiro dia? "Isso não condiz com a reputação dos Morgan."

Cassie suspirou.

— Eu estava tentando terminar o elixir revitalizador, só que estraguei tudo de novo. Nunca vou ganhar meu distintivo de preparadora de poções desse jeito.

Por sorte, Montéquio havia decidido tirar uma soneca no salão, enquanto elas forrageavam, de modo que ele não pôde contar a Rue e Tabitha quão desastrosa havia sido a tentativa de Cassie.

— Você tentou colocar os grãos de pimenta um de cada vez, como eu disse? — perguntou Tabitha. — Posso ajudá-la da próxima vez, se quiser.

Tabitha era com certeza a melhor preparadora de poções do *coven*, e Cassie se sentiu muito tentada a aceitar a oferta.

— Minha tia saberia que você me ajudou; não sei como, mas ela saberia. Tudo bem, um dia vou conseguir, é só continuar tentando e…

Ela parou de falar. Bloqueando seu caminho à floresta estava Ivy Harrington, flanqueada por Susan e Phyllis Drake.

— Lá vem a Patrulha Fajuta — disse Ivy, e as irmãs Drake riram. — Muito sensato, por parte da Bruxa da Floresta, colocar as três piores bruxas do *coven* juntas. Assim, nos poupa o incômodo de ter que treiná-las.

Rue deu um passo à frente.

— Sei que é difícil para você, Ivy, mas tente *pensar* um instante para ver se lembra de quem a resgatou dos duendes no solstício de verão. Vou dar uma pista: foram as três bruxas que estão diante de você usando Estrelas de Prata por bravura!

Ivy deu de ombros.

— Vocês tiveram sorte, só isso. Ser uma verdadeira bruxa é mais que quebrar regras de maneira imprudente, e uma patrulha *de verdade,* como a dos Espinhos, vencerá vocês; três sonhadoras inúteis em tudo que fazem.

— Nós *somos* uma patrulha de verdade! — disse Rue, furiosa.

Tabitha a segurou pelo braço.

— Ah, deixe pra lá, Rue. Ela está provocando a gente, e temos trabalho a fazer. Vamos.

Elas passaram por Ivy, Susan e Phyllis e subiram a colina.

Era uma tarde gloriosa, ensolarada, mas ao redor delas já se viam os primeiros sinais do outono. Castanheiros-da-índia cobriam o solo com suas reluzentes castanhas cor de mogno, e as macieiras silvestres tinham cachos de frutas rosa e amarelas. No prado, todo gramado, que se estendia até a Floresta, não se viam mais sementes, e a vegetação estava começando a passar de roxo para ouro desbotado, ondulando sob a brisa.

A Floresta era a maior e mais antiga floresta da Inglaterra, uma mata fechada, selvagem, cheia de moitas escuras e emaranhadas, que assustava e fascinava Cassie desde que ela tinha chegado ao vilarejo. Dentro dela, encontrou fogos-fátuos e duendes, e a fada púca, que muda de forma. Mas Cassie sabia que mal havia começado a descobrir os segredos da floresta; quantas coisas antigas e estranhas viviam em suas profundezas sombrias!

Rue e Tabitha viram uma fileira de aveleiras e correram para procurar avelãs, enquanto Cassie vagava à margem da floresta, procurando nas fileiras de árvores mais profundas. Embora sentisse o sol quente em suas costas, um arrepio percorreu sua espinha. Ela sempre sentia isto quando chegava perto da Floresta: uma curiosa mistura de medo e anseio, como se algo dentro da floresta a chamasse, acenasse para que ela entrasse.

Um farfalhar chamou sua atenção para os galhos acima dela. As folhas das bétulas e das cerejeiras silvestres estavam começando a amarelar; quando Cassie olhou para aquela folhagem dourada, viu uma cabecinha com chifres olhando para ela. A cabeça pertencia a um corpo serpentino, do comprimento de um estojo de lápis, coberto de escamas brilhantes que iam do verde-folha no nariz ao vermelho sol na ponta da cauda. Enquanto ela observava, o wyrm abriu seus membros, expondo membranas decoradas que se estendiam como asas. Cassie levou um susto quando o wyrm pulou da árvore e saiu pairando, como uma semente de sicômoro, até atingir o solo da floresta e se esconder sob uma pilha de folhas secas.

— Sonhando acordada de novo, Cassandra? — perguntou Ivy, que estava colhendo amoras das amoreiras espinhosas e as colocando em sua cesta, que já estava meio cheia de rosa-mosqueta e espinheiro branco, nozes de faia, abrunhos e bolotas verdes. — É só um wyrm, estão por toda parte nesta época do ano.

— São lindos! — disse Cassie ao ver outro wyrm, cor de limão clarinho, rastejando.

Ivy fungou.

— Sim, mas estamos aqui para forragear, não para ficar boquiabertas diante da vida selvagem. Estas — disse, segurando um punhado de frutinhas brancas — são frutos de sorveira-brava, os mais raros. Mal posso *esperar* para mostrar à Bruxa da Floresta. O que você encontrou?

Cassie olhou para sua cesta vazia.

Ivy riu.

— Acho que era de se esperar, afinal, você ainda é uma bruxa novata, tem muito a aprender antes de ser uma árvore nova como eu — disse Ivy, batendo no broche em forma de folha que tinha no colarinho.

Fazendo o possível para ignorar Ivy, Cassie examinou os galhos folhosos e os arbustos pontudos à sua frente, decidida a encontrar algo tão impressionante quanto os frutos da sorveira-brava.

Uma brisa agitou as folhas e os cabelos ruivos de Cassie, carregando consigo o cheiro de mofo úmido. À frente, um raio de sol chamou sua atenção para uma árvore solitária. Era uma coisinha pequena e retorcida, baixinha e atrofiada sob os carvalhos e freixos mais altos, com galhos finos cinza sob as folhas amareladas. Não conseguiu ver nenhum fruto, mas talvez valesse a pena olhar mais de perto. Afastando o cabelo do rosto, Cassie deu a volta na árvore, espiando entre a folhagem, até finalmente vislumbrar um cacho de nozes prateadas minúsculas, três delas cresciam no mesmo galho fino. Ia pegá-las, mas uma mão as pegou, quebrando o galho onde estavam penduradas com um estalo.

— Eu vi primeiro — disse Ivy.

— Não viu nada, você me seguiu! — protestou Cassie.

— Você nem sabe o que são esses frutos — disse Ivy. — *Estes* são *seernuts* prateados; tem ideia de como são raros? Eles preveem a sorte, é só abrir e... ai!

— Que foi?

— Algo me picou...

Mas a queixa de Ivy foi interrompida por um farfalhar logo acima delas. As duas ergueram os olhos; o galho quebrado se mexia, balançando para a frente e para trás, como se estivesse se contorcendo de dor. Os outros galhos também começaram a se mexer, sussurrando e balançando juntos.

— É só o vento — disse Ivy.

Mas Cassie não estava sentindo brisa nenhuma no rosto.

A perturbação passou de árvore em árvore, até que toda a floresta foi tomada pelo sussurro das folhas suspirantes. Sob esse som, elas ouviram algo mais: um murmúrio de palavras estranhas, como uma multidão de pessoas sussurrando em uma língua desconhecida.

— De onde está vindo isso? Não estou vendo ninguém — disse Ivy. — Se for a Patrulha das Cinzas pregando uma peça na gente, eu vou...

Cassie notou que haviam se afastado muito do resto do *coven*. Haviam adentrado a Floresta e não viam mais as outras. E aquilo não eram vozes humanas, disso ela tinha certeza. De repente, Cassie se lembrou da canção dos gerânios.

— Acho... — Hesitou. — Acho que vem das árvores.

As vozes das árvores foram ficando mais altas, pontuando o suave farfalhar das folhas com rangidos e o estalo dos galhos se debatendo.

Ivy arregalou os olhos.

— O que estão dizendo?

— Não sei — disse Cassie.

Mas, apurando o ouvido, achou que havia distinguido apenas uma palavra, repetida várias vezes: "Fi-lha", diziam. *Filha.*

— Tome, pode ficar com eles — disse Ivy, jogando os frutos aos pés de Cassie. — Vou voltar.

Enquanto Ivy atravessava os arbustos em direção ao sol e ao resto do *coven*, as vozes sussurrantes foram se calando e Cassie se agachou para olhar os frutos. Um estava rachado, e uma minúscula aranha dourada saiu dele, rastejou e desapareceu na serrapilheira.

Depois de olhar uma última vez para a copa das árvores já silenciosa, Cassie foi procurar Rue e Tabitha.

Capítulo 3

A faia de cobre

As bruxas do 1º *Coven* de Hedgely voltaram para seu salão com cestas transbordando de rosa-mosqueta, espinheiro-branco, oleaginosos e frutas, que teriam que preparar. Os frutos seriam cristalizados para servir de guloseimas no Halloween, e as frutas transformadas em geleia, com a ajuda da sra. Briggs, ou em xarope e oximel, para os resfriados do inverno. As últimas ervas do verão — mil-folhas, solidago e lúpulo — seriam secas para uso posterior em poções e amuletos.

Quando a reunião terminou oficialmente, Cassie, Rue e Tabitha foram para a faia de cobre.

A faia crescia no gramado que levava até a Floresta, não muito longe da cabana onde Tabitha morava com a avó. Rue havia brincado sob a sombra dessa árvore com seus irmãos quando era mais nova, assim, quando a Patrulha do Carvalho resolveu que precisavam de um esconderijo, ela pensou na faia no mesmo instante. Claro que elas tinham seu cantinho, mas era dentro da sala que dividiam com a Patrulha das Cinzas e a Patrulha dos Espinhos, e todo mundo podia ouvir suas conversas. Não, elas precisavam de um lugar com um pouco mais de privacidade, onde pudessem fazer os planos secretos da patrulha ou discutir coisas importantes, e a faia lhes fornecia exatamente isso.

O mais certo teria sido escolher um carvalho, imaginou Cassie, mas ela gostou bastante da faia de cobre, com seus galhos esparramados e cheios de folhas roxas-escuras e a casca cinza, macia, onde gerações de casais apaixonados de Hedgely gravaram suas iniciais. Era um espécime maduro, com uns quinze metros de altura; os galhos mais baixos eram bem mais altos que a cabeça delas, tornando quase impossível escalar. Mas isso não era problema para as bruxas, pois elas chegavam ao topo de vassoura. Uma vez no meio do dossel de folhas, eram quase invisíveis de baixo e podiam ver além do vilarejo, sobre o rio Nix, até as colinas mais distantes.

A Patrulha do Carvalho tinha passado as férias de verão construindo uma plataforma, com pedaços de madeira que Brogan lhes tinha dado. Tabitha tinha levado um tapete velho da casa de sua avó e Rue havia arranjado umas almofadas, que sua mãe ia jogar fora. Assim, estava começando a ficar uma toca decente. Tinham até uma lata de biscoitos escondida em um dos galhos superiores, onde guardavam pastilhas de menta, quebra-queixo, bengalinhas de alcaçuz e outros doces parecidos, caso precisassem de energia. As meninas tinham grandes ambições para sua toca, inclusive um telhado, para que pudessem se encontrar lá mesmo na chuva. Mas os dias ainda eram amenos, e nada era mais gostoso que se deitar no velho tapete, com as mãos cruzadas atrás da cabeça, olhando os galhos da árvore, que balançavam ao vento, e curtindo no rosto o sol que se infiltrava pela folhagem.

Tabitha e Rue estavam fazendo exatamente isso; o sapo familiar de Rue, Papo, estava em seu ombro, e Wyn, o coelho branco e macio de Tabitha, deitado ao lado dela. Elas ainda estavam no modo férias de verão; só Cassie estava sentada, empoleirada ao lado de Montéquio em um galho grosso que pairava sobre a plataforma e servia como um banco improvisado.

— Quero fazer meu teste de Árvore Nova — disse ela, procurando os detalhes no manual de sua mãe.

Ela havia acabado de ganhar seu broche de novata no verão e estava ansiosa para subir ao próximo nível de treinamento.

— Mas não pode — disse Rue, virando de bruços e olhando para Cassie. — Você precisa de três distintivos de habilidades primeiro, e só tem um e meio.

— Vou ganhar o distintivo de preparadora de poções esta semana — disse Cassie.

Montéquio fungou.

— Desde que não ponha fogo em outro lugar...

— Mesmo assim, vai faltar um — disse Tabitha.

— Acho que posso tentar o de voo alto — disse Cassie.

Ela havia ido mal em voo no teste de novata, mas depois de um verão treinando com Galope, estava louca para provar que não era totalmente inútil com a vassoura.

— Não entendo por que está tão preocupada com isso, Cass — disse Rue. — Está começando a falar como Ivy. Bruxaria é para ser *diverti-da,* sabia?

Cassie ficou incomodada.

— Você não acharia tão divertido se a *sua* mãe estivesse desaparecida.

— Acho que o que Rue quer dizer é que você não precisa fazer tudo sozinha — disse Tabitha. — Nós podemos ajudar você, é para isso que servem as patrulhas. Deveríamos tentar um distintivo juntas.

Rue refletiu.

— Já estamos tentando o de forrageira com o resto do *coven*. Seria muito trabalho a mais.

— Mas mostraria a todos do que a Patrulha do Carvalho é capaz — disse Tabitha.

— É, pode ser — disse Rue, se levantando.

— Que tal o de observadora de estrelas ou de cultivadora de ervas? — sugeriu Tabitha, vendo a lista em seu manual.

— Acho sem graça — disse Rue. — Tem que ser algo impressionante, como tecelã de amuletos ou quebradora de feitiços!

— Acho que, depois do verão que tivemos, seria melhor nos atermos a algo um pouco mais seguro; ervas e amuletos, cânticos... — falou Tabitha.

Rue bocejou teatralmente.

Cassie, descendo com seu manual na mão, disse:

— O que acham do distintivo de bruxa do bosque? Exige algumas tarefas de rastreamento e cura também... um pouco de tudo, na verdade.

A descrição desse distintivo havia chamado a atenção de Cassie, porque tinha uma data ao lado, e uma marca grande, sugerindo que era um dos que sua mãe havia ganhado quando era uma jovem bruxa da Patrulha do Olmo.

— Bruxa do bosque? — perguntou Rue. — Nunca ouvi falar.

Cassie passou seu manual e apontou:

Distintivo de bruxa do bosque

Demonstre habilidades de uma bruxa do bosque realizando as seguintes tarefas:

1. Identifique corretamente treze árvores nativas e conheça suas propriedades mágicas;
2. Faça um cataplasma para tratar mordidas de diabretes, cortes e arranhões;
3. Faça uma trilha pela floresta usando runas de fadas;
4. Faça o pó Seguidor de Pegadas e use-o para encontrar uma companheira de *coven*;
5. Passe uma noite acampando na floresta.

— Passar uma noite na floresta? — disse Tabitha, lendo por cima do ombro de Rue. — Cassie, onde você arranjou esse manual? É uma edição antiga, esse distintivo de bruxa do bosque não está no nosso.

Cassie explicou sobre seu acidente com poções e o livro de sua mãe.

— Pelo menos, parece melhor que cultivadora de ervas — disse Rue. — E é uma desculpa para passar mais tempo explorando a Floresta.

— Podemos começar com as tarefas mais fáceis — disse Tabitha —, como identificar as árvores; e eu já fiz um cataplasma para primeiros socorros mágicos.

Ela começou a copiar a lista de tarefas em seu caderno com um toco de lápis.

— Faremos isso, então? — perguntou Cassie.

Ela e Tabitha olharam para Rue, que era líder da Patrulha do Carvalho e deveria ter a palavra final.

Rue sorriu.

— Se para isso teremos que acampar mais, estou dentro.

Wyn puxou a manga de Tabitha.

— Ah, é melhor eu ir; minha avó vai querer chá, e preciso começar a fazer as batatas. E a roupa suja está acumulando — disse Tabitha, guardando tudo de volta na bolsa, depressa. — Vamos nos encontrar amanhã de novo e revisar essa lista.

Rue e Cassie ficaram olhando, enquanto Tabitha descia voando da toca e ia em direção à cabana de sua avó. A velha sra. Blight era de uma famosa família de bruxas, mas para a neta, era o terror em forma de gente. Fazia da vida de Tabitha um inferno, tratando a menina como empregada, forçando--a a fazer todas as compras, cozinhar e limpar.

— Ela deveria deixar a velha esperando, de vez em quando — disse Rue, mastigando um galho de faia. — Mas esse é o problema da Tabitha: ela é legal demais.

— É quase a hora do chá *mesmo* — coaxou o sapo familiar de Rue, Papo. — E hoje é dia de peixe com batatas fritas, lembra?

— Papai prometeu trazer comida de Oswalton. Se eu não estiver lá, Oliver vai comer todas as batatas. Até mais tarde, Cass!

Capítulo 4

A chaleira amaldiçoada

A rua Loft já estava fechando naquela tarde; os últimos compradores voltavam para casa com cestas e pacotes ou iam ao Diabrete Bêbado para beber alguma coisa. Indo para casa a pé pelo vilarejo com Montéquio, com sua vassoura debaixo do braço, Cassie andava com o nariz enfiado no manual. Ao virar a esquina, passou pela Whitby, a loja da família de Rue, onde se podia comprar de tudo, desde feijão enlatado até crisântemos frescos. A loja estava fechada, mas as luzes estavam acesas no apartamento de cima, e ela podia ouvir risadas e conversas animadas pela janela aberta.

Do outro lado da rua, inclinando-se para a direita em um ângulo preocupante, ficava a livraria Widdershin. Cassie lhe lançou um olhar ansioso ao passar, pensando na mesada que havia economizado durante todo o verão. Já tinha quase o suficiente para comprar o *Manual das poções perfeitas*.

Depois, ficava a botica Saltash & Filho, onde elas compravam os ingredientes mais raros para feitiços e poções, aqueles que não conseguiam cultivar ou colher sozinhas. E a padaria e confeitaria Marchpane, que ainda estava lotada, mesmo já sendo quase hora de fechar. Um grupo de colegas de *coven* de Cassie estava em frente, trocando docinhos, que tiravam de sacos de papel listrado de rosa. Alice Wong acenou para Cassie, que estava, mais uma vez, absorta nas páginas de seu manual.

— Cassandra! — sibilou Montéquio, roçando suas pernas para chamar sua atenção.

Mas Cassie estava lendo sobre runas de fadas para marcar seu caminho na floresta e não viu Alice, nem a pessoa alta e escura parada na rua; até que tropeçou em uma grande bolsa e caiu em cima dela.

— Uma bruxa deve sempre estar ciente de seus arredores — disse a Bruxa da Floresta. — Não deve andar errante com o nariz enfiado em um livro, alienada, tropeçando nas pessoas.

— Desculpe, tia Miranda — disse Cassie.

— Bem, já que você está aqui, me acompanhe até a Bramble — disse a Bruxa da Floresta. — Recebi um diabrete de Selena Moor, pouco antes do *coven*, pedindo ajuda e, mesmo assim, consegui chegar ao salão *na hora*.

Cassie estremeceu.

— E carregue isso — disse a tia, apontando para a volumosa bolsa.

Cassie seguiu Miranda pela rua Loft, lutando com o peso da bolsa da Bruxa da Floresta. Ela sabia, por experiência própria, que continha não só uma coleção de pós, poções e preparações para qualquer doença, mágica ou não, como também pedras protetoras suficientes para afundar um barco pequeno. Não havia maneira fácil de carregá-la, então ela ficava mudando o peso de um braço para o outro, trocando a bolsa de lugar com a vassoura.

— Tia Miranda, aprendi muito no verão passado — começou Cassie.

— Mal posso esperar para ouvir sobre isso.

— Estou muito melhor com a vassoura; quase não caio mais. Minhas poções estão... melhorando, e você mesma disse que minhas runas estão quase legíveis. Falta só um mês para a próxima Noite de Travessia, no Halloween, e sinto que estou pronta para atravessar a fronteira e ir procurar minha mãe.

A Bruxa da Floresta levou a palma da mão às têmporas.

— Cassandra, já falamos sobre isso uma dúzia de vezes: não se pode entrar na Terra das Fadas assim, sem mais nem menos. Há coisas muito piores naquela floresta do que fogos-fátuos e duendes, e a Floresta é um labirinto de caminhos tortuosos. Bruxas mais sábias do que você já perderam a cabeça nas profundezas da floresta.

— Mas você conhece a Floresta, pois me ajudou a encontrar o caminho...

Miranda parou e fitou Cassie nos olhos.

— Eu tenho um dever para com este vilarejo e seu povo. Essa é uma das lições que você ainda precisa aprender, e que sua mãe nunca aprendeu: valorizar o que tem tanto quanto o que perdeu. Agora venha, temos trabalho a fazer.

A casa de chá Bramble & Bloom, carinhosamente conhecida como Bramble's pelos moradores de Hedgely, era um estabelecimento pequeno, com janelas em arco, a algumas portas da livraria Widdershin. Tinha muitos vasos de flores ao redor da porta, e clematis subiam pela pedra aquecida pelo sol; e era suavemente iluminada por dentro.

A Bruxa da Floresta bateu com força à porta, que foi aberta um instante depois por uma mulher baixinha, vestindo cinco ou seis cardigãs em tons de violeta. Ela tinha cabelos roxos, ralos, presos em um ninho cheio de alfinetes com joias, e olhos verdes brilhantes.

— Minhas queridas! — gritou ela. — Finalmente vieram! Ando bastante preocupada, de verdade, com um medo terrível de que algo pior aconteça. Tenho que chamar a Bruxa da Floresta, eu disse para Emley hoje, no café da manhã; não é minha área de especialização, mas *ela* saberá o que fazer. Entrem, entrem, sentem-se ali, vou preparar um chá para cada uma. Acabei de colocar as chaleiras no fogo.

— Obrigada, Selena, mas não é necessário, acho que não temos tempo — disse a Bruxa da Floresta. — Seu diabrete disse que você adquiriu um objeto amaldiçoado.

— Mas, minhas queridas, sempre há tempo para um chá! — disse a mulher, agitada atrás de um balcão, onde um fogão a lenha, de ferro fundido, sustentava várias chaleiras.

Havia chaleiras grandes, de cobre, com bico ondulado; chaleiras minúsculas, de ferro, decoradas com libélulas; chaleiras de aço reluzente; e uma chaleira de vários níveis feita de vidro verde que parecia uma torre de bolhas. Selena Moor viu que Cassie olhava para elas.

— Deve estar se perguntando por que preciso de tantos tipos de chaleiras, não é, minha querida? — perguntou. — Chás diferentes requerem águas diferentes, em temperaturas diferentes. Assim como suas poções, preparar chás excelentes é uma arte e uma ciência.

Com um leve suspiro, a Bruxa da Floresta se sentou à mesa que a sra. Moor havia preparado para elas, indicando a Cassie para acompanhá-la. Cassie ficou aliviada por ter uma desculpa para largar a bolsa pesada e observar melhor os arredores. Era a primeira vez que entrava na casa de chá. Em geral, a Bramble's estava lotada de pessoas querendo um lugar para se sentar, tomar uma xícara de chá e bater um papo, mas agora, pouco depois da hora de fechar, estava vazia.

Havia uma dúzia de mesas, cada uma coberta por uma fina toalha de renda decorada com uma estampa incomum: borboletas presas em teias de aranha. Diante dela, havia um vaso de ásteres roxos e um pequeno açucareiro de prata com pegadores em forma de garra. As paredes eram forradas com uma estampa de cobras e rosas, e havia uma lareira azulejada, com duas poltronas posicionadas em frente a ela. Cassie achou o local perfeito para ler em um dia chuvoso. Das vigas pendiam cachos de folhas e flores secas, algumas que Cassie reconheceu do *coven* e outras que eram estranhas e exóticas. Havia uma estante de livros nos fundos, mas em vez de abrigar publicações, havia centenas de latas redondas com fotos nela – latas de chá, percebeu Cassie. Era uma biblioteca de chá.

— Então, aqui estamos — disse a sra. Moor, se apressando com uma bandeja cheia de utensílios de chá.

Foi só então que Cassie percebeu que a mulher não perguntou o que elas gostariam de beber, e que nem havia cardápio nas mesas. Com eficiência e prática, Selena Moor arrumou os utensílios de chá diante delas: uma chaleira para cada uma, xícaras e pires, colheres em forma de galhos floridos e uma jarrinha de creme.

— Lavanda e tília para a Bruxa da Floresta — disse a sra. Moor, indicando a chaleira roxa. — E açafrão-da-índia para a jovem. É a primeira vez que experimenta um dos meus chás, não é? Coloque um pouco de creme e mel, vai ficar uma delícia.

Cassie olhou para a tia, que já havia tomado um gole de chá. Viu a Bruxa da Floresta relaxar, seus ombros ficarem mais leves, e até mesmo suas sobrancelhas acentuadas ficarem, de alguma forma, mais gentis.

Desvirou sua xícara e encontrou uma bolinha peluda enrolada embaixo, que se desenrolou e esticou seu corpinho de musaranho.

— Quer fazer o favor? — disse o bichinho.

— Ah, você encontrou Sorex. Ele gosta de tirar uma soneca na louça, às vezes. Espere, vou pegar outra para você — disse Selena, trocando o musaranho contrariado por uma xícara limpa.

O chá de Cassie saiu da chaleira amarelo como pólen, mas ficou cor de cera de abelha quando ela acrescentou o creme e o mel. E ela colocou um pouco no pires para Montéquio.

A sra. Moor puxou uma cadeira para se sentar com elas, observando Cassie com atenção, enquanto a menina dava seu primeiro gole.

Tinha gosto de manjar turco, das rosas que cresciam no jardim de sua mãe, em Hartwood, de solstício de verão, com um toque de fumaça de lenha. Mas tinha profundidade e doçura, como marshmallows torrados. Fez Cassie se lembrar das brisas com cheiro de especiarias que sopravam em seu quarto, do outro lado da Floresta, nas noites tranquilas de verão. Um calor se espalhou por seu coração e o encheu de leveza. Estava tudo bem. Ela não precisava se preocupar com distintivos nem com testes; iria encontrar a mãe, tudo aconteceria como deveria.

— Selena, sobre esse objeto amaldiçoado... — disse a Bruxa da Floresta, com a voz mais suave que o normal.

— Ah, sim, claro, claro. Só um instante, vou buscá-lo.

Aquela mulher pequenina deu um pulo e foi pegar outra bandeja com xícaras limpas e uma velha chaleira de porcelana decorada com margaridas. Encheu-a com água quente e a levou à mesa, servindo uma xícara para cada uma.

— Aí está, experimentem e me digam o que acham.

Cassie e Miranda pegaram as xícaras oferecidas e tomaram um gole. Cassie quase cuspiu o dela; tinha gosto de lágrimas.

— É salgado! — disse, fazendo uma careta.

— Selena, você misturou o saleiro e o açucareiro? — perguntou a Bruxa da Floresta, erguendo uma sobrancelha.

— Claro que não. É a chaleira! Seja o que for que eu coloque nela, camomila ou chá preto, sai com gosto de mar!

A Bruxa da Floresta ergueu a chaleira com cuidado e a inspecionou, abrindo a tampa para espiar dentro.

— Quando e onde você a adquiriu?

— Terça-feira passada, na loja de Eris Watchet.

— Sempre desconfiei que Eris negociava com duendes, mas isto parece pertencer ao nosso mundo; o *design* é comum, uma margarida, mas mesmo assim... — A Bruxa da Floresta olhou para Cassie. — Cassandra, o que acha disto?

Cassie quase engasgou com o chá doce que estava tomando para tirar o gosto de sal da boca. Sua tia estava mesmo pedindo sua opinião? Sua opinião profissional, de bruxa? Devia haver alguma magia poderosa nos chás de Selena Moor.

Com cuidado, Cassie pegou a chaleira e a inspecionou, assim como a Bruxa da Floresta havia feito. Ainda estava meio cheia de folhas de chá encharcadas, e enquanto olhava, elas se moviam; não de forma natural, com o movimento da água, e sim como se um dedo invisível as empurrasse. Cassie se levantou e foi até a janela, aproveitando a última luz do dia para examinar a chaleira. Quando olhou dentro do objeto, viu que as folhas haviam se reorganizado na forma de um rosto, malicioso e sorridente. Com uma torção brusca, a chaleira saltou de suas mãos e se partiu ao bater no chão de pedra. Os pedaços de porcelana saíram girando em todas as direções e água quente espirrou em seu manto.

— Cassandra! — gritou sua tia.

As duas adultas foram correndo para a menina. Cassie saiu ilesa, mas a chaleira não tinha mais conserto; a estampa de margarida estava partida e o cheiro de chá salgado empestava o ar.

— Não se preocupe, querida — disse Selena Moor, pegando um esfregão. — De qualquer maneira, não me servia para nada.

Mas a Bruxa da Floresta já estava carrancuda.

— Cassandra vai cobrir o custo com a mesada dela, claro.

Cassie suspirou. O *Manual das poções perfeitas* teria que esperar.

Capítulo 5

Sebastian Penhallow

Assim que saíram da casa de chá, Miranda começou a dar um sermão a Cassie sobre como manusear a propriedade dos outros – ainda mais quando se tratava de algo potencialmente amaldiçoado. Mas ela mesma não parecia achar que a chaleira representava uma ameaça real.

— Mas o que aconteceu com a chaleira para fazê-la servir só água salgada? — perguntou Cassie, esperando distrair sua tia no meio da bronca.

— Objetos amaldiçoados são criados pelo povo da Terra das Fadas, como pegadinhas ou punições para humanos que cruzam o caminho deles. As fadas têm a capacidade de trazer à tona o pior das coisas, de distorcer a natureza dos objetos, da mesma maneira que uma pessoa pode treinar um filhotinho de cachorro para morder. Elas também podem encantar as coisas, claro, aumentando suas virtudes inatas. Mas tesouros assim são extremamente raros — Miranda falou.

— Selena Moor é uma bruxa? — perguntou Cassie.

Estava pensando em como o chá de açafrão a tinha feito se sentir; apesar de que, infelizmente, os efeitos do chá de lavanda de Miranda pareciam ter passado.

— De certa maneira, sim. Ela estudou reparação em Convall Abbey antes de vir para cá e abrir a casa de chá. Agora, faz só um pouco de magia, mas seu conhecimento de ervas é incomparável. Você, sem dúvida, vai escrever uma carta de desculpas para ela, não podemos...

— Bruxa da Floresta! Bruxa da Floresta!

Era a sra. Mossley, a carteira, que gritava do outro lado da rua e ia até elas o mais rápido que suas curtas pernas permitiam. Elas pararam e esperaram que a mulher recuperasse o fôlego. Ela abanou o rosto redondo e vermelho com um envelope antes de o entregar.

— Carta para a senhora. Me parece urgente, achei que a senhora gostaria de recebê-la antes da entrega da correspondência de amanhã. É de *Londres*!

— Obrigada — disse a Bruxa da Floresta, pegando o envelope e analisando a caligrafia. — É de Elliot.

— Ah, aquele seu irmão encantador; acha que ele virá nos visitar logo? — perguntou a sra. Mossley, olhando para a carta, enquanto Miranda começava a abri-la.

O tio de Cassie, Elliot, trabalhava na Wayland Yard com as guardas, bruxas cujo trabalho era investigar atividades criminosas relacionadas a fadas e proteger as pessoas de duendes e outras ameaças. Elliot não era um bruxo, claro; os homens nunca eram, até onde Cassie sabia, mas o trabalho dele era muito importante mesmo assim. Cassie não o via nem tinha notícias dele desde julho, quando ela havia ajudado a deter uma feiticeira chamada Renata Rawlins.

— Veremos — disse Miranda. A carteira ficou parada por mais um instante, olhando para a carta, esperançosa, até que a Bruxa da Floresta lhe desejou boa-noite.

Miranda leu a carta sem pressa enquanto subiam a colina em direção a Hartwood Hall. Cassie ficou bastante irritada com isso, visto que sua tia havia acabado de repreendê-la por ler enquanto caminhava. Por fim, quando chegaram às colunas sobre as quais lebres de pedra contemplavam a lua, Miranda dobrou a carta e a guardou em sua capa.

— É do seu primo Sebastian, ele vem passar o Halloween aqui.

Cassie não conhecia o primo, portanto, não sabia o que dizer sobre a iminente chegada dele. Mas a carta parecia incomodar a tia, e Cassie se perguntou se não haveria algo mais por trás da visita de seu primo; algo que Miranda se recusava a dizer.

O tio de Cassie chegou no domingo, com o filho a tiracolo. Sebastian Penhallow tinha herdado o sobrenome da mãe, como era tradição nas antigas famílias de bruxas. Ele era dois anos mais novo que Cassie e quase uma cabeça mais baixo, mas tinha o mesmo cabelo ruivo que ela havia herdado da mãe e do tio, e usava óculos de aro de tartaruga.

Sebastian estava parado no grande salão com as mãos enfiadas nos bolsos e os olhos fixos no chão polido. Isso poderia indicar certa timidez, se ele não estivesse no cômodo mais maravilhoso da casa, dominado pela árvore Hartwood. A árvore brotava das tábuas do assoalho e subia até o teto, onde os vitrais projetavam manchas de luz colorida em suas folhas em forma de coração. Uma escada em caracol envolvia seu tronco e seus galhos se estendiam ao longo dos corredores do primeiro andar. Quando Cassie havia chegado a Hartwood, tinha ficado maravilhada, encantada, com as folhas que dançavam com a brisa de outro mundo, com a árvore que parecia estender a mão e recebê-la na casa e no novo mundo mágico onde havia caído. Mas Sebastian estava bastante desinteressado, e Cassie simplesmente não conseguia entender. Talvez ele estivesse acostumado a tais maravilhas, pois era de uma família de bruxas.

— Ora, Cassie, você cresceu uns três centímetros desde a última vez que estive aqui! — disse seu tio Elliot, radiante. — E você é a cara da saúde, Miranda. Não houve mais problemas com duendes, não é?

— Sempre há problemas em Hedgely — disse Miranda. — Mas podemos falar sobre isso depois. Esse deve ser Sebastian.

Elliot cutucou o menino para que cumprimentasse a tia e, por um momento, Cassie sentiu pena dele. Miranda, alta, magra e severa, era uma mulher ameaçadora; Cassie a tinha achado meio assustadora no início e, verdade seja dita, ainda achava. Mas Sebastian não parecia ter medo; ele deu uma olhada na Bruxa da Floresta e bufou, voltando-se para o pai.

— Não acredito que você vai me deixar *aqui,* com essa gente. Por que não posso ir para Londres com você? Não vou atrapalhar, você pode me deixar no Museu da Ciência a caminho do trabalho e…

— Sebastian! — disse Elliot, levantando a mão para interrompê-lo. — Já falamos sobre isso; você não pode ficar em Londres, e vai fazer bem a você passar um tempo longe da Cornualha. Estas pessoas são a sua família; sua tia Miranda é uma mulher muito ocupada, mas ela gentilmente se ofereceu para recebê-lo no feriado para que você possa conhecer o verdadeiro Halloween de Hedgely. Espero que demonstre um pouco mais de gratidão!

— Mas elas são *bruxas!*

Cassie ficou surpresa com isso e viu Miranda ficar tensa ao ouvi-lo pronunciar a palavra "bruxa", como se fosse uma coisa ruim, algo de que se envergonhar. Ela tinha vivido metade de sua vida cercada por pessoas que achavam que bruxas e fadas não existiam, mas em Hedgely, não havia profissão mais respeitável ou procurada que a bruxaria.

— Sim, e já está na hora de você entender o que isso significa. Agora, peça desculpas à sua tia e prima enquanto pego suas coisas no carro.

Ele deixou Sebastian com elas no salão, mas o menino não se desculpou nem disse nada a Cassie ou à tia, e os três ficaram em silêncio, constrangidos.

— Cassandra, não quer mostrar a casa para Sebastian? — disse a Bruxa da Floresta.

— Não preciso que *você* me mostre a casa — disse Sebastian, enquanto Cassie o conduzia escada acima. — Já estive aqui antes, quando tinha três anos; e, além disso, eu nunca me perco. Meu pai sempre me pede para ler os mapas quando estamos viajando de carro, porque tenho um senso de direção perfeito. Acabamos de comprar um carro novo, sabia? É um Vauxhall Wyvern.

Cassie, que não entendia nada de carros, achou que parecia nome de alguma espécie de wyrm.

— A sra. Briggs arrumou o quarto amarelo para você — disse ela, indo à frente. — Tem vista para a frente da casa e dá para ver o vilarejo a distância. É aqui. — Ela empurrou uma porta que tinha um brasão de bronze em forma de leão. — Na maioria das vezes, o banheiro fica a três portas à esquerda, mas, às vezes, são três portas à direita; depende da fase da lua. Quer ver a sala dos espelhos? Só a descobri semana passada.

Hartwood Hall não era como as casas comuns, onde as portas em geral levam aos mesmos cômodos todas as vezes e as escadas sempre levam para cima ou para baixo sem fazer perguntas. Em Hartwood, uma pessoa poderia tentar entrar na sala de música do segundo andar e se encontrar na despensa, cercada por barris e sacos de batatas. A sala matutina, na qual Cassie gostava de ler nos dias úmidos de verão, havia desaparecido recentemente e foi substituída por uma sala forrada de espelhos até o chão e um lustre de vidro azul. Exigia certa prática, mas quanto mais tempo se morava na casa, mais o morador se acostumava; ou melhor, a casa se acostumava com ele, e às vezes, até ajudava, oferecendo um banheiro em um momento conveniente ou uma porta dos fundos para a despensa quando fosse necessário um lanchinho no meio da noite.

Cassie tentou explicar tudo isso ao primo enquanto o conduzia pela longa galeria, indicando a torre norte e o escritório de sua tia – onde era estritamente proibido entrar. Mostrou também a torre sul, onde seu próprio quarto redondo podia ser encontrado.

— O que é isso? — perguntou Sebastian, apontando para aquela forma fofa e cinza enrolada na ponta da cama de Cassie.

— É o Montéquio — disse Cassie. — Ele é o meu familiar.

— Sou alérgico a gatos, eles me dão urticária — disse o primo.

— E eu — disse Montéquio, se espreguiçando — sou alérgico a meninos desrespeitosos, eles me dão vontade de afiar as garras nas pernas magricelas deles.

— Vamos, você deve estar com fome — disse Cassie, tirando o primo dali.

Desceram até a cozinha, onde havia uma grande lareira, uma pesada mesa de carvalho, presuntos, e ervas, e panelas de cobre penduradas nas vigas.

— Não acredito que vocês não têm luz elétrica — reclamou Sebastian. — Nem fogão a gás. Como você pode cozinhar algo decente nisso? É como se estivéssemos na Idade Média de novo!

— Bem, requer um pouco de prática — disse a sra. Briggs, ignorando o tom dele enquanto cortava para eles duas generosas fatias de bolo de marmelo com geleia de laranja. — Mas depois que pega o jeito, fica fácil, e a fumaça da madeira melhora bastante o sabor das coisas.

Sebastian revirou os olhos, mas deu uma bela mordida no bolo mesmo assim.

— Ah, faz bem aos meus olhos ver vocês dois sentados aí — disse a sra. Briggs. — Como Rose e Elliot há tantos anos. Quantas travessuras aqueles dois aprontavam! Não tenho dúvidas de que, em breve, vocês terão suas aventuras também.

Sebastian bufou e Cassie o fitou. Ela havia passado só meia hora em companhia do primo e já não via a hora de ir embora.

— Cassie, meu amor, por que você não mostra a Sebastian o pomar e o estábulo? — sugeriu a governanta.

Dando um suspiro, Cassie limpou as últimas migalhas do prato, pois não queria desperdiçar nada, bebeu seu chá de amora e se dirigiu à porta da cozinha.

— Vamos lá — chamou o primo.

Sebastian não demonstrou mais interesse nos terrenos de Hartwood que na casa em si.

— Vocês deveriam asfaltar essas trilhas; assim, não ficaria tão terrivelmente lamacento — reclamou, enquanto Cassie o conduzia pelo pomar.

As peras, ameixas e abrunhos já estavam maduros, prontos para a colheita, e as primeiras maçãs começavam a cair, perfumando o ar fresco com seus sumos fermentados. Sebastian estava com um par de tênis novinho em folha, de um branco imaculado, antes de saírem de casa; mas agora, estavam sujos de verde e marrom.

— É um pomar — disse Cassie. — É para ser lamacento.

Ela lhe mostrou a horta, onde as abóboras de Brogan, grandes esferas verdes, brancas e laranja, estavam começando a crescer como balões, e o jardim de rosas de sua mãe, que ainda exalava um perfume inebriante, mesmo que a maioria das outras flores já estivessem começando a murchar. Passaram pelo jardim cercado, que ficava sempre trancado, e seguiram para o estábulo.

— Olá, Peg — disse Cassie, cumprimentando o cavalo prateado com plumas nos cascos e lhe oferecendo um torrão de açúcar que ela havia guardado no bolso.

Mas Sebastian não quis chegar perto para acariciar seus flancos malhados.

— Não parece seguro, e tenho certeza de que tem pulgas. Onde vocês guardam os carros?

— Que carros?

— Vocês devem ter vários em uma casa grande como esta, e um motorista para dirigi-los.

— Mas não precisamos de carro; temos nossas vassouras, e Brogan usa o carrinho quando tem que carregar algo pesado.

Sebastian a encarou com os olhos arregalados.

— Mas e eu? Como vou chegar a algum lugar?

Cassie deu de ombros.

— Vai ter que andar, imagino.

Resmungando, ele a seguiu ao redor da casa até a entrada. Elliot estava ali, diante de um veículo preto brilhante, conversando com Miranda.

— Pai, você não pode estar falando sério! Vai me deixar aqui? — disse Sebastian, correndo até ele. — Elas nem têm aquecimento central! Vou morrer de frio... isso se não morrer de fome primeiro.

Mas Elliot apenas riu.

— Não há perigo disso com a comida da sra. Briggs, garanto; e o ar fresco fará bem a você. Eu adorava este lugar quando tinha a sua idade. Ora, eu não ficaria surpreso se voltasse para buscar você depois do Halloween e você não quisesse ir embora!

Sebastian fez uma careta e enfiou as mãos nos bolsos. Cassie achava que o que o tio havia dito era bastante improvável.

— Bem, é melhor eu ir se quiser chegar a Londres ao anoitecer. Fique tranquilo, Sebastian, não é tão ruim assim.

Miranda, Cassie e Sebastian ficaram observando, enquanto o carro novo e reluzente se afastava, esmagando o cascalho e desaparecendo na alameda de faias. Sebastian, com os olhos vermelhos e brilhantes, foi correndo para dentro de casa. Cassie tentou segui-lo, mas sua tia a impediu.

— Elliot trouxe notícias de Wayland Yard; pegaram Renata Rawlins — disse a Bruxa da Floresta. — Ela tomou a imprudente decisão de voltar a Londres, escondeu-se em algum lugar em Battersea, mas eles a localizaram.

— O que vai acontecer com ela? — perguntou Cassie.

Cassandra havia gostado bastante da bruxa Renata, até descobrir que ela estava ajudando duendes a roubar crianças em toda a Grã-Bretanha.

— A Assembleia das Bruxas se reunirá para discutir o destino dela. Pensei que ela tentaria se esconder na Floresta, ou até mesmo atravessar a fronteira, mas o fato de ter voltado à cidade sugere que tem cúmplices, ou que esperava levar outras jovens bruxas para o lado do Rei Elfo. Elliot deve saber disso, mas ele é sempre otimista, acredita no melhor de todos, até que seja tarde demais. — Miranda suspirou. — Mostrou a casa a Sebastian?

— Sim, mas acho que ele não gostou muito. Ele tem mesmo que ficar com a gente durante o Halloween?

— Quero que você fique de olho nele e o ajude a se adaptar à vida em Hedgely.

— Ah, mas ele tem onze anos, tenho certeza de que sabe se cuidar sozinho — disse Cassie, sentindo uma sombra pairar sobre os planos que tinha para as próximas semanas. Tinha que terminar a tarefa do distintivo e estava determinada a não ficar mais para trás no *coven*.

Miranda sacudiu a cabeça.

— Ele não é um bruxo e não entende os perigos da Floresta. Mas você já tem bastante conhecimento nesse departamento, por experiência própria. Tudo que peço é que o mantenha longe de problemas. Espero que não seja muito difícil.

Cassie suspirou.

— Claro, tia Miranda.

Capítulo 6

Dançando com as vassouras

Não foi difícil ficar de olho em Sebastian durante a primeira semana em Hedgely, pois ele a seguia para todo lado. Quando Cassie saía do quarto, pela manhã, lá estava ele no corredor, já de dentes escovados e esperando para acompanhá-la para o café da manhã.

Em sua primeira manhã em Hartwood, Sebastian inadvertidamente foi parar no banheiro particular da Bruxa da Floresta. Cassie o resgatou; embora ele não admitisse, ela tinha certeza de que esperá-la à porta de seu quarto todos os dias era a maneira de ele garantir que chegaria à mesa do café da manhã antes que suas salsichas esfriassem.

Sebastian a seguia até à escola, ficava com ela nas aulas, e a seguia de volta para casa. Seguia-a até o vilarejo quando ela ia fazer tarefas para a sra. Briggs, e comentava que todas as lojas eram antiquadas, e reclamava da falta de uma cooperativa, fosse lá o que isso fosse. Ele a seguia pelo pomar quando ela ajudava Brogan a colher as primeiras maçãs, pequenas, de polpa amarela, de uma variedade conhecida como Olho de Diabrete; ou a desenterrar batatas. Mas ele nunca oferecia ajuda para nenhuma tarefa.

O que ele gostava de fazer era falar. Sebastian era capaz de elaborar uma conversa inteira sozinho, com muito pouca contribuição de Cassie; e, de fato, ele parecia considerar qualquer comentário que ela fizesse uma interrupção indesejável. Seus temas favoritos, além de reclamar e dizer que tudo era atrasado em Hedgely, eram carros, aviões, viagens espaciais e como Londres era superior a qualquer outro lugar do mundo. Cassie não conseguia concordar com ele nesse último ponto, visto que suas lembranças dessa cidade eram dominadas pela Fowell House e o triste subúrbio de Trite.

Na esperança de conduzir a conversa a uma direção mais interessante, Cassie perguntou a Sebastian, um dia, se ele gostava de ler. Ele tirou de sua mala uma pilha de revistas intituladas *Este é o futuro*, que continham muitas fotos de carros voadores. Ele passou o resto da noite lendo suas matérias favoritas para ela, que logo se arrependeu de ter perguntado.

Quando chegou a sexta-feira seguinte, Cassie estava mais ansiosa que o normal pelo *coven*, porque tinha certeza de que Sebastian não a seguiria até lá. Apesar de ter sido criado em uma família de bruxas, seu primo não tinha interesse em criaturas, feitiços ou poções, que para ele se resumiam a "superstições tolas".

Mas quando Cassie e Montéquio chegaram ao salão do *coven* depois da escola, havia outro rosto novo entre eles. Enquanto as meninas formavam o círculo e cantavam a canção do *coven*, não podiam deixar de lançar olhares curiosos para a jovem sentada ao fundo, em um banquinho, sorrindo e batendo o pé ao ritmo da música. Usava uma capa amarelo-vivo e um chapéu de bruxa bastante frouxo, decorado com flores de feltro. Em seu ombro estava pousado um passarinho azul e laranja com um bico longo – um martim-pescador. Cassie ergueu as sobrancelhas para Rue, que apenas deu de ombros. Nem as líderes de patrulha tinham ideia de quem ela era, ao que parecia.

Quando terminaram a canção de abertura, todos os olhos se voltaram para Miranda, que pigarreou antes de começar:

— Hoje, vamos revisar o trabalho de verão com os distintivos, mas, primeiro, tenho uma apresentação a fazer. Devido aos eventos do solstício de verão e à investigação, ainda aberta, sobre os sequestros feitos por duendes em todo o país, a Assembleia das Bruxas expressou certa preocupação com a segurança de vocês. Embora eu lhes tenha assegurado que *a maioria* das minhas meninas é sensata demais para sair vagando pela Floresta sem supervisão, elas acharam por bem lhes fornecer mais supervisão na forma de uma mestra-assistente do *coven*.

A jovem se ergueu de seu poleiro, radiante, e foi até elas, com seu familiar arremetendo atrás dela como um flash turquesa.

— A srta. Early veio até nós da cidade de Knockshough, na Irlanda, e sua presença será uma oportunidade para vocês aprenderem sobre algumas das diversas tradições da bruxaria irlandesa. Ela ficará conosco até o fim do ano, conduzirá reuniões de vez em quando e estará disponível, caso precisem de mais ajuda no treinamento.

A carranca de Miranda mostrava exatamente o que ela pensava de qualquer menina que precisasse de mais ajuda.

— Olá! — disse a srta. Early, tentando se espremer no pequeno espaço que Miranda lhe cedeu no círculo. — Podem me chamar por meu primeiro nome, que é Aoife. E fico feliz por estar aqui com vocês. Vamos nos divertir muito juntas, e mal posso esperar para conhecer cada uma de vocês.

Cassie olhou para as outras meninas e viu que suas expressões variavam da cautela à confusão. Aoife Early, com seu manto amarelo-vivo e chapéu florido, uma cascata de cabelos castanhos soltos e mãos expressivas, não poderia ser mais diferente da Bruxa da Floresta.

— Inclusive, eu gostaria de começar a reunião de hoje com uma atividade muito especial, que as meninas de meu *coven* adoram! Isto é, se a mestra do *coven* não se importar.

Miranda abriu a boca para falar, mas Ivy chegou antes.

— Mas íamos apresentar nosso trabalho de verão com os distintivos hoje!

— Bem, se sobrar tempo, vocês poderão mostrar seus trabalhos depois. Não seria bom fazer algo diferente e divertido para começar nosso primeiro encontro juntas?

— Não sei se Ivy já ouviu falar em "diversão" — sussurrou Rue no ouvido de Cassie.

— Maravilha! Agora, peguem suas vassouras e me encontrem lá fora!

As meninas saíram correndo para pegar suas vassouras, tropeçando umas nas outras na pressa. Cassie pegou Galope no canto da Patrulha do Carvalho e seguiu Rue e Tabitha até o jardim.

— Acha que ela vai querer que a gente faça corrida de vassouras? — perguntou Rue, segurando Labareda, sua vassoura bastante gasta e surrada. — Ou acrobacias? Posso mostrar aqueles giros no sentido horário em que tenho treinado.

— Talvez a gente tenha que polir as vassouras, ou treinar voo com nossos familiares — sugeriu Tabitha.

Cassie esperava que não. Embora sua técnica de voo houvesse melhorado durante o verão, ela ainda não estava muito confiante e já estava farta das críticas construtivas de Montéquio.

— Maravilha! Por aqui, meninas, me sigam! — chamou a srta. Early, conduzindo-as pelo jardim do *coven* até o prado.

A jovem lutava com o peso de um velho gramofone. Miranda a seguiu também, com os braços cruzados e a boca contraída.

— Muito bem, vai servir perfeitamente — disse Aoife, colocando o gramofone sobre uma pedra chata. — Quero que formem duas filas, segurando suas vassouras; isso mesmo, podem ficar de frente para mim, por enquanto — disse Aoife, com os braços estendidos e agitando os dedos. — Tenho certeza de que vocês voam muito bem, mal posso esperar para ver o que são capazes de fazer. Mas, hoje, vamos manter os pés firmes no chão.

Rue suspirou alto.

— Quero que segurem a vassoura com as duas mãos e olhem para ela. Só isso.

Cassie segurou sua vassoura diante de si, sentindo-a se contrair e se mexer entre suas mãos. Galope havia sido de sua mãe, e Cassie só a pilotava desde seu aniversário, em junho, quando seu tio Elliot lhe tinha dado de presente. Segundo todos os relatos, sua mãe havia sido uma excelente pilota de vassoura, e era um grande constrangimento para Cassie não ser.

— Para que ficar olhando para a nossa vassoura? — perguntou Ivy.

— Quero que vocês as conheçam melhor — disse Aoife.

— Mas é só um pedaço de pau; é a bruxa que faz o voo — disse Phyllis Drake.

— Ah, mas como todas vocês sabem, as vassouras de bruxa não são feitas de madeira comum. Quem sabe me dizer de onde vem?

Nancy Kemp, a vice-líder da Patrulha das Cinzas, respondeu:

— Vassouras de bruxa são feitas da árvore-da-brisa, da Terra das Fadas.

— Exatamente! E assim como seus familiares não são gatos, ratos e pássaros comuns, e sim criaturas com o poder da fala e talentos mágicos próprios, as árvores da Terra das Fadas também são especiais. Quero que vejam suas vassouras como seres independentes, com vontade e espírito próprios. Quero que vejam o voo como uma parceria entre uma bruxa e sua vassoura.

Não era difícil pensar em Galope como um ser independente, refletiu Cassie; várias vezes discordavam sobre coisas como em qual direção voar ou se a menina deveria ficar montada na vassoura ou pendurada nela. Às vezes, ela falava com sua vassoura, mas não via sentido em ficar encarando-a. Não que fosse possível fazer contato visual…

Aoife estava mexendo no gramofone. Posicionou a agulha e em um instante, o prado foi inundado pela saltitante melodia de Vivaldi, *Outono*.

— Agora, quero que sintam a música! O que ela está dizendo? No que faz vocês pensarem?

As meninas se entreolharam, perplexas, enquanto Aoife balançava o corpo ao som da música.

— Abracem a música, abracem suas vassouras, e quando estiverem prontas, dancem!

Rue tossiu para disfarçar o riso. Ivy encarou Aoife com os olhos arregalados de pura descrença, e o resto do *coven* ficou segurando suas vassouras e olhando com cautela de Aoife para a Bruxa da Floresta, ao som das cordas dos violinos que se elevavam no prado.

Só Tabitha parecia à vontade com as instruções de Aoife. Ela ficou parada, olhando além delas, para uma fileira de álamos que marcava o caminho para o vilarejo, vendo os galhos se levantando com uma leve brisa que provinha da Floresta e as folhas brilhantes esvoaçando como borboletas cor de enxofre. Sorrindo, ela se curvou para sua vassoura e começou a dançar.

O resto do *coven* se voltou para ver Tabitha valsando com sua vassoura.

Aoife bateu palmas.

— Encantador! Simplesmente encantador. Essa jovem bruxa entendeu o espírito da coisa. Agora, todas vocês, vamos!

Suspirando, Cassie se curvou para sua vassoura como Tabitha havia feito e, a seguir, caminhou ao redor dela, formando um círculo e se sentindo ridícula. As outras meninas estavam rindo, mas também começaram a se mexer. Exceto Ivy, que ficou de lado, com os braços cruzados e a vassoura pairando à sua frente.

Tabitha era de fato muito boa, graças às aulas de dança que havia feito na Clematis Academy, a escola chique que tinha frequentado no vale ali perto. Mas também ajudava o fato de ela não ter medo de fazer papel de boba e parecia estar se divertindo.

Rue também começou a dançar; ela era mais atlética que graciosa, e ficava jogando sua vassoura para cima e a pegando, girando-a como um bastão e pulando sobre ela.

Cassie ainda estava girando em círculos ao redor de Galope, sem saber o que mais fazer. Sabia que sua tia a estava observando, de modo que deveria fazer um esforço, mas não tinha experiência à qual recorrer. Não ensinavam dança em Fowell House, e a Bruxa da Floresta não tinha rádio nem se permitia qualquer tipo de música.

Mas Galope tinha ideias próprias, e quando Cassie se voltou, a vassoura começou a subir verticalmente no ar, puxando a menina para cima. Logo seus dedos dos pés mal tocavam a terra. Ela se segurou em Galope com as duas mãos, enquanto a vassoura subia, girando, e girando, e girando.

— Pare! — gritou. — Me ponha no chão!

Rue a segurou por um pé e a puxou, mas os cadarços de Cassie estavam desamarrados e a bota saiu de imediato. A vassoura fazia Cassie girar no ar, cada vez mais rápido. Ela estava ficando tonta.

As outras meninas pararam de dançar para assistir, e por fim, a srta. Early percebeu o que estava acontecendo.

— Ai, céus! Você é muito criativa, mas acho melhor descer agora — gritou Aoife para Cassie.

— Estou ten... tando!

Por fim, Aoife tirou a agulha do disco e a música parou. Galope caiu no chão, derrubando Cassie. Algumas meninas da Patrulha dos Espinhos riram.

— Bem, foi um começo maravilhoso, mas acho que é suficiente por hoje — disse a mestra-assistente do *coven*. — Para quem estiver interessada, preciso de voluntárias para ensaiar danças irlandesas tradicionais, com vassouras, para apresentar no Halloween.

Depois do *coven*, as três integrantes da Patrulha do Carvalho voltaram juntas para o vilarejo.

— Aquela bobagem de ficar girando não era bruxaria — disse Rue. — Foi divertido, de certa forma, mas não vai ajudar a gente a pegar duendes nem a proteger o vilarejo, vai? Se isso é tudo que ela vai nos ensinar, é melhor ficar com a velha morcega... digo, com a Bruxa da Floresta.

— Não sei, não... eu gostei bastante dela — disse Tabitha. — Conversei com ela no intervalo para o chá; ela tem muitas ideias interessantes sobre bruxaria moderna e novas maneiras de fazer as coisas.

— Qual é o problema com os métodos antigos? — perguntou Rue.

Cassie ainda não havia decidido o que achava de Aoife Early. Naquele instante, estava mais preocupada com a vergonha que tinha passado na frente do *coven* e de sua tia, uma ocorrência que era muito comum quando sua vassoura estava envolvida. Mas concordava com Rue; elas deveriam estar aprendendo magia séria; era disso que ela precisava para concluir seu treinamento e encontrar sua mãe.

Olhando para a Floresta, Cassie viu um pequeno vulto correndo colina acima em direção às árvores, voltando-se de vez em quando para olhar por cima do ombro.

— Ei, aquela não é a Ivy? — disse Cassie, apontando.

— É mesmo! — disse Rue. — Aonde ela vai?

— Está indo para a Floresta, e sozinha. Será que é melhor ir buscar a Bruxa da Floresta? — perguntou Tabitha.

— Não, vamos segui-la — disse Cassie. — Quero saber o que ela está aprontando.

Capítulo 7

Achados e perdidos

Quando Cassie, Rue e Tabitha chegaram à Floresta, Ivy já havia desaparecido em suas profundezas, engolida pelas sombras do crepúsculo. Encontraram uma trilha estreita no lugar onde a menina tinha desaparecido.

Em fila indiana, foram seguindo a trilha para a floresta. As árvores estavam imóveis e silenciosas, a brisa havia parado; Cassie achou o lugar estranhamente quieto. Quando tinha entrado na Floresta pela primeira vez, no início de maio, havia tapetes de jacintos e uma cacofonia do canto de pássaros. Agora, cucos e rouxinóis haviam migrado para algum lugar mais quente para passarem o inverno. Até os piscos-de-peito-ruivo e os melros estavam ocupados demais, procurando comida para fazer uma serenata para elas enquanto adentravam a floresta. A maioria das árvores ainda ostentava a cor verde do verão, mas aqui e ali havia explosões de cores; bordos e sorveiras que formavam nuvens amarelas e vermelhas. Cassie viu wyrms de folhas e um ninho de diabretes entre os galhos.

Os sinais do avanço de Ivy estavam ficando mais difíceis de identificar, visto que a própria trilha sumia. Os caminhos da Floresta costumavam ir e vir, mudar de direção de uma visita a outra, conduzindo o visitante em círculos e, às vezes, desaparecendo por completo, deixando-o preso em uma clareira de serrapilheira ou em um vale ensombrado.

— Está escurecendo — disse Montéquio, se enrolando nas pernas de Cassie. — Sua ausência logo será notada, se você não voltar para o jantar. E, se bem me lembro, a sra. Briggs vai fazer torta de queijo com cebola hoje.

— Nós perdemos o rastro dela — admitiu Rue.

Cassie olhou para o vilarejo. Ainda se via o céu por entre as árvores, mas se fossem muito mais longe, corriam o risco de se perderem.

— E está ficando frio. Preciso ir para casa para acender o fogo para a vovó — disse Tabitha.

— Eu só queria saber o que a Ivy está tramando — disse Cassie.

Não era a primeira vez que pegavam aquela bruxa da Patrulha dos Espinhos vagando sozinha pela Floresta, em busca de ervas medicinais e flores. A mãe de Ivy estava muito doente, não conseguia acordar de um sono encantado. A sra. Harrington tinha sido amaldiçoada com a doença das fadas, *esane*, e sua filha estava desesperada para encontrar uma cura.

— O que foi isso? — sussurrou Tabitha, se voltando para espiar nas sombras. — Ouviram? Uma voz...

Pararam para ouvir; Cassie tinha quase certeza de que ouviria as árvores sussurrando de novo, mas houve só um farfalhar nas folhas atrás delas, seguido por um gemido baixinho.

— Ivy? — chamou Cassie.

— Não é ela — disse Montéquio, girando as orelhas com a cabeça erguida, para farejar o ar.

As meninas trocaram olhares preocupados. Havia muitas criaturas à espreita na Floresta, algumas apenas travessas, mas outras perigosas de verdade, até mesmo para as bruxas mais experientes.

— Acho que devemos ir ver o que é — disse Cassie.

Tabitha concordou.

— Pode ser alguém machucado.

Ouviram outro gemido entre os arbustos.

— Então, vamos — disse Rue. — Chegamos até aqui, não vou voltar sem saber o que é.

Mas Cassie segurou sua vassoura mesmo assim, pronta para fazer uma retirada às pressas.

As três jovens bruxas avançaram em direção aos sons, afastando as amoreiras que cresciam no caminho, espetando os dedos em seus espinhos e sujando-os de roxo com as amoras maduras. Foram recebidas por mais gemidos e batidas.

— Olá! — gritou Rue. — Quem está aí?

Cassie passou por um arbusto de azevinho coberto de vegetação e chegou a uma pequena clareira, onde viu um velho corpulento, de quatro, diante de uma aveleira. Ele não estava de chapéu e seu cabelo grisalho era espetado como cardo. Suas mãos e rosto traziam arranhões recentes.

— Onde está? Onde está? — murmurava ele. — Preciso encontrar, ohhhh... — E soltou outro gemido.

— É o fazendeiro Scrump! — disse Rue.

Mas os olhos do homem estavam vidrados, e ele apertava o peito com as mãos em garras, curvando-se como uma bola no chão.

— Sr. Scrump, está me ouvindo? Estamos aqui para ajudá-lo — disse Tabitha, agachando-se ao lado dele. Ele tremia todo. Ela tirou a capa e a colocou sobre os ombros dele.

— Senhor, o que aconteceu? — perguntou Cassie. — Está machucado?

— O que ele está fazendo aqui? — perguntou Rue.

— Cassie, minha mochila — disse Tabitha. — Pegue o óleo de amônia, na garrafinha amarela, depressa!

Tabitha ajudou o homem a se virar e se sentar, apoiando-o, e verificou se não havia nenhum membro quebrado. O velho fazendeiro estava atordoado e confuso; ainda balbuciava e não respondia às perguntas delas.

Cassie abriu o óleo de amônia e o passou sob o nariz do homem. Ele o cheirou duas vezes e espirrou nas mãos dela. Ela pegou um lenço e o entregou a ele, para evitar que isso se repetisse.

O óleo de amônia parecia estar funcionando; os olhos do fazendeiro clarearam e ele conseguiu focar nas três meninas, na clareira e no estado de suas roupas.

— Como eu... Onde estamos? — gaguejou, olhando para elas. — Você é a menina Whitby, não é? Aquela que peguei em meu pomar domingo passado, roubando maçãs. Mas como vim parar aqui?

Rue passou a mão por seu denso cabelo e abriu um sorriu tímido.

— Isso foi ano passado, sr. Scrump. — E disse às outras, baixinho: — Acham que ele bateu a cabeça?

— Perda de memória ou de noção do tempo é um dos nove sinais de feitiço — disse Tabitha.

— Quando o encontramos, o senhor ficou dizendo "onde está?" — disse Cassie. — Perdeu alguma coisa? Por isso está aqui na Floresta?

O velho sr. Scrump olhou para ela com uma expressão vazia como uma folha de papel.

— Ah, estava? Não me lembro; não me lembro de andar por aqui. Saí do Diabrete Bêbado, estava voltando para casa. Não lembro como vim parar aqui. Onde está a minha bengala?

— Aqui está — disse Tabitha, entregando-lhe uma bengala que havia caído embaixo da aveleira.

— Mas sua fazenda fica a leste do vilarejo e do Diabrete Bêbado — disse Rue. — Aqui é a Floresta. O senhor pegou o caminho errado.

— É melhor levá-lo à Bruxa da Floresta — disse Tabitha, ajudando o velho a se levantar.

Cassie pegou o outro braço dele, e teve que torcer o nariz ao sentir o cheiro de fumaça do casaco de lã do velho. Ao tocá-lo, ela viu uma leve sombra se afastar do fazendeiro e desaparecer na floresta.

— Vocês viram aquilo? — perguntou às outras.

Mas Tabitha e Rue estavam olhando para o caminho, conduzindo o sr. Scrump para fora da Floresta – que estava escurecendo –, para as luzes e a segurança do vilarejo.

— Tome um gole disto aqui. O senhor vai ficar bem logo, logo — disse a sra. Briggs, dando ao fazendeiro uma xícara de chá de dente-de-leão e acrescentando uma colherada de mel. O mel provinha das colmeias de Hartwood, criadas por Brogan, e tinha um leve sabor de rosas e flor de macieira.

Estavam na cozinha, iluminados pelo fogo e por uma fileira de grossas velas de cera de abelha. Cassie, Rue e Tabitha estavam sentadas em um banco comprido, de um dos lados da grande mesa de carvalho, enquanto o sr. Scrump ocupava o outro, observado pela Bruxa da Floresta, sentada à cabeceira. Era quase hora do jantar, e o cheiro da torta que a sra. Briggs tinha acabado de tirar do forno estava fazendo o estômago de Cassie roncar em expectativa.

— Sr. Scrump, pode me contar tudo de que se lembra de antes de as meninas o encontrarem na floresta? Por favor, não ignore nenhum detalhe, por mais insignificante que pareça — disse a Bruxa da Floresta.

— Bem, foi exatamente como eu estava contando às meninas. Acabei de consertar aquele muro antes do que esperava e pensei em me fazer um agrado indo ao Diabrete. Não fiquei lá mais de uma hora, pergunte para o Emley; ele me mandou embora dizendo que a sra. Scrump o mataria se eu não chegasse a tempo para o chá. Parei à porta para acender meu cachimbo e ter um instante só para mim... é que estamos naquela época do ano em que um homem não tem muito tempo para descansar e refletir. Tenho que colher as maçãs e também ficar atento aos ladrões de frutas! — disse, dando uma risadinha e piscando para Rue. — Eu estava lá e percebi que havia escurecido de repente; pensei que devia ser mais tarde do que imaginava e fui para casa. Bem, deveria ter ido, mas, não sei como, fui parar na Floresta.

— Quando o encontramos, ele estava procurando alguma coisa — acrescentou Cassie, sentindo que isso era importante e não deveria ser esquecido. — Ficava dizendo "onde está?", "onde está?".

— É que eu deixei cair a minha bengala em algum lugar, e essa simpática jovem a encontrou para mim — disse o sr. Scrump, acenando para Tabitha.

— E o senhor não consegue se lembrar por que foi para a Floresta? — perguntou Miranda. — Não ouviu nem viu nada fora do comum?

O velho sacudiu a cabeça.

— Como disse, não me lembro de ter entrado na Floresta. Sou de Hedgely, nascido e criado aqui, sei que não devo sair vagando por essas florestas. Ora, a sra. Scrump ficaria louca se soubesse que eu estive lá; ela tem muito medo do povo da Terra das Fadas.

— E com razão — disse Miranda. — O senhor teve sorte de as meninas o terem encontrado antes de escurecer. Se bem que eu gostaria de saber o que elas estavam fazendo andando por lá sem supervisão.

— Acho melhor levarmos o sr. Scrump à fazenda — disse Tabitha depressa, cutucando Rue.

— Isso mesmo! Vamos nos assegurar de que ele chegue são e salvo, deixe com a gente!

A Bruxa da Floresta ergueu uma sobrancelha.

— Brogan levará vocês duas e o sr. Scrump *depois* que eu trocar uma palavrinha com as três.

A sra. Briggs abrigou o velho com uma manta de tricô e o ajudou a sair da cozinha, e Miranda se voltou para as meninas.

— Muito bem: qual de vocês gostaria de me contar o que, exatamente, estavam fazendo na Floresta quando encontraram o sr. Scrump?

Cassie, Rue e Tabitha se entreolharam. Não podiam dedurar Ivy; o resto do *coven* consideraria isso muito errado e, além disso, não tinham nenhuma prova de que Ivy esteve lá; e ela, com certeza, negaria.

Miranda suspirou.

— Bem, parece que o sr. Scrump teve sorte por vocês o terem encontrado, e fizeram bem ao trazê-lo a mim. Quem lançou o feitiço nele ainda pode estar solto na Floresta. Notaram algo incomum lá?

— Achei ter visto alguma coisa — disse Cassie. — Uma sombra muito tênue, que desapareceu quando o sr. Scrump voltou a si.

A Bruxa da Floresta refletiu.

— A Floresta está cheia de sombras, mas isso não me agrada. Quero vocês três bem longe da floresta, a menos que a srta. Early ou eu estejamos junto. Se notarem mais algo estranho no vilarejo, venham falar comigo imediatamente.

Cassie acompanhou Rue e Tabitha pelo saguão de entrada, sob os grandes galhos da árvore Hartwood.

— O que será que aconteceu com o sr. Scrump? — perguntou Tabitha. — Acham que ele foi atraído por um fogo-fátuo?

— Ele não viu nenhuma luz estranha — disse Cassie. — Mas *estava* procurando algo...

Ela foi interrompida por uma leve batida à grande porta de carvalho e correu para abri-la.

Parada na soleira da porta estava Aoife Early, segurando sua vassoura e cercada por várias caixas e malas de cores vivas.

— Poderiam me ajudar com isto? — perguntou ela.

As meninas, que a estavam encarando, correram para ajudá-la, levando tudo para dentro.

Enquanto ajeitavam a bagagem de Aoife, Sebastian desceu a escada, com as mãos nos bolsos, carrancudo. Parou ao pé da árvore Hartwood e torceu o nariz, olhando para Aoife.

— Quem é ela?

Aoife estendeu a mão, que o menino ignorou, recusando-se a tirar a sua do bolso.

— Pode me chamar de Aoife — disse ela, sorrindo. — Sua tia fez a gentileza de me convidar a me hospedar aqui com vocês.

Sebastian fungou.

— Era exatamente disso que este lugar precisava: mais bruxas!

E sem dizer mais nada, foi para a cozinha.

— Desculpe — disse Cassie. — Não é com você, ele é assim com tudo que tem a ver com magia.

— Pobrezinho — disse Aoife. — Sinto uma grande tristeza na aura dele. Uma história trágica, sem dúvida. Hmmm, esse cheiro é de torta de queijo com cebola?

Capítulo 8

Água de zimbro

A vida em Hartwood Hall foi mais animada que o costume na semana seguinte, pois seus dois novos hóspedes se adaptaram às peculiaridades e rotinas da casa – e a casa aos hóspedes.

Sebastian ainda seguia Cassie para todo lado, reclamando de tudo, desde o encanamento até a ausência de uma rede sem fio. À noite, ele se trancava no quarto para escrever longas cartas ao pai, que apareciam todas as manhãs na bandeja de correspondência no corredor. Cassie se ofereceu para pegar um diabrete para ele, explicando que seria uma maneira muito mais rápida de enviar cartas a Elliot, mas Sebastian se recusou sem rodeios em ter qualquer coisa a ver com criaturas mágicas.

Aoife, por outro lado, seguia sua própria rotina estranha. Chegava sempre à mesa do café da manhã antes de Cassie e Sebastian, mas não tocava nos ovos, bacon e salsichas que a sra. Briggs lhes servia. Ela optava por uma tigela de frutas frescas, regada com mel, e recusava o chá de amora, preferindo o dela, uma mistura estranha tão espessa e verde que parecia lodo.

— Gosto de acordar antes dos pássaros — explicou Aoife. — De sentir o orvalho entre os dedos dos pés, saudar o novo dia de braços abertos e aspirar grandes lufadas de ar fresco. Você poderia fazer calistenia matinal comigo, Cassie. Acho que seria bem revigorante.

Cassie recusou educadamente. Mas, certa noite, ela acordou por causa de uma corrente de ar frio que entrava pela janela aberta. Quando foi fechá-la, viu a lua alta no céu sobre a Floresta e uma pessoa esguia se movimentando no pomar. Esfregou os olhos, olhou para baixo e viu que era Aoife, dançando em círculo sob as macieiras, agitando os braços e cantando.

— Acho que ela não dorme — disse Cassie a Tabitha no dia seguinte, enquanto desciam a rua Loft, chutando as folhas secas de outono. — E está sempre queimando ervas fedorentas no quarto dela. Deu para Sebastian um pedaço de citrino para afastar "vibrações negativas".

— Receio não ver problema nisso — disse Tabitha. — Todas as bruxas usam ervas e pedras, não é?

— Sim, mas não *assim* — disse Cassie, revirando os olhos. — Ela se ofereceu para ler a minha mão ontem à noite, no jantar; precisava ver a cara da tia Miranda, você sabe o que ela pensa sobre esse tipo de coisa...

Mas Tabitha estava distraída, contando as moedas que tinha na mão.

— Acha que devo comprar uns pãezinhos? Cairiam bem com sopa.

Cassie e Tabitha estavam em frente à padaria Marchpane, cada uma com uma cesta cheia de mantimentos. Já haviam passado pela Whitby's, onde Rue estava ajudando a mãe a arrumar as prateleiras da loja. Tabitha tinha passado vinte minutos escolhendo os rabanetes perfeitos, dizendo que sua avó a mandaria de volta se algum estivesse machucado ou marcado.

— Ah, vamos passar pelo correio primeiro, vovó está sem selos de novo — disse Tabitha. — Ela escreve para o *Hedgely Herald* toda semana, reclamando de várias coisas que a incomodam no vilarejo. É meio que um passatempo dela, mas acho que ela só gosta de ver o nome impresso lá.

Mas quando chegaram à pequena agência, que tinha uma caixa de correspondência vermelha na frente, ouviram uma comoção. Duas mulheres saíram correndo do correio, carregando cestas e arrastando uma criança pequena, olhando para trás enquanto se afastavam apressadas.

Cassie e Tabitha correram para dentro. A sra. Mossley andava de um lado para o outro como uma galinha assustada. Quando as viu, pegou um pacote grande atrás do balcão e começou a rasgar o papel pardo no qual estava envolvido, deixando cair os pedaços em uma pilha de embrulho rasgado de tamanho considerável.

— Onde está!? — gritava com uma voz estranhamente aguda. Ela rasgou a caixa e tirou um par novo de patins de gelo, olhou para eles e os jogou por cima do ombro; e pegou outro pacote, pequeno e redondo.

— Sra. Mossley! — gritou Tabitha, correndo para ela. — O que está acontecendo?

Os olhos da mulher estavam arregalados, ela nem piscava.

— Eu preciso! Onde está? Preciso encontrar! — dizia com a voz estridente, jogando uma lata de sardinhas no chão e revirando a correspondência em busca de seu próximo alvo.

— Por favor, sra. Mossley — disse Tabitha, tentando segurá-la. — O que a senhora perdeu? Talvez possamos ajudá-la a encontrar... sem fazer tanta bagunça.

A mulher estava revirando uma pilha de papel rasgado e barbante que lhe chegava até os tornozelos.

— Há algo errado com ela, Tabitha — disse Cassie, puxando a amiga para trás. — Não chegue muito perto; veja os olhos dela.

Tabitha parou e, juntas, ficaram observando, enquanto a mulher abria outra caixa e tirava braçadas de meias de tricô. Os olhos da sra. Mossley estavam vidrados; ela arreganhava os dentes, e seu cabelo, se soltando de seu elegante coque habitual, escapava em todas as direções. Além do mais, havia algo errado com a sombra dela. O sol da tarde a jogava contra a parede oposta da agência, e era maior e mais escura do que deveria ser. Havia um leve cheiro de fumaça no ar, mas não havia fogo na lareira.

— Vá chamar a Bruxa da Floresta — disse Cassie. — Ela deve estar no escritório. Vou ficar aqui, tomando conta da sra. Mossley para que ela não se machuque... nem machuque alguém.

Tabitha deixou sua cesta de compras com Cassie e saiu correndo. A carteira jogava pacotes para todo lado.

— Pequeno demais! — gritava. — Grande demais! Macio demais!

Por fim, pegou um pacote do tamanho de uma caixa de sapatos e começou a tirar animadamente as camadas de papel e barbante que o envolviam. Quando se revelou apenas uma caixa de sabão em pó Sudson, ela começou a chorar.

— Que foi, sra. Mossley? — perguntou Cassie, tentando distrair a carteira, mas mantendo distância. — O que está procurando?

A carteira começou a rasgar um envelope mais grosso.

— Tesouro, é tesouro que ele quer. Preciso encontrá-lo e levá-lo para ele!

Logo não haveria mais coisas para abrir. E então, o que aconteceria? Cassie já havia dispensado três clientes, dizendo para voltarem mais tarde.

— Quem? — perguntou Cassie. — Quem quer esse tesouro?

A sra. Mossley ergueu a cabeça e ficou olhando para a parede dos fundos da agência. Com as correspondências ainda nas mãos, gritou:

— O rei!

Cassie se voltou, mas só viu um retrato pendurado ali, de um homem de meia-idade, barbeado e de uniforme.

— O rei Robert? — perguntou.

Mas, nesse momento, a Bruxa da Floresta entrou correndo na agência, seguida por Malkin, seu gato preto familiar, e Tabitha, ofegante e apertando o flanco.

A Bruxa da Floresta foi até a carteira, que tinha passado a rasgar a correspondência com os dentes.

— Há quanto tempo ela está assim? — perguntou Miranda.

— Desde que chegamos, há pelo menos meia hora — disse Cassie.

— Afastem-se — disse a tia, acenando para Cassie e Tabitha.

Ela tirou um frasquinho com um líquido claro do bolso. Abriu-o com uma das mãos e, com a outra em concha, derramou um pouco do líquido nela e entoou:

Pela água amarga do zimbro, eu a liberto.
Pela luz fria do dia, eu a liberto.
Pelas doces palavras de amigos, eu a liberto.
Pela mão aberta da bruxa, eu a liberto.

Enquanto falava, ela sacudia o pulso na direção da carteira, aspergindo-a com o líquido; um cheiro forte de ervas encheu o ar. Gotas caíram no cabelo, no rosto e nas mãos da sra. Mossley. Ela parou de rasgar um pacote e olhou para cima, fixando o olhar na Bruxa da Floresta.

— Da prisão desse feitiço você está livre — concluiu a Bruxa da Floresta. E quando disse a última palavra, a sra. Mossley caiu sobre o balcão, como uma marionete cujas cordas foram cortadas.

Cassie e Tabitha correram para ajudá-la a se levantar e segurá-la. O olhar vidrado havia desaparecido de seus olhos e ela tremia.

Tabitha encontrou um cobertor de lã no meio dos pacotes abertos e o jogou sobre os ombros da carteira.

— Pronto, acabou. Você está segura, a Bruxa da Floresta está aqui.

— Quem...? Onde...? — gaguejava a sra. Mossley. Ao voltar a si, notou a bagunça ao seu redor. — Que diabos aconteceu aqui? Os pacotes... quem fez isso?

— Sra. Mossley — disse Cassie —, a senhora estava procurando uma coisa, não lembra?

A carteira sacudiu a cabeça, olhando para a bruxa. Levou a mão ao rosto e ao cabelo e sentiu a umidade da água de zimbro.

— Alguém ou alguma coisa a enfeitiçou, sra. Mossley — disse Miranda. — Está tudo bem agora, o feitiço foi quebrado, e vou checar os amuletos em suas portas e janelas. Mas, primeiro, preciso perguntar: alguém estranho entrou aqui? Recebeu algum pacote fora do comum?

A mulher sacudiu a cabeça.

— Não, não, nada de anormal. Estive aqui o dia todo, só o povo normal do vilarejo entrou. Há pouco, notei que estava escurecendo bastante cedo; acho que nesta época do ano é assim mesmo, e fui abrir as persianas da janela de trás. Essa é a última coisa de que me lembro.

Cassie olhou pela janela; estavam no meio da tarde e o sol ainda brilhava, alto no céu.

A carteira estava visivelmente abalada, Tabitha a ajudou a sentar.

— Muito bem; se é só disso que se lembra, é melhor fechar o correio e ir se deitar. Vou lhe dar um tônico restaurador, mas o melhor remédio é comer bem, tomar um chá doce e dormir.

— Vou ajudá-la a subir e fazer algo para ela comer — disse Tabitha.

Miranda falou:

— Ótimo. Cassandra, é melhor você começar a arrumar isso. Tenho que falar com todo mundo que veio ao correio hoje. Deve haver um registro... sim, aqui está. Se algo de ruim acontecer, mande Malkin me buscar.

Cassie e Tabitha levaram várias horas para arrumar o correio e acomodar a sra. Mossley. Cassie não viu a tia de novo até a hora do chá. Quando chegou a Hartwood, a sra. Briggs estava cortando bolo de sementes e enchendo a grande chaleira azul com água quente. A Bruxa da Floresta já estava à mesa, mas Sebastian e Aoife ainda não haviam descido.

Miranda estava contando os acontecimentos da tarde à governanta.

— Pobre mulher — disse a sra. Briggs, passando manteiga em fatias de bolo. — Pode ser algo que ela comeu. Frutas estragadas, talvez, ou peixes do Nix. Lembra quando Rose e Elliot pescaram aquele peixe branco estranho no rio? E o cozinharam e o comeram lá mesmo, ficaram uma semana enjoados! Tiveram sonhos horríveis, sonhavam que estavam sendo perseguidos por lúcios. Eu disse que eles deveriam ter trazido o peixe para cá, não se pode confiar na comida que vem da Floresta!

— Talvez — disse Miranda, tomando seu chá. — A sra. Mossley não se lembra do incidente nem de como chegou àquele estado.

— Os olhos dela estavam engraçados — acrescentou Cassie —, como se não fosse ela mesma. E o sr. Scrump? Ele também perdeu a memória por um tempo e, quando o encontramos, estava *procurando alguma coisa*, exatamente como a sra. Mossley.

— Creio que os dois incidentes podem estar conectados, mas o sr. Scrump foi encontrado na Floresta, e seu estado de espírito, na ocasião, não é incomum para pessoas que andam desorientadas pela floresta. Mas a sra. Mossley jura que não esteve perto da Floresta. De qualquer maneira, precisamos descobrir o que está acontecendo antes que mais alguém seja afetado. Foi sorte que nem o sr. Scrump nem a carteira se feriram. Sorte, e umas jovens bruxas engenhosas.

Cassie ficou radiante com esse raro elogio de sua tia, mas se distraiu quando ouviu uma batida à vidraça. Havia uma sombra atrás do vidro e, quando a sra. Briggs se levantou, sacudiu a farinha de sua saia e foi abrir, um pássaro preto e branco, com um brilho azul na asa, deu um mergulho e pousou no encosto de uma cadeira.

— A Assembleia envia saudações, Bruxa da Floresta — disse a pega, que era familiar de uma bruxa.

— Olá, Spica, a que devemos sua visita? — respondeu Miranda.

— Sua presença é necessária para o julgamento de Renata Rawlins.

Miranda apertou os lábios.

— Não é um bom momento, sou necessária aqui.

— A feiticeira deve ser julgada, e você é a única testemunha.

— Não sou a única testemunha — disse Miranda, olhando para Cassie. — Por quanto tempo precisarão de mim?

A pega mudou o peso de um pé para o outro.

— Por dezenove dias e dezenove noites. Será um julgamento de sangue-verdade.

Miranda sacudiu a cabeça.

— Impossível, não posso ficar tanto tempo longe da Floresta, ainda mais tão perto do Halloween.

— Não é um pedido, mas uma intimação. Esperam sua chegada para o início do julgamento, domingo ao meio-dia.

Houve um momento de silêncio; a Bruxa da Floresta ficou observando a pega, olhando-a por cima de sua xícara de chá fumegante. Cassie esperava a resposta dela.

— Muito bem, partirei amanhã de madrugada.

A pega fez uma pequena reverência com a cabeça e saiu voando pela janela, sacudindo a cauda e batendo as garras no parapeito ao sair.

A sra. Briggs resmungou.

— Eles podiam usar diabretes, como todo mundo.

— Diabretes nem sempre são confiáveis, você sabe disso, Mabily — disse Miranda, esfregando as têmporas. — E a Assembleia é muito apegada tanto à tradição quanto ao sigilo.

— Pois diabretes são mais rápidos e não estragam a madeira.

Cassie gostou bastante da ideia de ter um pássaro como familiar e poder enviar mensagens secretas para as pessoas. Se ela pedisse a Montéquio para levar uma mensagem a Rue, ele provavelmente diria que tinha coisas mais importantes para fazer, como cochilar.

— Onde fica a Assembleia das Bruxas? — perguntou Cassie.

— É realizada em Caer Gwrachod, no País de Gales. As bruxas se encontram lá há séculos para discutir assuntos importantes — explicou Miranda.

— Posso ir?

A Bruxa da Floresta sacudiu a cabeça.

— Bruxas novatas não estão autorizadas a assistir à Assembleia; você precisa tirar sua licença primeiro.

— Mas eu também estava lá quando Renata tentou sequestrar Jane Wren. Eu fui testemunha.

— Sim, e se você fosse mais velha, eu a mandaria em meu lugar. Mas, nas atuais circunstâncias, essa não é uma opção. Tenho que ir para o País de Gales e você tem que me prometer que não vai fazer nenhuma tolice enquanto eu estiver fora.

— E a sra. Mossley e o fazendeiro Scrump? — perguntou Cassie.

— Se houver mais problemas no vilarejo, fale com a srta. Early.

— Mas ela é inútil!

— Cassandra! Não quero que você fale sobre uma bruxa qualificada dessa maneira. Você fará o que a srta. Early disser e mostrará a ela o mesmo respeito que tem por mim, por menor que seja. Voltarei a tempo para o Halloween. Espero que cuide de seu primo e passe longe de encrenca até lá, se não for pedir muito.

Cassie suspirou e concordou com relutância. Seria estranho não ter a Bruxa da Floresta por perto. Desde que Cassie tinha chegado a Hedgely, sua tia não havia deixado o vilarejo uma única vez. Mesmo que Miranda fosse tão ocupada que raramente se viam, Cassie sabia que ela sempre estava ali, que as meninas podiam procurá-la quando algo de fato assustador acontecia e ela saberia como resolver. Cassie não tinha tanta confiança em Aoife Early.

Capítulo 9

Conchas, sinos e feitiços de invocação

As folhas da faia de cobre haviam passado de roxo-escuro para laranja enferrujado, e caíam formando montes e pilhas na plataforma da Patrulha do Carvalho, deixando buracos no dossel de galhos e começando a revelar o esconderijo secreto das meninas. Cassie varreu uma pilha de folhas com sua vassoura, observando-as cair no chão, enquanto contava a Rue e Tabitha sobre a visita da pega familiar a Hartwood e a partida de Miranda naquela mesma manhã.

— E ela vai ficar fora por dezenove dias, até a semana antes do Halloween — disse Cassie.

— Para mim, parece maravilhoso — disse Rue, tirando folhas do chão da plataforma com os dedos. — Quase três semanas sem a Bruxa da Floresta por perto, podemos fazer o que quisermos!

— Acho que a srta. Early vai conduzir as reuniões do *coven* — disse Tabitha. Ela estava sentada de pernas cruzadas, com um almofariz e um pilão na mão, moendo ervas secas para fazer o pó Seguidor de Pegadas.

Rue riu.

— Como se Aoife fosse tirar a cabeça das nuvens por tempo suficiente para perceber o que estamos fazendo.

— Mas e o sr. Scrump e a sra. Mossley? — perguntou Cassie.

Tabitha olhou para ela.

— Passei pelo correio hoje. A sra. Mossley está ótima, disse que está se sentindo bem de novo.

— Sim, mas andei pensando na maneira como eles estavam se comportando. Tenho certeza de que há alguma conexão entre os casos.

— E qual seria, além de os dois serem velhos e excêntricos? — perguntou Rue.

— Enquanto estavam sob feitiço, os dois estavam desesperados para encontrar algo. E se alguém os estivesse usando para procurar alguma coisa? Alguém que não poderia encontrar a coisa sozinho? A sra. Mossley até tentou me dizer o que era… tipo um tesouro… e disse que era para o rei.

Rue sacudiu a cabeça.

— Ela deve ter achado que era a rainha das fadas, ou algo assim.

— Rue! Deve ser isso! Achei que ela se referia ao rei Robert, mas e se estivesse falando do Rei Elfo?

Tabitha olhou para ela.

— O Rei Elfo? O que faz você pensar que ele está envolvido nisso?

— Ele tentou pegar a minha chave, lembra? Foi para isso que ele enviou Glashtyn; para me enganar, e eu quase a entreguei para ele. Tia Miranda disse que a chave é um dos grandes tesouros antigos da Terra das Fadas.

— Mas a Bruxa da Floresta está com a chave. Ele desistiu de tentar pegá-la.

— Sim, mas ela disse *um* dos tesouros; então há outros. E se ele estiver atrás de outro tesouro mágico e estiver usando as pessoas daqui para tentar encontrá-lo?

— Suponho que seja possível — disse Tabitha. — Só não vejo o que podemos fazer a respeito. Nem sabemos o que eles estão procurando.

— Mas *sabemos* que nem a sra. Mossley nem o fazendeiro Scrump o encontraram, e se quem os estava usando ainda estiver procurando, pode acontecer de novo. E se alguém se machucar da próxima vez?

— A Bruxa da Floresta está fora. Se o Rei Elfo quiser causar problemas no vilarejo, este seria o momento perfeito.

Um assobio longo e agudo interrompeu a conversa; as três foram até a beira da plataforma para olhar para baixo.

Parado no gramado, com as mãos enfiadas nos bolsos, estava Sebastian.

— Olá! Dá para ouvir vocês aqui de baixo, sabiam? Como faço para subir? Há uma escada ou algum tipo de sistema de roldanas?

— Ah, pelo amor das estrelas! — disse Cassie. — Acho melhor eu ir buscá-lo.

— Não podemos deixá-lo lá embaixo? — perguntou Rue. — Isto aqui deveria ser um esconderijo *secreto*.

— Prometi para a tia Miranda que ficaria de olho nele; só desta vez.

Cassie desceu da copa das árvores em Galope, pousando com apenas uma leve oscilação diante do primo.

— A única maneira de subir é de vassoura — explicou ela. — Galope deve aguentar nós dois, se quiser subir mesmo.

Sebastian ergueu a sobrancelha ruiva.

— Nós dois, nessa coisa? Não vejo graça em correr risco de morte. Por que não constroem uma escada? Eu posso ajudar...

— Olha, você pode ficar aqui embaixo, se quiser, não faz diferença para mim — disse Cassie.

— Tudo bem, faremos do seu jeito; só espero que você consiga controlar essa coisa.

Depois de uma subida um tanto trêmula, Sebastian se juntou a elas na plataforma da toca, plantando-se firme no meio do tapete para não ficar perto demais da borda.

— Ah, não é *tão* alto aqui, afinal. O que estão fazendo? Cozinhando lesmas e lagartos?

— Na verdade, estamos fazendo pó Seguidor de Pegadas, para rastrear pessoas pela floresta — explicou Tabitha, enquanto ele se agachava para examinar seu kit de poções.

— O que é isto? — perguntou Sebastian, puxando uma garrafa de líquido vermelho-escuro da mochila de Tabitha.

— Ah, isso é tussilagem, fiz na semana passada. É para tosse e resfriados de inverno. Quer experimentar? Tem gosto de cereja.

Sebastian colocou-o de volta na mochila.

— Não, obrigado! Isso acabaria me envenenando. Não consigo entender por que vocês perdem tempo com essas coisas, se podem simplesmente ir à farmácia comprar aspirina ou penicilina.

Rue e Tabitha olharam para Cassie. Ela havia tentado explicar como seu primo era irritante, mas, até então, elas não haviam acreditado.

— Você deveria investir em um kit de química. Posso mostrar como fazer cianeto de sódio.

Tabitha torceu o nariz.

— E *isso* não é veneno?

— E aquilo? — perguntou ele, apontando para uma série de símbolos que Rue havia pintado ao redor da entrada e nas bordas da toca.

— São runas de fadas, para impedir a entrada de *intrusos indesejados* — disse Rue, soltando a dica como um monte de tijolos.

Sebastian fungou.

— Como se seres mágicos fossem uma ameaça séria hoje em dia.

Cassie respirou fundo, tentando conter sua crescente irritação.

— Isso só mostra quão pouco você sabe. Ainda esta semana, duas pessoas daqui foram enfeitiçadas.

Ela contou a ele sobre o fazendeiro Scrump e a sra. Mossley.

Sebastian apenas deu de ombros.

— Para mim, parecem dois velhos se divertindo, não vejo nada de mágico nisso. Deve ter a ver com o clima, uma queda na pressão atmosférica ou algo na água...

Cassie o interrompeu:

— Mas os dois estavam procurando alguma coisa, um tesouro.

— Tesouro? Imagino que poderia haver um tesouro viking, ou um túmulo anglo-saxão por aqui em algum lugar. É sempre possível nesses vilarejos atrasados e afastados.

Cassie viu Rue se irritar com essa observação. Alheio, Sebastian continuou:

— Precisam realizar uma investigação direito, desenhar um mapa e traçar uma grade nele. Assim, poderão investigar de maneira sistemática. Ah, claro, vão precisar de um detector de metais. Acho que eu conseguiria construir um, com as ferramentas certas.

— Ou podemos usar um feitiço de busca — sugeriu Tabitha. — Como aquele que Cassie e Rue usaram para encontrar as crianças roubadas.

Cassie sacudiu a cabeça.

— Isso foi para encontrar pessoas, e não temos mais flores de lanterna.

— Tudo isso é superstição absurda. Estamos no século XX, na era da ciência e da tecnologia. Não entendo por que vocês perdem tempo com essas coisas. — Ele arrastou uma das runas de Rue com a ponta de seu tênis.

— Bruxas são apenas um bando de mulheres ignorantes que nos impedem de progredir de verdade.

As três olharam para ele, boquiabertas. Cassie, que depois de três semanas desse tipo de conversa já estava farta, voltou-se para ele e disse:

— Como pode dizer uma coisa dessas? Sua mãe é bruxa e o tio Elliot trabalha na Wayland Yard. Eles passaram a vida estudando a magia das fadas e tentando proteger as pessoas. Como pode dizer que é tudo bobagem?

Sebastian fez uma careta.

— Você não sabe nada sobre a minha família. Você não sabe como é ser banido para o meio do nada, ser despachado pelos próprios pais, jogado em um lugar horrível...

— Na verdade — disse Cassie —, eu sei sim. Sei exatamente como é. Pelo menos, você sabe onde estão os seus pais, sabe que eles estarão esperando por você quando voltar para casa. — Ela apontou para a Floresta. — Minha mãe está do outro lado daquela floresta, mas é como se estivesse na lua, para ser sincera, porque não tenho como chegar até ela. A bruxaria é a única esperança que tenho de vê-la de novo. E esta — ela estendeu os braços, indicando o vilarejo — é a *nossa casa*. De Rue, de Tabitha e minha, e as pessoas que moram aqui não são ignorantes nem retrógradas, são calorosas e acolhedoras. A única coisa horrível em toda essa situação é que tia Miranda insiste em que tenho que aturar você!

Houve um silêncio breve e atordoante.

— Eu não pedi nada disso — disse Sebastian, afastando-se dela.

— Venha — disse Tabitha, pegando sua vassoura —, vou dar a você uma carona em Aura até lá embaixo.

— Bem, acho que ele mereceu por ser tão estúpido — disse Rue, quando ficou sozinha com Cassie.

Mas enquanto observava seu primo descer da vassoura de Tabitha e correr para longe da faia, Cassie não tinha tanta certeza.

— Meninas, meninas! Venham, tenho uma atividade simplesmente gloriosa para vocês hoje! — Aoife Early chamou as jovens bruxas, chacoalhando seus braceletes de madeira enquanto acenava. Era a primeira reunião do *coven* sem a Bruxa da Floresta, e todas estavam curiosas para saber o que

Aoife havia planejado. No chão, havia uma série de conchas, cacos de porcelana, grossas contas de vidro, talheres desiguais e sininhos de prata. Cada peça tinha um buraquinho. Aoife sorria para elas ao lado de uma pilha de galhos e novelos de barbante.

— Vamos fazer amuletos? — perguntou Rue, um tanto duvidosa.

— Ah, não, muito pelo contrário — disse Aoife. — Vamos lá: alguém sabe me dizer do que o povo da Terra das Fadas gosta?

— Do que eles *gostam*? — perguntou Heather Shuttle.

— De roubar crianças — disse Nancy Kemp.

— De xingar as pessoas — respondeu Anika Kalra.

— De levar turistas aos pântanos — disse Alice Wong. — Ah, e de azedar o leite.

Aoife sacudiu a cabeça.

— Não, não me refiro ao mal que eles nos fazem; quero saber do que eles gostam para si mesmos, o que lhes agrada.

Todas as meninas a fitaram, confusas. Quando estudaram sobre o povo da Terra das Fadas, foi para aprender a impedi-los de chegar perto de suas casas e famílias, a expulsá-los e desfazer o mal que causavam.

— Pensem assim — Aoife começou de novo. — Todas vocês sabem quais materiais detêm o povo da Terra das Fadas: ferro e sal, água corrente limpa, sorveira, verbena e algas. Mas, e se não quisessem afastá-los, e sim atraí-los?

— Se quiséssemos pegá-los? Fizemos armadilhas para fadas na primavera — disse Harriet Webb, a líder da Patrulha das Cinzas e uma das bruxas mais experientes do *coven*.

Aoife sorriu.

— Sim, podemos precisar atrair uma fada por vários motivos: para prendê-la, mas também para obter informações ou ajuda dela.

— A Bruxa da Floresta disse que não podemos confiar no povo da Terra das Fadas — disse Ivy. — Eles distorcem a verdade e enganam. Não querem nos ajudar. Então, por que pediríamos ajuda?

— Bem, com certeza é verdade que o povo da Terra das Fadas não opera segundo nossas regras, leis e conceitos de boa conduta, mas isso não significa que não possa nos ajudar. Afinal, eles têm mais magia que qualquer bruxa, e às vezes, a melhor maneira de evitar que uma criatura dessas faça mal não é assustá-la, e sim fazer amizade com ela.

Ivy riu.

— Isso é ridículo, não fazemos amizade com fadas, bruxaria não é isso.

— Vejam, tudo que peço a vocês, hoje, é que pensem no que pode atrair o povo da Terra das Fadas para um lugar, em vez de afastá-los.

Houve uma longa pausa enquanto as jovens bruxas refletiam sobre isso.

— Beleza — disse Tabitha, de repente. — Coisas bonitas e brilhantes, como aquelas que usamos para pagar diabretes para mandar recados.

— E comida — acrescentou Rue. — Eles estão sempre roubando as coisas, e temos que colocar leite e pão para eles para que fiquem do nosso lado.

— Isso, excelente! E o que mais?

Cassie pensou em todas as histórias de fadas que havia lido e se lembrou de uma, sobre um violinista que havia sido roubado para tocar em bailes de fadas.

— Música — disse. — Eles gostam de música.

— Exatamente! — disse Aoife, sorrindo para Cassie. — Eles amam música, canções e sons agradáveis. Então, hoje, vamos fazer sinos de vento com os objetos que estão vendo aqui. Não é tão fácil quanto parece fazer um carrilhão de som agradável, por isso, quero que experimentem diversos materiais e vejam qual funciona melhor. Vamos pendurá-los no jardim do *coven* e ver que tipo de seres mágicos atraem.

— Mas e se atraírem algo perigoso? — perguntou Heather Shuttle.

— Com todos os amuletos e ervas protetoras que temos no jardim, você não precisa se preocupar com isso. Não, provavelmente não atrairemos nada maior que um urchin ou um grig com esses sinos, mas mesmo que atraíssemos, tenho certeza de que todas vocês seriam capazes de lidar com isso.

Cassie e Rue se entreolharam, preocupadas, mas Tabitha já estava se dirigindo a uma pilha de sinos de prata.

— Isso é um absurdo completo e absoluto — disse Ivy, cruzando os braços. — Não vou perder meu tempo fazendo sinos de vento. Quando a Bruxa da Floresta voltar, vou contar tudo para ela!

Ivy foi até o canto da Patrulha dos Espinhos, onde pegou um exemplar da revista *A bruxa em pessoa* e se sentou para ler. Aoife suspirou, mas não fez nada para impedi-la; foi ajudar Lucy Watercress a desembaraçar um novelo de barbante.

— Odeio admitir — disse Rue —, mas Ivy tem razão. Não vejo para que fazer sinos de vento. Por que diabos alguém iria querer atrair espectros, diabretes e duendes?

Estavam sentadas em almofadas no canto do Patrulha do Carvalho. Não era um canto no sentido estrito da palavra, visto que o salão era redondo, mas sim um espaço ao longo da parede reservado para as coisas delas. Cassie, Rue e Tabitha o decoraram durante o verão com galhos de carvalho, bandeirolas verdes e gráficos manuscritos de ervas mágicas e fungos. Havia um suporte para suas vassouras, e a sra. Briggs havia feito almofadas menores para Montéquio, Papo e Wyn. Não era tão grande quanto o canto da Patrulha dos Espinhos, que ostentava um sofá e uma prateleira para poções na parede, mas já começava a parecer um espaço próprio dentro do salão do *coven*.

— Não sei, mas acho que faz sentido — disse Tabitha. — Se trabalhássemos *com* o povo da Terra das Fadas, em vez de irmos contra eles, talvez não causassem tantos problemas o tempo todo.

— Isso é conversa fiada, e você sabe disso — disse Rue. — As fadas são uma ameaça para nós há milhares de anos; não vamos mudar isso com sinos tilintantes. Ora, por que não pedir ao Rei Elfo uma xícara de chá e uma fatia de bolo também?

Cassie teve que concordar com Rue na maior parte. Só no ano anterior, várias criaturas mágicas tentaram prendê-la, sequestrá-la e afogá-la. Da única vez que ela procurou a ajuda de um púca metamorfo, ele a enganou, assumiu a aparência da mãe dela e tentou fazê-la entregar a preciosa chave de ouro. Mas as palavras de Aoife lhe deram outra ideia sobre como descobrir o que estava por trás do estranho comportamento do fazendeiro Scrump e da sra. Mossley, e o que eles estavam procurando enquanto estavam sob feitiço.

— Mas uma coisa que Aoife disse faz sentido — disse Cassie. — Sobre obter informações de uma fada. Se o Rei Elfo está por trás do que está acontecendo com as pessoas daqui, com certeza seus servos sabem. Se pudéssemos falar com Burdock...

— O duende? Ele é escorregadio como uma enguia — disse Rue.

— Eu sei, mas ele é um duende ladrão. Ele sabia que o Rei Elfo queria a chave, por isso invadiu meu quarto. Se os duendes ou o Rei Elfo estiverem por trás disso, ele saberá, e saberá o que estão procurando.

— Mas como vamos encontrá-lo e convencê-lo a ajudar a gente? — perguntou Tabitha.

— Essa é a parte difícil. Da última vez, ele *teve* que ajudar, porque me devia um favor, e nem os duendes podem deixar de cumprir a palavra. Mas duvido que ele viesse correndo se simplesmente fôssemos até a Floresta e o chamássemos. Tenho certeza de que ele ainda está zangado com a Bruxa da Floresta, que o forçou a ajudá-la a me encontrar. E nem sabemos se ele está por aí. Mas talvez, se Aoife estiver certa, possamos fazer algo que o atraia para nós.

— Duvido que ele venha correndo quando ouvir isto — disse Rue, erguendo seu sino de vento, composto por vários garfos e cacos de cerâmica que batiam uns nos outros. — E no manual, não há nada sobre invocar o povo da Terra das Fadas. Ninguém iria querer jovens bruxas convocando banshees e espectros.

— Vamos perguntar para a Aoife, aposto que ela sabe como atrair um duende — sugeriu Tabitha.

Tiveram oportunidade quando o chá da tarde foi servido. Já estava frio o suficiente para bebidas quentes, e tomaram chá de maçã, doce e picante, com o pão de chocolate e castanhas da sra. Briggs. Rue estava lambendo as migalhas de seus dedos quando foram até a mestra-assistente do *coven*.

Aoife estava ajeitando o salão, perto do canto da Patrulha dos Espinhos, onde Ivy ainda estava sentada, lendo sua revista e ignorando todo mundo.

— Ela não pode simplesmente ir embora — sussurrou Rue. — Não vai querer perder o distintivo de assiduidade perfeita!

Cassie a cutucou para que ficasse quieta quando chegaram a Aoife, que ergueu o olhar radiante para elas.

— E vocês, meninas, como estão indo com os sininhos? Precisam de ajuda?

— Na verdade, estávamos pensando em duendes — começou Cassie. — *Hipoteticamente* falando, se quiséssemos atrair duendes, mas claro que não queremos… mas de que tipo de coisas eles gostam?

— Que pergunta interessante! De todos os povos mágicos, nosso relacionamento com os duendes está entre os mais complicados. Soube que vocês três tiveram um encontro com duendes sequestradores, no verão, então tenho certeza de que sabem que podem ser perigosos.

— Sim, claro! — disse Tabitha, depressa. — Não queremos encontrá-los de novo, só estávamos pensando.

— Pois bem; em geral, os duendes são muito cautelosos com as bruxas. Há pouco amor entre nós; muitos duendes são procurados pelas guardas por roubo, sequestro e danos à propriedade humana. Sempre suspeitarão se uma bruxa tentar abordá-los e verão qualquer convite como uma armadilha. Mas, *hipoteticamente* falando, se soubessem o nome de um duende e o colocassem em um feitiço de invocação, devem conseguir chamar a atenção dele. Também seria bom lhe dar um presente, como sinal de boa vontade.

— Mas não conhecemos nenhum feitiço de invocação — disse Rue.

Cassie lhe deu uma cotovelada. Sutileza não era o forte de Rue.

— Não vejo por que isso deveria impedir uma patrulha de jovens bruxas espertas. De onde acham que os feitiços vêm?

— Dos grimórios das bruxas, seus livros de feitiços pessoais — disse Cassie.

Uma vez, ela havia entrado de fininho no escritório de sua tia para encontrar um feitiço no grimório dela.

— Sim, mas como eles acabam nesses livros? — perguntou Aoife

Na verdade, Cassie nunca havia questionado isso. Achava que feitiços eram segredos antigos transmitidos de geração em geração pelas bruxas ao longo dos séculos. Mas fazia sentido, tinham que provir de algum lugar originalmente a princípio.

— As bruxas os escrevem — disse Ivy, que estava escutando e não resistiu à oportunidade de se exibir para Cassie. — Não é óbvio?

— Podemos escrever os nossos próprios feitiços? — perguntou Cassie, empolgada demais com a ideia para se importar com Ivy.

Aoife confirmou.

— Não é fácil, veja bem, mas eu sempre incentivo minhas alunas a tentarem.

— Você disse que precisaríamos de um presente também — disse Tabitha. — De que tipo de presente os duendes gostam?

— Ouvi dizer que eles gostam de um bom queijo forte.

Capítulo 10

Um caminhão de gorgonzola

A Patrulha do Carvalho se encontrou na tarde seguinte no cepo de um velho olmo, nos arredores da Floresta. Estavam de chapéu e capa, embora fosse sábado, porque Tabitha havia dito que era melhor parecerem bruxas de verdade para aquilo que iam fazer, e o uniforme poderia lhes dar um ar de autoridade.

— Mas ele é só um duende — disse Rue. — E bem pequeno.

— Não importa; para obter a ajuda dele, precisamos fazer a coisa direito — disse Tabitha. — Trouxe o presente?

Rue sorriu e tirou um grande embrulho de pano de sua mochila. Abrindo-o, revelou um gorgonzola redondo, com uma grossa crosta de mofo por fora.

— É o melhor gorgonzola da sra. Bellwether. Ganhou um prêmio na Feira de Verão.

— Eca! Que fedido! — disse Cassie.

— Quanto melhor, mais fedido, ele pode sentir o cheiro a quilômetros de distância — disse Rue, colocando-o no cepo.

— Trouxe o feitiço de invocação, Cassie? — perguntou Tabitha.

Cassie corou; temia esse momento. Tinha levado metade da noite para compor o feitiço de invocação, visto que era o primeiro que escrevia. Havia procurado as palavras em seu dicionário de sinônimos e tinha feito o possível para torná-las poéticas, mas, mesmo assim, pensar em lê-lo em voz alta, na frente de suas amigas, era uma tortura.

— Sim. Quer ler? — perguntou, esperançosa.

— Não, leia você, posso acabar entendendo errado — disse Tabitha.

— Tudo bem. — Cassie pigarreou. — Aqui vai:

Duende Burdock, onde quer que esteja
No subterrâneo profundo, perto ou longe seja
Nós lhe oferecemos um exuberante queijo de presente
Ouça meu feitiço e venha rápido, é urgente.

Houve um momento de silêncio, mas logo Rue começou a rir.

— Isso foi bem... polido — disse Tabitha, mordendo o lábio para não rir.

— Queijo exuberante de presente? — berrou Rue. Estava se contorcendo de tanto rir, e lágrimas escorriam de seus olhos.

— Venha rápido, *é urgente*?

— Tinha que rimar — disse Cassie, vermelha. — Tente escrever o feitiço da próxima vez, se quiser...

Mas Tabitha puxou seu braço e Cassie, ao erguer os olhos, viu uma figura pálida agachada no cepo da árvore, farejando seu presente com seu longo nariz pontudo.

— *Shhh!* — disse Cassie, enquanto Rue tentava se recuperar de seu ataque de riso. — Ele está aqui.

O duende olhou para cima, notando-as pela primeira vez.

— Ah, é *você* — disse, olhando para Cassie e começando a descer do cepo.

— Espere! Não vá, precisamos de sua ajuda! — gritou ela.

O duende riu com escárnio, dobrando sobre as orelhas pontudas a ponta do gorro sujo que usava.

— E por que eu deveria ajudar *vocês*? Acham que a Sua Alteza Horribilíssima me recompensou pela última vez? Acham que me deu uma medalha por levar duas bruxas ao mercado dos duendes? Por levar a própria Bruxa da Floresta à torre onde o servo dele estava trabalhando, onde quase teve a chave ao alcance? Ele disse que eu estava *interferindo*, confraternizando com o inimigo. Eu, Burdock, amigo dos humanos? — O duende cuspiu na grama, que murchou e ficou marrom. — Fui expulso, fui mesmo, não estou mais apto para o serviço. Os ladrões não me querem mais, e é tudo culpa de vocês!

— Desculpe, não sabíamos — disse Cassie.

Era difícil sentir compaixão pelo duende, mas a verdade era que elas o haviam forçado a ajudar da última vez. E além disso, a Bruxa da Floresta o havia ameaçado quando Cassie estava em perigo, de modo que não era de se admirar que ele de fato odiasse os humanos.

— Mas se não está mais trabalhando para o Rei Elfo, que mal pode fazer nos ajudar? — perguntou. — Só queremos informação. Há pessoas sendo atacadas e precisamos saber por quê. Tínhamos certeza de que um duende bem relacionado como você saberia tudo sobre isso.

O duende estreitou os olhos.

— Que tipo de informação?

— Algumas pessoas do vilarejo estão sendo enfeitiçadas, sendo forçadas a procurar algo, um tipo de tesouro, contra a vontade. E quando se recuperam, elas não conseguem se lembrar de nada — disse Cassie. — Imaginamos que você, estando no ramo de coisas preciosas, saberia o que estão procurando.

— Bem, pode ser que eu saiba alguma coisa sobre isso — disse o duende, inspecionando as unhas sujas. — Essas notícias se espalham rápido no mercado.

— Ah, então *diga* — implorou Tabitha.

— E o que vão me oferecer em troca?

— Trouxemos queijo para você — disse Cassie. — O que mais você quer?

O duende se voltou e abriu um lento sorriso.

— Já que perguntou, pode ser que eu queira alguma coisa: um favor, como o que você obteve de mim antes, para o meu infortúnio.

Quando Cassie tinha pegado o duende entrando de fininho em seu quarto, tentando roubar a chave, ela o havia deixado ir em troca de um favor, que ela e Rue cobraram mais tarde quando precisaram encontrar o mercado dos duendes.

— Você não pode aceitar — disse Tabitha a Cassie. — Sem definir que tipo de favor, ele pode pedir que você faça qualquer coisa, inclusive se entregar ao Rei Elfo!

— Que pouca confiança vocês têm, bruxas… O que sua Alteza Horribilíssima iria querer com *ela*, agora que a menina não está mais com a chave? O mestre já tem muitas crianças, tem mesmo, não precisa de outra esquelética que gosta de arranjar problemas.

— Muito bem — disse Cassie —, você tem minha palavra. Um favor. Agora diga para a gente o que as pessoas enfeitiçadas estavam procurando.

Diante da vitória, os olhos do duende brilharam e ele subiu de volta no cepo da árvore, sentando-se como se estivesse em um trono.

— Dizem que o Senhor dos Trapos e Farrapos está procurando uma coisa; uma coisa poderosa, uma coisa valiosa. — Ele baixou a voz, inclinando-se para elas para que pudessem sentir seu hálito podre. — Ouvi dizer que é uma espécie de arma, uma lança, dizem, antiga como as colinas.

— Mas por que ele não mandou os duendes buscarem, por que usar o nosso povo? — perguntou Cassie.

— Porque ninguém que a toca sobrevive!

O duende sorriu, mostrando os dentes pontudos.

— E ele acha que essa lança está escondida em algum lugar aqui, em Hedgely? — perguntou Tabitha.

— Foi roubada por um humano há muito, muito tempo. É provável que ainda esteja guardada com vocês em algum lugar.

Cassie, Rue e Tabitha se entreolharam, preocupadas. Se o duende estivesse dizendo a verdade, não demoraria muito para que outra pessoa fosse enfeitiçada e forçada a procurar a lança. E se a encontrasse, talvez não sobrevivesse à descoberta.

— Como o Rei Elfo está controlando as pessoas? — perguntou Cassie, voltando-se para o duende.

Mas o cepo da árvore estava vazio; tanto Burdock quanto o queijo haviam desaparecido.

— Odeio quando ele faz isso — disse Rue.

— Bem, pelo menos ele respondeu à nossa pergunta — disse Tabitha. — E pelo menos, agora sabemos o que o Rei Elfo está procurando.

— Sim, mas não sabemos como ele está enfeitiçando as pessoas, e se alguma delas conseguir encontrar a lança...

— Temos que encontrá-la primeiro — disse Tabitha.

— Mas se foi roubada há centenas de anos, pode estar enterrada, escondida ou perdida — disse Cassie. — Não sabemos nem por onde começar a procurar.

Rue sorriu.

— Conheço alguém que talvez saiba.

Museu e Loja de Antiguidades da Watchet, diziam as letras descascadas na placa acima da porta azul. A vitrine curva estava cheia de cadeiras carcomidas e lamparinas de parafina, bonecas de porcelana e porta-ovos de prata, planos inclinados para escrita e uma concha de náutilo. Tudo estava coberto por uma fina camada de poeira e não havia luz dentro da loja. Eram cinco horas e Tabitha teve que voltar correndo para casa para preparar o jantar de sua avó, deixando Cassie e Rue sozinhas para falar com a antiquária.

— Talvez seja melhor voltar amanhã — disse Cassie, lendo o cartãozinho na porta que dizia: APENAS COM HORA MARCADA em letras miúdas e nítidas. — Acho que está fechada.

Cassie nunca havia entrado na loja de antiguidades; não parecia o tipo de lugar que recebia jovens bruxas curiosas.

Rue bufou.

— Nunca está. É que Eris Watchet odeia clientes. É só fazer um pouco de barulho para chamar a atenção dela.

Para ilustrar, Rue bateu forte à porta com uma das mãos, enquanto puxava a campainha com a outra, provocando uma cacofonia de sons que fez a rua Loft inteira parar para olhar para elas.

Um instante depois, a porta se abriu e uma mão puxou Rue pelo colarinho e a levou para dentro. Cassie correu atrás da amiga, espremendo-se antes que a porta fosse fechada.

Um rosto magro e moreno as encarava na escuridão.

— Para que todo esse barulho, hein? — A mulher as examinou, observando seus chapéus pontudos e as capas. — Bruxas, é? O que querem? Não tenho o dia todo.

Ouviram um fósforo ser riscado e o silvo da chama encontrando o óleo. Uma lamparina ganhou vida, iluminando o resto do corpo de Eris Watchet. Ela era alta, estava com um elegante terno de três peças, sobre o qual usava um paletó laranja. Sobre sua cabeça encaracolada, havia um chapéu redondo com uma borla pendurada.

— Viemos por causa de um tesouro mágico — disse Rue.

— Tesouro, é? Acham que eu nasci ontem? Não me façam perder tempo com bobagens.

— Por favor, só queremos fazer algumas perguntas — disse Cassie. — É sobre uma lança e, bem, pode ser perigosa.

A antiquária bufou.

— Não seria uma boa lança se fosse segura, não acha? Por aqui, e não toquem em nada!

A antiquária foi abrindo caminho e, enquanto avançava, acendeu outra lamparina, depois outra e, aos poucos, a loja escura foi ganhando vida. Era uma caverna de Aladim, lotada até as vigas de escrivaninhas de mogno, quadros de moldura dourada, vasos chineses, talheres, baús de couro, castiçais de cobre e máscaras assustadoras de madeira. A bagunça era tanta que as meninas mal conseguiam se mexer e, quando olharam para cima, viram mais cadeiras e mesas fixadas no teto, com as pernas penduradas como nadadoras de nado sincronizado.

Cassie passou, espremida, entre uma pilha enorme de malas velhas, a estátua de mármore de um cervo alado, torcendo o nariz por causa dos cheiros peculiares que permeavam a loja: cera de abelha e óleo de linhaça do polimento da madeira; couro gasto; e até um toque de incenso. A loja cheirava a *velharias*, como se os escombros das eras, ali acumulados, houvessem preservado em seu cheiro as lembranças das pessoas que um dia possuíram essas coisas. Ela espiou um espelho salpicado de manchas. Uma estranha a encarou de volta: uma menina de cabelos loiros, de camisola branca. Cassie se mexeu e o reflexo mudou para seu próprio rosto perplexo.

— Por aqui — disse Eris, conduzindo-as por um corredor estreito entre guarda-roupas ornamentados. — E cuidado para não bater em nada com essas vassouras.

— Como pode ser um museu *e* um antiquário? — perguntou Cassie.

— É um museu para gente como você, que não pretende comprar nada.

Sobre os móveis havia esferas armilares, orbes de cristal, taças de prata e bruxas de porcelana com laços nas vassouras. Enquanto se espremiam entre armários e escrivaninhas, um objeto pequeno e fino sobre uma mesa chamou a atenção de Cassie. Era fino e branco como leite, retorcido e encaroçado, com uma fileira de buracos em um dos lados. Parecia brilhar à penumbra da loja. Ela se aproximou e, antes que se desse conta, já estava com o objeto nas mãos. Era uma flauta de madeira, macia e surpreendentemente leve. Sentiu um arrepio na espinha, um formigamento nos dedos e um desejo avassalador de levá-la aos lábios para ver que som produzia.

De repente, um borrão de penas cinza e vermelhas surgiu à sua frente e, com garras afiadas, arrancou a flauta de suas mãos.

— *Squawk!* Não toque, não toque!

Cassie cambaleou para trás quando o papagaio voou em torno de sua cabeça e foi pousar em cima de um abajur, com a flauta em uma de suas garras.

— Não toque! — disse o pássaro. — *Squawk!*

— Nossa! Esse é seu familiar? — perguntou Rue.

— Esse é Barbarossa — respondeu Eris. — Um papagaio-cinzento comum, não tem nada de mágico nele. Mas é meio que o protetor de meu estoque e não acha ruim morder dedinhos que toquem no que não devem. — A antiquária parou diante de um divã e de um par de cadeiras de vime e começou a retirar uma pilha de revistas velhas e chapéus de penas. — Sentem-se — ordenou, chamando-as com a mão.

Cassie se sentou em uma daquelas cadeiras frágeis, sem saber se suportaria seu peso; Rue se sentou no divã e Eris Watchet se reclinou na outra cadeira, tirando um cachimbo de marfim do bolso e o enchendo com um pozinho que tirou de uma caixinha de prata. Barbarossa foi pousar no encosto da cadeira dela.

— Uma lança, é? De qual século? Tenho um gládio medieval e umas belas lanças da Guerra das Duas Rainhas — disse Eris, apontando para uma fileira de armas de ferro enferrujado ao longo de uma parede.

— Talvez seja mais antiga ainda — disse Cassie. — Acreditamos que veio da Terra das Fadas.

— O povo da Terra das Fadas não faz armas de ferro, não suportam esse material; os únicos metais que tocam são prata e ouro, mas são maleáveis demais para afiar. Os duendes aprenderam a trabalhar o cobre e o bronze, mas se for muito antiga, deve ser feita de pedra.

— Como se pode fazer uma arma de pedra? — perguntou Rue.

— Martelando; os humanos faziam isso também, antes de inventarem a forja. Esperem um instante.

Eris Watchet desapareceu atrás de uma mesa; as meninas a ouviram revirar gavetas e caixas. Voltou com as mãos cheias de objetos pequenos e finos, que depositou no colo de Cassie. Rue pegou um e o segurou contra a luz. Era uma lasca de pedra verde-clara, mais ou menos triangular, e de bordas tão finas que a luz a atravessava; parecia vidro escuro.

— São dardos ou pontas de flechas do povo da Terra das Fadas. Cuidado, eles tinham o hábito de mergulhá-los em veneno.

Rue jogou o dardo de volta no colo de Cassie.

— Isso não é uma lança — disse Eris. — E nunca encontrei nada maior que isso.

— Nos disseram que pode ter pertencido a alguém que viveu aqui, em Hedgely, há muito tempo — disse Cassie. — Talvez alguém que a tenha roubado da Terra das Fadas.

Eris soltou um anel de fumaça verde.

— Quem disse a você isso? Com quem você anda falando?

— Ah, foi só um amigo — disse Cassie às pressas.

— Esse amigo não teria olhos amarelos e dentes pontudos, não é? Hummm, pensando bem, houve outra criança intrometida aqui uma vez... décadas atrás, perguntando sobre uma lança. Um menino de óculos e cabelos parecidos com um dente-de-leão arrepiado. Não consigo lembrar o nome dele.

Cassie e Rue se inclinaram para a frente, ansiosas para saber mais.

— Não, não lembro. Nunca fui muito boa com nomes e rostos. Mas *coisas*... eu nunca esqueço *coisas* interessantes! Essa "lança assassina", como ele disse... ele achava que poderia encontrá-la também. Mas se a encontrou...

De repente, ouviram um alto *BONG* quando o relógio de pêndulo atrás da cadeira de Eris Watchet começou a bater as horas. Cassie e Rue se assustaram quando todos os outros relógios da loja começaram a tocar, formando uma cacofonia de cucos, dings, dongs e bongs.

— Seis horas, seis horas. *Squawk!* — exclamou Barbarossa.

Eris guardou o cachimbo no bolso e se levantou.

— Chega de perguntas, vamos, é hora do meu chá.

Ela pegou os dardos de volta e conduziu as meninas para a rua, batendo a porta atrás delas.

Capítulo 11

Tocas de coelho e frutos de sorveira-brava

Fazia uma semana que a Bruxa da Floresta tinha partido para o País de Gales quando baixou um forte nevoeiro.

— Brogan disse que veio da Floresta durante a noite — disse Cassie.

— Grosso como sopa de batata! — reclamou Rue, colocando a vassoura no ombro. — Quase bati em uma árvore enquanto subia; teria batido, se Papo não houvesse me avisado.

Uma risada rouca saiu do bolso de Rue.

— Sapos não são cegos, sabia?

— Sempre temos neblina nesta época do ano — disse Rue —, mas esta é a mais pesada de que me lembro.

Cassie havia conhecido a poluição atmosférica de Londres, com seu pó de carvão sufocante, mas esse nevoeiro era outra coisa. Pesava sobre os vales, e da janela de seu quarto, na torre, ela o tinha visto se acumulando, formando lagos enevoados entre as colinas, obscurecendo as casas e os currais. Foi como acordar em um castelo nas nuvens e ver outro mundo, um aéreo.

Enquanto desciam a colina em direção ao vilarejo, adentraram o nevoeiro como se fossem mergulhadoras. Cassie estendeu a mão à frente e a viu desaparecer de vista quase que de imediato.

— É azul!

— Névoa de fadas — explicou Montéquio. Era particularmente difícil distingui-lo, porque sua pelagem cinza-azulada se fundia ao ar. Apenas seus olhos cor de âmbar se destacavam como duas lâmpadas. — Está sentindo o gosto? — perguntou. — Isto não é do clima inglês; veio da Floresta.

Enquanto desciam a colina, a névoa foi ficando mais densa; Cassie pegou a mão de Rue para que não se separassem. O vilarejo estava estranhamente silencioso para um sábado. Até a rua Loft estava quase vazia; só se viam algumas sombras distantes, de outros aldeões que haviam se aventurado na névoa. Os prédios eram altas formas escuras, indistinguíveis na estranha luz azul, e as janelas eram como quadradinhos amarelos e indistintos.

Ouviram um guincho de rodas sobre paralelepípedos e ruído de metal quando uma bicicleta parou diante delas.

— O dia não está para ficar na rua — disse uma figura alta e magra, que elas reconheceram pela voz: o policial Griffiths. — Eu poderia ter atropelado vocês. Melhor voltarem para dentro até a neblina levantar. Isto é antinatural… nunca vi nada parecido, e estou aqui há vinte anos!

— Acho que treinar voo com vassoura está fora de questão, então — disse Cassie, meio aliviada. Não queria correr o risco de dar de cara em uma parede ou um arbusto invisível.

Rue suspirou.

— Imagino que podemos ir para a minha casa… Só que Oliver e Angus estarão lá, vai ficar apertado. Vamos, acho que é por aqui.

Enquanto tropeçavam, procurando placas de sinalização e tentando determinar sua posição aproximada olhando as lojas de cada lado da rua, ouviram um grito lamentoso. Era a voz de um homem. Pararam e ouviram de novo, dessa vez, um gemido baixinho.

— De onde vem? — perguntou Cassie.

— Atrás de nós, acho — disse Rue. — Parece até…

— Essa é a sorveira-brava? Este deve ser o gramado do vilarejo, mas não consigo ver nada.

Passaram a sentir a grama sob seus pés.

— Cuidado com o lago dos patos! — alertou Cassie.

— Ops! Tarde demais.

— Você caiu?

— Acho que não... não sinto água — disse Rue. — É só uma toca de coelho, imagino.

Cassie tropeçou e caiu de cara na grama enlameada.

— Não me lembro de haver tantas tocas de coelho no gramado.

— Ohhh, preciso encontrar, preciso... — disse uma voz masculina mais à frente.

— Pai! — gritou Rue, correndo para a frente e desaparecendo na névoa.

Cassie correu atrás dela e logo viu o sr. Whitby, alto e moreno.

— Não está aqui! Por que não está aqui? — gritou ele, levantando algo longo e pesado e logo o afundando na terra. Era uma pá. Os poços em que elas haviam tropeçado não eram tocas de coelho; eram buracos que o pai de Rue estava abrindo no gramado do vilarejo.

— Pai, o que você está fazendo? — perguntou Rue, segurando o braço dele.

Ele se soltou e continuou cavando.

— Tem que estar aqui. — Ouviram um baque surdo quando a pá atingiu o solo outra vez. — Vou encontrar, e depois... e depois...

— Do que está falando? Pare, pai, venha para casa com a gente — disse Rue, tentando segurá-lo de novo.

Um cheiro pesado de fumaça pairava no ar e fazia cócegas no nariz de Cassie. Ela viu Ted Whitby lançar uma sombra escura diante dele, no gramado. Cassie piscou. Isso não estava certo, não deveria haver sombras, não no meio daquela névoa. Pegou o outro braço de Rue e a puxou para longe.

— Não chegue muito perto. Ele está enfeitiçado. Como aconteceu antes com o fazendeiro Scrump e a sra. Mossley.

Rue a encarou com olhos arregalados.

— Temos que fazer alguma coisa; ele pode quebrar uma perna, ou pior!

As duas sabiam o que aconteceria se o sr. Whitby encontrasse o que procurava.

— Minha tia usou água de zimbro, mas não temos... acho que a água do lago não vai ajudar muito.

— Frutos de sorveira-brava! — disse Rue. — São bons contra feitiço, e acabamos de passar pela árvore.

— Está bem; pegue um pouco, vou ver se me lembro do feitiço que a tia Miranda usou.

Rue saiu correndo na névoa.

— Pode não dar certo, Cassandra. Você deveria procurar ajuda — disse Montéquio.

— Mas a Bruxa da Floresta está fora, só Aoife está aqui. Você poderia…

— Vou buscar a bruxa. Não se aproxime muito, há algo estranho nesse homem, ele não cheira bem, mesmo para quem foi enfeitiçado.

Montéquio olhou uma última vez para o inquieto pai de Rue e saltou para a névoa.

— Cassie? — chamou Rue.

— Por aqui!

Pam! Era a pá do sr. Whitby.

— Está aqui em algum lugar, tem que estar! — lamentava ele.

— Trouxe os frutos — disse Rue. — O que faço com eles?

— Não sei, acho que precisa colocá-los nele de alguma maneira. Acho que me lembro do feitiço.

Juntas, elas se aproximaram do pai de Rue. Ela jogou um punhado de frutos vermelhos nele; sua pontaria era boa, mas ele os afastou e voltou a cavar.

— Não está funcionando, Cass — disse Rue, com voz trêmula.

— Tente de novo enquanto eu digo o feitiço — disse Cassie, pigarreando e começando a entoar com sua melhor voz: — Pelo… ah, essa parte é sobre zimbro, é melhor eu mudar:

Pelos frutos amargos da sorveira, eu o liberto.
Pela luz fria do dia, eu o liberto.
Pelas doces palavras de amigos, eu o liberto.
Pela mão aberta da bruxa, eu o liberto.
Da prisão desse feitiço você está livre!

Por fim, o sr. Whitby parou de cavar e ficou imóvel como um espantalho, no meio do gramado. A pá caiu de suas mãos e ele se voltou para as meninas.

— Rue? É você? Não consigo ver nada com esta névoa.

Rindo, Rue correu para abraçar o pai.

Embora atordoado e confuso pela experiência e pelo choque de se encontrar no meio do gramado cercado por torrões de grama que havia revirado, Ted Whitby logo voltou a si e a névoa começou a se dissipar. Cassie notou que podia ver sua mão de novo quando a estendeu à sua frente. Voando do vilarejo em direção a eles estava Aoife Early, com Montéquio atrás e seu martim-pescador familiar azul iridescente no ombro dela.

— Meninas! Vocês estão bem? — perguntou, com a preocupação enrugando seu rosto jovem. — O que aconteceu aqui?

Elas explicaram tudo a Aoife no caminho de volta à loja de Whitby, onde a sra. Whitby, muito preocupada, saiu para resgatar o marido e cuidar dele. Aoife fez o mesmo tipo de perguntas que a Bruxa da Floresta havia feito ao sr. Scrump e à sra. Mossley, mas Ted Whitby jurava que não conseguia se lembrar de nada depois de ter descido para fazer café naquela manhã, e que não havia encontrado ninguém na rua.

Deixando Aoife checando os amuletos da casa e tranquilizando a sra. Whitby, Rue levou Cassie para seu quarto.

— Ela não tem a menor ideia do que está acontecendo — disse Rue. — Meu pai poderia ter se machucado de verdade; e se ele houvesse quebrado o pé com aquela pá? E se houvesse *encontrado* a lança? Poderia ter morrido! Aquela bruxa, com aquela bobagem de atrair o povo da Terra das Fadas, não vai fazer nada a respeito. Ela nos manda fazer sinos de vento e dançar como umas bobas e, enquanto isso, alguém ou alguma coisa está atacando as pessoas no vilarejo, *nosso* vilarejo.

— Precisamos encontrar a lança nós mesmas, antes que alguém se machuque. Se pelo menos Eris Watchet se lembrasse do nome daquele menino que a estava procurando tantos anos atrás… será que ele a encontrou? — Cassie falou.

— Minha mãe deve saber, ela se lembra de quase todo mundo que já viveu aqui no vilarejo, e de tudo que disseram ou fizeram. Vamos perguntar.

A cozinha de Whitby era bem menor que a de Hartwood, e Cassie ficou impressionada com o fato de Rue, seus pais e seus três irmãos caberem em volta daquela mesinha. Havia roupas penduradas em uma prateleira acima do fogo, para secar. Os desenhos de Oliver e os prêmios da velha escola decoravam as paredes. Era confortável à sua maneira, pensou Cassie, e a sopa de pimenta que a sra. Whitby estava mexendo no fogãozinho a gás enchia o ar com um cheiro delicioso e picante que parecia afastar o resto da névoa.

— Um menino de óculos e cabelos como um dente-de-leão arrepiado? — repetiu a mãe de Rue. — Imagino que pode ser o jovem Toby Harper. Ele se mudou para Hedgely com a família logo depois que seu pai e eu nos casamos.

— Ele mora perto? — perguntou Cassie. — Podemos ir falar com ele?

— Não, querida; ele desapareceu catorze anos atrás, no solstício de inverno. Já era adulto, na época. Isso também é um mistério. Há quem diga que ele foi para a Floresta; só Deus sabe *por quê*. Houve uma busca, claro, a antiga Bruxa da Floresta mandou todo mundo procurar, mas nunca encontraram nem um único fio de cabelo... e ninguém o viu desde então.

Cassie e Rue se entreolharam. Não poderia ser coincidência que Toby houvesse desaparecido em uma Noite de Travessia, ainda mais se estivesse envolvido com perigosos tesouros do povo da Terra das Fadas.

— E o resto da família? — perguntou Rue.

— Os pais se mudaram daqui; ficou muito difícil para eles, suponho, morar tão perto da Floresta depois do que aconteceu. O jovem Toby era um rapaz quieto, sempre rabiscando em seus cadernos. Gostava de ler também, arrumou um emprego na Widdershin quando era um pouco mais velho que vocês. Perguntem a Widdershin sobre ele, se estiverem mesmo interessadas. Ele também era muito amigo de Rose, mas imagino que você já sabe disso, Cassie.

— Ele era amigo da minha mãe? — perguntou Cassie.

Sua mãe nunca havia falado sobre as pessoas que tinha deixado em Hedgely.

A sra. Whitby provou o caldo fervente com a concha.

— Ela ficou bastante abalada quando ele desapareceu. Ficou se culpando, coitada, mas eu nunca entendi por quê. Agora lembro, isso foi logo antes de ela deixar o vilarejo.

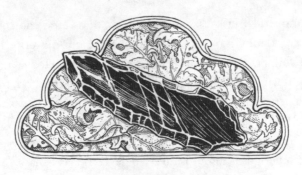

Capítulo 12

O menino que desenhava fadas

A livraria Widdershin era a última no lado leste da rua Loft, algumas portas abaixo da Bramble. Com o passar dos anos, suas vigas começaram a ceder sob o peso das mercadorias da loja, até que os andares superiores se debruçaram sobre a esquina da rua. A porta verde era tão torta que era preciso inclinar a cabeça para o lado para entrar. Mas o interior da loja mais que compensava o peso; todas as superfícies, desde as prateleiras trêmulas até as mesas e o chão, estavam cheias de livros empilhados. Tudo era meio empoeirado e difícil de transitar, mas, para Cassie, era o melhor lugar do mundo.

Cassie e Tabitha abriram caminho entre as prateleiras, passando por cima de livros caídos e de vez em quando devolvendo um ao seu lugar. Cassie havia se encontrado com Tabitha no ponto de ônibus, depois da escola, e lhe contou tudo que haviam descoberto com Eris Watchet e a mãe de Rue sobre os dardos do povo da Terra das Fadas e Toby Harper. Ao entrarem juntas na livraria, Cassie respirou fundo, aproveitando o conhecido cheiro de papel antigo e encadernações de couro.

O velho duende estava cochilando em uma cadeira perto do fogão, com um livro fino e marrom, apoiado no peito e dois de seus quatro pares de óculos empoleirados na ponta do nariz. Enquanto roncava, suas sobrancelhas peludas subiam e desciam e suas orelhas compridas batiam em seus ombros.

— Sr. Widdershin? — chamou Tabitha, baixinho.

Mas Cassie tinha muito mais experiência com o livreiro e sabia que, quando ele caía no sono, não havia como acordá-lo com delicadeza. Ela pegou um livro aberto na mesa lotada e o fechou, fazendo um grande estrondo e formando uma nuvem de poeira.

— Pelos grandes wyrms cegos, o que é isso? Fogo? Invasão? Os livros de história militar estão brigando de novo? — perguntou Widdershin, com os olhos ainda turvos de sono. — Ah, é você, Cassandra. O que quer?

— Queremos fazer perguntas sobre um jovem que trabalhava para o senhor — disse Cassie. — O nome dele era Toby Harper.

— Tobias? Sim, me lembro dele. Menino esperto, ele me ajudava aqui na livraria catalogando, organizando livros, esse tipo de coisa. Tinha muito interesse na história da Floresta e do vilarejo. Mas história é um assunto perigoso, eu sempre lhe dizia, ainda mais da Terra das Fadas. — O duende tirou um pedaço de papel do colo. — Há certas coisas enterradas no passado que algumas pessoas querem manter escondidas. As pessoas pensam que livros são coisas seguras e mansas, hoje em dia; estão sempre incentivando seus filhos a lerem. Mas os livros podem mudar as pessoas, mudar a maneira como veem o mundo, e depois, não há como voltar atrás. Na verdade, alguns têm vontade própria.

Ele passou a mão no livro cor de marfim, acorrentado à mesa. Um olho de vidro inserido na capa se abriu e piscou para ele.

— Sim... mas ele estava interessado em alguma coisa em particular? — perguntou Cassie. — Tipo tesouros do povo da Terra das Fadas ou armas antigas?

Widdershin ergueu uma sobrancelha.

— Não me surpreenderia se estivesse. Aquele menino era perigosamente curioso. Mistérios antigos estão muito bem nos livros, onde é o lugar deles; mas quando vocês, humanos, começam a mexer com coisas que não entendem, bem... vocês têm tendência a se meter em encrencas, não é? — O livreiro suspirou. — Um dos cadernos dele ainda deve estar em algum lugar por aqui. Ele estava sempre rabiscando. Tinha uma capa de couro vermelho, creio eu. Não o vejo desde que ele desapareceu, mas se quiserem procurar, fiquem à vontade. Não tem utilidade para mim!

E então, o duende trocou os óculos que estava usando por outro que pendia de uma corrente ao pescoço dele, abriu o grosso livro cor de marfim e começou a ler.

Cassie e Tabitha se entreolharam, desanimadas. A livraria estava tão organizada quanto um lugar depois de uma avalanche. Alguns livros estavam corretamente colocados nas prateleiras, mas muitos também estavam empilhados, formando torres oscilantes, ou pequenas colinas, ou escondidos atrás de vários móveis. Em circunstâncias normais, essa era uma das coisas que Cassie adorava naquela livraria; nunca sabia o que poderia encontrar: um tratado sobre anatomia dos diabretes, um livro de canções de ninar de sereias, uma tese astrológica de profecias não cumpridas. Ela passava horas examinando as prateleiras e pilhas, mas nunca havia visto um caderno que correspondesse à descrição de Widdershin.

— Acho melhor começarmos pela seção de história, já que era nisso que ele estava interessado — disse Cassie.

— Há seções aqui? — perguntou Tabitha.

— Mais ou menos, só que não estão inteiras no mesmo lugar. A de história começa ali, atrás daquele busto de fauno, e termina em algum lugar ali, com os livros de culinária — explicou Cassie, apontando para lados opostos da livraria.

Passaram o resto da tarde vasculhando fileiras e pilhas de livros, animando-se por um instante sempre que viam um volume vermelho sem título na lombada. Mas até o momento, essas descobertas emocionantes não haviam passado de uma coleção de poesias de amor entre duendes, um livro sobre a arquitetura de palácios da Terra das Fadas e outro contendo vários remédios para furúnculos. Tabitha achou este último interessante, mas Cassie estava começando a pensar que nunca encontrariam o caderno de Toby. Até que, passando por um corredor bem no fundo da livraria, onde as prateleiras transbordavam de livros, enormes e pesados, de mapas e gravuras, ela pisou em uma tábua do assoalho e a ouviu ranger.

Para qualquer outra pessoa, uma única tábua rangente em uma loja velha não chamaria muita atenção. De fato, seria de se esperar que o piso, gasto pela passagem de muitos clientes ao longo dos anos, cedesse nos locais onde os pregos se soltaram. Mas Cassie já havia feito uso de uma tábua assim no dormitório de seu internato e sabia que aquele tipo específico de rangido significava que poderia retirá-la por completo.

Esticando o pescoço entre as prateleiras, acenou para Tabitha, que estava separando uma caixa de velhos anuários, e usou o sinal das bruxas que significava "venha aqui" para chamá-la.

Embora Widdershin lhes houvesse dado permissão para procurar o caderno, Cassie não sabia se ele ficaria feliz se ela destruísse a livraria para isso, e disse a Tabitha:

— Pode distraí-lo para mim?

Tabitha concordou e voltou para a mesa do livreiro.

— Sr. Widdershin, tem alguma coisa sobre ervas para familiares? Minha Wyn começou a fungar e eu queria saber se há alguma poção que eu possa preparar para ela.

— Humm, sim, acho que tenho um exemplar do *Formulário das ervas de wyrm* aqui em algum lugar.

O velho livreiro a conduziu por um corredor abarrotado. Cassie o ouviu xingar quando ele deu uma topada no dedo do pé e derrubou uma pilha de livros. Ela teria que ser rápida.

Por sorte, recentemente Brogan tinha dado um canivete a Cassie, e ela fez bom uso dele, arrancando a tábua na extremidade estreita, onde os pregos já estavam soltos. Ela tinha experiência em fazer isso em silêncio, visto que mantinha uma biblioteca particular sob uma tábua assim e, às vezes, queria acessá-la durante a noite, enquanto suas colegas de dormitório dormiam. Colocando os dedos por baixo, ela puxou a tábua para cima e para o lado. Estava muito empoeirado e escuro, mas com certeza havia um espaço embaixo. Cassie desejou ter trazido uma tocha; não conseguia ver nada, teria que tatear e torcer para que não houvesse nenhum ninho de wyrm ali.

A princípio, não sentiu nada além de pedra e poeira seca; até que seus dedos encontraram algo mole e áspero. Pescou-o. Era um caderno; assim que tirou o pó da capa, viu que era de couro vermelho.

Cassie só teve chance de ler o caderno de Toby mais tarde, depois que Tabitha voltou correndo para casa para fazer a comida de sua avó e ela mesma jantou com a sra. Briggs, Brogan, Sebastian e Aoife. Enquanto isso, o caderninho vermelho a chamava da mesinha de cabeceira, onde ela o havia deixado, cantando para ela os segredos escondidos em suas páginas.

Levando uma xícara de chocolate quente para cima depois do jantar, Cassie se acomodou perto da janela, enquanto Montéquio se deitava, enroladinho aos seus pés. As últimas noites foram muito frias, e o calor dos pelos dele era muito bem-vindo.

O caderninho vermelho começava com uma série de anotações, escritas quando Toby ainda era pequeno e recém-chegado a Hedgely. Ele descrevia seu primeiro dia de escola — a mesma que Cassie frequentava agora — e suas impressões iniciais do próprio vilarejo. Ele sabia tão pouco sobre o mundo das fadas e feitiçaria quanto Cassie quando ela tinha chegado, mas ficou logo curioso sobre a bruxa do rio, os diabretes que esvoaçavam, os fogos-fátuos que ele via nos campos à noite e as histórias sobre coisas ainda mais estranhas e selvagens à espreita na Floresta. Também falava das criaturas mágicas que havia encontrado, e tinha feito desenhos de fantasmas e urchins, de um espectro, e uma ótima caricatura do próprio Widdershin. Toby pretendia aprender o máximo que pudesse sobre o povo da Terra das Fadas e suas anotações eram detalhadas e, até onde Cassie sabia, tão precisas quanto as que constavam do *Manual da bruxa.*

Cassie lia, enquanto a lua subia acima da Floresta. Sua xícara estava vazia e as chamas na lareira não passavam de cinzas incandescentes quando ela se deparou com a primeira referência à lança:

> Andei lendo sobre os cavaleiros do povo da Terra das Fadas, homens que viajavam pelos reinos, lutando contra feras antes que houvesse bruxas suficientes para lidar com esse tipo de coisa. A maioria deles morreu jovem, ao que parece. Os cavaleiros não conheciam a magia, mas parece que alguns tinham armas encantadas. Os mais famosos foram Sir Pismire e Sir Snowbrow – mas havia outro que vivia em Hedgely, Sir Egad. Não há muita coisa escrita sobre ele, só uma história dizendo que ele matou um grande wyrm com uma lança mágica.

Nos próximos registros, Toby mostrava cada vez mais interesse na lança; foi falar com Eris Watchet e procurou qualquer referência que pudesse encontrar nos livros da Widdershin. Descobriu que Sir Egad não havia deixado descendentes e que sua mansão tinha sucumbido em um grande incêndio. Toby passou a acreditar que a lança estava escondida em algum lugar do vilarejo, e logo ficou claro por que estava tão ansioso para encontrá-la:

Sir Egad existiu, tenho certeza, e se sua lança também, ainda deve estar escondida em algum lugar de Hedgely. Se for de fato encantada e eu a encontrar, isso provará que sou tão engenhoso quanto qualquer menina, e a Bruxa da Floresta terá que me deixar fazer parte do coven. Rose disse que se eu for sábado, quando a velha morcega estiver fazendo a ronda, ela me levará até Hartwood. Só sei que encontrarei uma resposta lá!

— Ele queria ser um bruxo! — disse Cassie, lendo nas entrelinhas.

— Quem? — perguntou Montéquio, abrindo só um olho.

— Toby Harper, o menino que procurava a lança. Ele queria fazer parte do *coven* e a velha Bruxa da Floresta... que devia ser minha bisavó Sylvia... não deixou.

— Claro que não — disse o gato, rolando para o lado. — Quem já ouviu falar de menino bruxo?

— Mas ele estava desesperado para aprender sobre o povo da Terra das Fadas, magia e a Floresta. Deve ter sido horrível ser proibido de entrar, e a sra. Whitby estava certa, ele era amigo da minha mãe! — Cassie olhou a data do registro anterior e fez as contas. — Ela devia ter catorze anos na época, a mesma idade de Toby. Talvez ela estivesse ajudando a procurar a lança.

Cassie virou a página, mas descobriu que era a última. O resto das folhas havia sido arrancado, deixando as bordas irregulares de papel na lombada.

— Está faltando, o resto das páginas sumiu — disse Cassie, passando o dedo pelas bordas rasgadas.

Toby havia se empenhado em esconder o caderno sob aquela tábua do assoalho, por que também tinha sentido necessidade de arrancar metade das páginas?

— Então, acho que estamos em um beco sem saída — disse Montéquio.

— Não exatamente — disse Cassie. — Há um último registro no verso desta página.

Ela leu em voz alta:

Rose me mostrou o grimório da Bruxa da Floresta ontem. Há uma foto nele dos três tesouros do povo da Terra das Fadas guardados pelas bruxas de antigamente: uma chave, uma taça e uma lança. Rose disse que sua avó ainda tem a chave, que ela a viu, mas as outras duas se perderam há muito tempo. De acordo com o grimório, a última Bruxa da Floresta a possuir a lança se chamava Nimue.

— Não vejo como isso ajuda sua causa — disse Montéquio. — Essa Nimue deve ter morrido há séculos.

— Sim, mas não é a primeira vez que ouço esse nome.

— Quando conheci Ambrósio, o homem no carvalho, foi assim que ele me chamou: *Nimue* — disse Cassie, sentada ao lado de Rue e Tabitha à beira do rio Nix, depois da escola, no dia seguinte. Elas compraram bolo de fadas na Marchpane e estavam comendo enquanto Cassie resumia o que tinha descoberto no caderno de Toby. — Achei que ele estava meio confuso, na época; afinal, tinha passado séculos adormecido. Mas, de acordo com isto aqui, Nimue foi a segunda Bruxa da Floresta, filha de Morgana da Terra das Fadas; ou sobrinha, não ficou claro.

Cassie entregou a elas um livro chamado *Lendas da Floresta* e apontou para a foto de uma loira de vestido azul.

— Não dá para dizer que você se parece muito com ela, Cass — disse Rue, lambendo as migalhas dos dedos.

— Há alguma coisa aqui sobre a lança? — perguntou Tabitha, se inclinando para ler.

Cassie sacudiu a cabeça.

— Não, e é por isso que acho que precisamos falar com Ambrósio. Se Nimue foi a última Bruxa da Floresta a ter a lança, ele pode nos contar o que aconteceu com a arma e por que o Rei Elfo a quer.

— Acha que poderia encontrá-lo de novo? — perguntou Rue.

— O wyrm do livro me levou até ele da última vez, mas acho que lembro como era aquela parte da Floresta. Eu saberia, se a visse.

— E se não conseguirmos encontrar a árvore? Se entrarmos nas profundezas da Floresta, vamos nos perder, e se alguma coisa acontecer... a Bruxa da Floresta ainda vai demorar uma semana para voltar. E se não conseguirmos sair antes do anoitecer? E o que devo dizer para a vovó? — Tabitha falou.

— Diga para ela que você vai dormir em Hartwood — disse Cassie.

— E podemos levar suprimentos. Será uma chance de trabalhar pelo nosso distintivo de bruxa do bosque também; você sabe que temos que acampar uma noite na floresta para completar essa tarefa.

— Não deveríamos falar com Aoife primeiro? — disse Tabitha. — Vamos contar para ela tudo sobre a lança e o Rei Elfo, com certeza ela saberá o que fazer.

As duas se voltaram para Rue, que tinha dado a última mordida em seu bolo e mastigava, pensativa.

— Tabitha, aceite, de uma vez por todas, que Aoife não serve para nada. Estamos sozinhas nessa, pelo menos até a Bruxa da Floresta voltar, e não podemos esperar tanto tempo. E se a próxima pessoa a ser enfeitiçada encontrar a lança? Acho que devemos fazer como Cassie disse: ir à floresta sábado e descobrir o que esse Ambrósio sabe. Já entramos nas profundezas da Floresta antes e encontramos o caminho de volta direitinho; além disso, sabemos como lidar com duendes e fogos-fátuos. Acho que é exatamente disso que precisamos: a primeira expedição de verdade da Patrulha do Carvalho.

Capítulo 13

A expedição

As três integrantes da Patrulha do Carvalho pararam à entrada da Floresta, olhando para as profundezas do lugar. Era meio da manhã e, apesar do ar frio que fazia cócegas no pescoço delas, a floresta era uma chama de âmbar. O solo estava coberto por um tapete de folhas que lhes chegava até os tornozelos. Seria impossível andar de fininho ou em silêncio, notou Cassie. Seus passos seriam ouvidos por todas as criaturas da Floresta.

Cassie se voltou para suas amigas e disse:

— Sei que eu disse que íamos trazer suprimentos, Tabitha, mas precisava mesmo de tudo isso? Você não vai conseguir fazer Aura levantar voo com tanta coisa.

Tabitha sofria sob o peso de uma mochila enorme, lotada de coisas dentro e com vários amuletos, frascos de poções e pequenos caldeirões de acampamento pendurados por fora. A seus pés, havia mais duas sacolas grandes, um feixe de estacas e lona.

— Nunca se sabe do que podemos precisar — disse Tabitha. — E se tivermos que passar a noite lá, você me agradecerá por eu ter trazido comida a mais e um pote de sal de bruxa.

— Sim, mas só um tipo de caldeirão não seria suficiente? — disse Rue, que estava segurando a vassoura de Tabitha com a dela.

— É melhor prevenir do que remediar — disse Tabitha.

— Bem, não temos tempo para ficar discutindo — disse Cassie, pegando uma grande sacola de lona. — Deixe que eu levo pelo menos as estacas da barraca.

— Vamos, passe uma dessas sacolas para cá, você não vai conseguir levar as duas — disse Rue.

Com o peso dos suprimentos de Tabitha divididos entre elas, pegaram a primeira trilha que encontraram na floresta e seguiram seu caminho sinuoso por entre as árvores. Roçaram em samambaias marrons e secas, trituraram pilhas de folhas de bordo e atravessaram riachos lamacentos.

Tordos-ruivos, que ciscavam entre a serrapilheira, e esquilos, que enterravam suas bolotas e avelãs, ignoravam as meninas que passavam. Foram-se as melodias estridentes da primavera e o canto dos pássaros no verão; a Floresta, no outono, ficava estranhamente silenciosa e tinha uma luz marrom-dourada. Algumas árvores, já sem folhas, ficavam esqueléticas no inverno, revelando ninhos abandonados que haviam sido invisíveis entre a folhagem do verão. As árvores mais velhas carregavam cachos de frutos escuros amarrados com a seda das teias de aranha, e as rosas silvestres e pilriteiros estavam cheios de flores e galhos vermelhos.

Elas andavam o mais silenciosamente possível entre o estalo das folhas secas e os caldeirões barulhentos de Tabitha, mas cada ruído que faziam parecia alto demais, e quando o vento passou pelo dossel acima delas, provocou um farfalhar seco e fez chover folhas douradas.

A caminhada foi bem agradável sob o sol, mas depois de mais ou menos uma hora, as nuvens foram baixando, bloqueando a luz e cobrindo a floresta com uma sombra profunda que fazia parecer mais fim de tarde que meio-dia. A certa altura, ouviram um som alto que ecoou nas árvores. Cassie esbarrou em Tabitha, que caiu, desequilibrada por sua mochila.

— O que foi isso? — perguntaram as duas em uníssono, tentando desesperadamente encontrar uma possível fera mágica.

Mas Rue começou a rir.

— É só um gamo; eles fazem esse barulho no outono para demarcar território. — Ela ajudou Tabitha a se levantar e se equilibrar. — Não há nada a temer.

Mas os braços de Cassie ainda estavam arrepiados.

Havia tanto cogumelos comestíveis quanto venenosos por todo lado, mais ainda do que tinham visto na primavera. Tabitha insistia em parar de vez em quando para coletar espécimes particularmente raros, que jogava no cesto de pesca que levava pendurado à cintura. Cassie estava atenta a qualquer um que formasse círculos; não estava a fim de se encontrar presa em um círculo de fadas de novo.

Para passar o tempo, Cassie começou a fazer perguntas às outras sobre árvores. Elas precisavam saber identificar e narrar corretamente as propriedades mágicas de treze árvores para conseguirem o distintivo de bruxa do bosque, mas isso logo seria um desafio, pois as árvores perdiam suas folhas e frutos e as meninas precisavam reconhecê-las pela casca.

— O que vocês acham que é? — perguntou Cassie, apontando para uma árvore musculosa à frente delas, com folhas de um amarelo vibrante.

— Faia? — perguntou Tabitha.

— Não, é um álamo — disse Cassie, folheando o manual. — Também conhecida como choupo. É uma árvore protetora, boa para amuletos, e as folhas podem ser usadas em poções para cicatrização de feridas. E aquela?

— Olmo — disse Rue. — Dá para guardar isso? Estamos andando há *séculos* e estou morrendo de fome.

Elas haviam acabado de passar pelo olmo quando encontraram a primeira pedra de barragem. Ficava em uma clareira pequena, cercada por um círculo de grama bem verde e salpicada de folhas marrons.

Cassie ficou aliviada ao encontrar a pedra intacta, com o círculo de runas esculpidas completo. As pedras de barragem foram criadas centenas de anos antes para proteger a fronteira e impedir que os habitantes mais perigosos da Terra das Fadas atravessassem para a Grã-Bretanha. Mas o Rei Elfo estava determinado a destruí-las para que seus duendes pudessem correr livremente entre os mundos, e tinha encarregado a feiticeira Renata Rawlins de fazer isso. Cassie tocou a pedra fria e pensou em sua tia, tão longe no País de Gales, prestando depoimento no julgamento. Ela ficaria furiosa se soubesse o que Cassie estava fazendo, mas elas não tinham escolha; precisavam encontrar a lança antes que o Rei Elfo a encontrasse e algum habitante de Hedgely morresse.

Nenhuma criatura mágica podia se aproximar de uma pedra de barragem, de modo que elas decidiram que era o melhor lugar para almoçar e reavaliar seus planos para a próxima fase da expedição.

Cassie havia levado sanduíches de frango embrulhados em papel manteiga e três fatias do bolo de limão e sementes de papoula da sra. Briggs. Sempre que Cassie saía, a governanta lhe dava comida para viagem, de modo que ela não teve dificuldade para pegar a comida. Mas se sentia meio culpada por não ter informado a sra. Briggs sobre seu plano. Se não voltassem antes do anoitecer, ela com certeza ficaria preocupada.

Tabitha montou um pequeno círculo de pedras, formando um apoio para um caldeirão, e pôs água para ferver para fazer chá.

— Achei que seria bom beber algo quente — explicou.

Rue a estava ajudando a acender o mato com uma fagulha de pedra, um pouco mais interessada no excesso de bagagem de Tabitha, já que havia comida envolvida.

Sentadas em volta da fogueira, de onde uma fumaça azulada subia para o céu cinzento, dividiram os sanduíches e o bolo e envolveram as canecas esmaltadas de chá quente de hortelã com as mãos.

— Talvez fosse melhor voltarmos — disse Tabitha. — Estamos vagando há horas e não vimos nem sinal dessa sua árvore, Cassie. Muitos carvalhos, mas nenhum deles com rosto. Se pegarmos a mesma trilha, e ela não mudar, encontraremos o caminho de casa em segurança a tempo do jantar.

— Ela tem razão — disse Rue, com a boca cheia de bolo. — Quanto mais adentramos, menos chances teremos de sair daqui de novo; mas seria um desperdício, depois de termos chegado tão longe.

— Não podemos desistir agora — disse Cassie. — Vejam, e se o caminho for o problema? Encontrei Ambrósio pela primeira vez depois que saí do caminho e fiquei completamente perdida na Floresta.

— Está sugerindo que a gente se perca de propósito? — perguntou Tabitha.

— Acho que pode dar certo — disse Rue, dando de ombros. — E Tabi trouxe comida suficiente para semanas.

Mas Tabitha hesitou.

— Ouçam, sei que isso é importante para vocês duas, e quero proteger o vilarejo também, mas não acham que isso tudo está além das nossas possibilidades? Mesmo que encontremos esse Ambrósio e ele possa nos ajudar, como voltaremos para casa? A flor de lanterna não floresce nesta época do ano.

Da última vez que Cassie tinha falado com Ambrósio, havia colhido uma flor de lanterna de seus galhos para guiá-la de volta para casa, mas isso tinha sido na primavera. Havia poucas flores agora.

Cassie sacudiu a cabeça.

— Não estou dizendo que vamos nos perder de verdade. Andei lendo sobre sinais de rastreamento para o distintivo de bruxa do bosque. Podemos usá-los para deixar uma trilha e nos guiar de volta a esta clareira. Daí, poderemos encontrar o caminho de novo ou, na pior das hipóteses, montar acampamento aqui, perto da pedra de barragem.

— Para mim, é um bom plano — disse Rue, se levantando. — Vamos então, ainda temos algumas horas de luz do dia.

Tabitha começou a guardar as coisas do chá.

Saíram andando de novo, dessa vez trocando o caminho largo e seco por uma trilha de cervos que levava a uma parte mais densa e escura da floresta, onde o azevinho se esticava para pegar seus cabelos e elas tinham que contornar grossos emaranhados de rosas-caninas.

A caminhada passou a ser mais lenta, devido a esses obstáculos naturais e ao fato de que Cassie, à retaguarda, parava a cada poucos minutos para deixar algum sinal para trás. Às vezes era uma pequena pilha de pedras no solo, ou gravetos formando um *faru* – a runa do povo da Terra das Fadas que parece uma flecha –, para indicar a direção pela qual caminhavam. Onde o solo estava escuro por uma camada profunda de folhas, ela às vezes rabiscava a runa na casca de um toco de árvore com seu canivete, para que pudessem vê-la e saber para onde ir.

O dia foi passando e elas se cansaram de caminhar. Tabitha, em particular, estava sofrendo com o peso de sua mochila e ficava pedindo pausas para recuperar o fôlego. Fizeram uma dessas paradas perto de um enorme tronco caído coberto de musgo – o tronco de alguma árvore morta há muito tempo. Devia ter sido um gigante da floresta enquanto tinha vivido; a largura do tronco se erguia bem acima delas, com galhos irregulares e raízes que se projetavam dele.

Cassie olhava para o céu por entre uma brecha ocasional no dossel formado pela copa das árvores e via que estava escurecendo; o sol poente tingia as nuvens cinzentas de roxo. A noite cairia em breve e, antes disso, elas teriam que pegar a trilha que Cassie havia deixado e voltar para a segurança da pedra de barragem. Era frustrante não ter encontrado Ambrósio, mas a Floresta era vasta; podiam passar dias caminhando pela floresta sem ver a mesma árvore duas vezes.

Rue escalou o grande tronco e ficou em pé em cima dele, tentando ver a distância por entre as árvores.

Que estranho, pensou Cassie. Elas deveriam estar a pelo menos cinco quilômetros da pedra de barragem – embora fosse um tanto difícil avaliar distâncias na Floresta –, mas não haviam visto nenhuma criatura mágica. Nem um único diabrete ou fogo-fátuo. Até os animais comuns tinham desaparecido. Cassie esperava encontrar a coruja Asa Ligeira ou outros familiares que haviam resgatado do mercado dos duendes, que poderiam lhes dar instruções para chegar à árvore de Ambrósio. Mas a floresta estava estranhamente silenciosa e, pelo visto, vazia; só a brisa leve agitava as folhas secas.

Tabitha estava encostada no tronco, parecendo exausta; ela não conseguiria continuar carregando aquela mochila pesada por muito mais tempo. Cassie havia acabado de abrir a boca para sugerir que voltassem quando o tronco tremeu. Foi só uma ondulação sob a superfície de madeira rachada, alguns centímetros acima de onde Tabitha estava sentada. Cassie recuou e olhou com mais atenção para a árvore caída. Havia algo estranho; os galhos se curvavam para cima e para trás como grandes chifres, e as raízes pareciam garras que se enterravam na terra. E, olhando bem, quase daria para distinguir a forma de uma cabeça larga e serpentina. Uma profunda cavidade na madeira se estreitou e se alargou de novo, deixando escapar uma rajada de ar quente e argiloso no rosto de Cassie. O tronco estava *respirando*.

— Rue! Desça daí... agora! — sibilou.

Capítulo 14

A wyrm da floresta

— Que foi? — perguntou Rue. — A Tabi já descansou? Estou vendo bem longe daqui de cima. Se a gente continuar por este caminho, há um bosque de bétulas... você não disse que...

Mas Rue não terminou a frase, pois o tronco em que estava começou a se inclinar para uma das pontas, erguendo-se do chão e a fazendo se desequilibrar. Rue se agarrou a um galho e ficou agachada ali, enquanto o tronco se erguia, se arrancando da grama e dos arbustos e deixando uma marca de terra fresca. Besouros e centopeias saíram correndo para se proteger.

A árvore se contorceu e se alongou, expondo uma antiga cabeça de réptil com uma coroa de galhos quebrados e uma barba de musgo gotejante. Uma fenda na casca se abriu e revelou um grande olho dourado. A criatura puxou um pé em garra e depois outro do solo da floresta, ficando de quatro e jogando uma cascata de folhas secas no chão.

— Wyrm! — gritou Tabitha. — Corra, Rue, corra!

Mas Rue não podia descer, e elas não podiam deixá-la para trás.

Cassie montou em Galope, lutando para se equilibrar com a vassoura de Rue debaixo do braço. Incitou sua vassoura a subir, deu impulso no solo e apontou a frente do cabo para a grande wyrm, que já estava sacudindo suas escamas lenhosas e marrons, desalojando touceiras de líquen e mudinhas que haviam se enraizado ali. Rue estava agarrada para não cair quando a criatura abriu sua boca escura e soltou um poderoso rugido. Foi como o rugido de um gamo, só que cem vezes mais alto, e bandos de pássaros em pânico saíram voando ao redor dele.

A respiração da wyrm – uma rajada de folhas em decomposição e musgo úmido – atingiu Cassie de lado e a empurrou para a copa das árvores. Ela ouviu galhos estalando nos pelos de sua vassoura, e teria caído se não estivesse segurando a vassoura de Rue com a mão esquerda – ela pairava ao seu lado, permitindo-lhe recuperar o equilíbrio.

Cassie deu impulso em um tronco e voou de volta para a fera. A vassoura de Rue, Labareda, a puxava em direção à sua dona.

— Aqui! — gritou Cassie, pairando o mais perto que ousava sobre as costas escamosas da wyrm.

Rue olhou para cima e Cassie jogou Labareda para ela. Rue a pegou, soltando-se da wyrm e saindo da sombra da fera, montada em sua vassoura. Cassie a alcançou e, juntas, fugiram da fera, que já estava totalmente erguida, com sua cabeça de galhos já nivelada com a copa das árvores ao redor.

Lá embaixo, viram Tabitha correndo com dificuldade por entre a vegetação rasteira. Mas a wyrm também a havia visto e estava atrás dela, quebrando os galhos das árvores com sua cabeça grande ao perseguir a bruxinha, que carregava o sobrepeso de sua mochila.

— Tabitha! Sua vassoura, voe! — gritou Cassie, tentando entender por que ela não tinha pulado em Aura e foi encontrá-las acima da copa das árvores.

— É a mochila dela, está muito pesada — disse Rue, deixando Cassie e voando para Tabitha.

A wyrm estava se aproximando de Tabitha, rasgando arbustos e machucando troncos de árvores com suas garras. Voltando-se para ver a wyrm atrás, ela tropeçou na raiz de uma árvore e caiu esparramada no chão, e os caldeirões saíram rolando para os arbustos, enquanto ela tentava se levantar. Em um instante, Rue estava ao seu lado, ajudando-a a tirar a mochila das costas e subir na vassoura, e as duas saíram voando. A wyrm esticou seu longo pescoço escamoso e abriu sua bocarra, tentando pegar as duas. A mandíbula se fechou com um forte estalo, como uma árvore caindo, mordendo os pelos da vassoura de Rue, que disparou para cima.

Rue e Tabitha encontraram Cassie acima do dossel e ficaram pairando fora do alcance da furiosa wyrm que, após um último esforço para se erguer sobre as patas traseiras e alcançá-las, caiu entre as árvores e ficou se debatendo no meio da vegetação rasteira.

— Era uma wyrm grande — disse Cassie, ofegante. — Achei que não havia mais nenhuma delas na Floresta. Viram todo aquele musgo e líquen na pele dela? Deve ser antiga.

— Tenho que admitir que fiquei mais preocupada com as garras e dentes dela — disse Rue, também ofegante. — Você está bem, Tabi?

— Sim, só que a wyrm... comeu nossos suprimentos.

— Não faz mal; iríamos acabar voltando para casa mesmo.

O sol já havia se posto e as primeiras estrelas brilhavam no céu de um azul profundo. Abaixo delas havia um mar castanho-avermelhado, marrom e dourado, formando ondas e picos nos lugares onde as árvores maiores quebravam o dossel. Cassie nunca havia visto a Floresta de cima, e só agora entendeu como era vasta. As árvores se estendiam em todas as direções, até onde a vista alcançava, ininterruptas e imutáveis. O céu do oeste ainda estava mais claro que o do leste, de modo que lhe deram as costas e apontaram as vassouras para Hedgely. Mas antes que pudessem partir, a vassoura de Rue estremeceu e perdeu altitude.

— Parece que aquela fera mordeu mais que alguns pelos — disse Rue. — Não sei se Labareda vai conseguir voltar.

Cassie olhou para Galope. Sua vassoura também estava estranhamente acanhada, parecia estar tremendo enquanto pairava sobre a copa das árvores. Ela se voltou para inspecioná-la; havia perdido quase metade de seus pelos na fuga e estava cheia de arranhões profundos.

— Galope também não parece muito bem, Cassie — disse Tabitha. — E Aura não aguenta mais que duas. Acho que teremos que voltar a pé.

— Ainda bem que você deixou um rastro, Cass — disse Rue, quando pousaram de volta no solo da floresta.

Mas ao fugir da wyrm, elas se afastaram da rota original, e a fera tinha deixado um rastro de destruição pela floresta, acabando com os sinais que Cassie havia deixado para trás. Não tinham como voltar à pedra de barragem, e estava ainda mais escuro sob o dossel.

— Bem, você queria que a gente se perdesse — disse Tabitha. — Acho que podemos dizer que conseguimos.

A Patrulha do Carvalho partiu no que esperava ser a direção certa, carregando suas vassouras danificadas sobre os ombros e observando a floresta, que escurecia depressa. Estavam em estado de alerta máximo, atentas a qualquer sinal que indicasse que a wyrm da floresta estava voltando. Em fila pelo caminho estreito, elas logo se viram descendo uma ladeira.

— Isso não pode estar certo — disse Cassie. — Não pegamos subida no caminho para cá.

— Quem liga? Contanto que estejamos indo para longe daquela criatura — disse Rue.

Elas estavam cansadas, famintas e cada vez mais irritadas, o que não ajudava em nada.

A ladeira foi ficando mais íngreme e elas tiveram que andar de lado, derrapando e provocando uma chuva de folhas marrons, agarrando-se a árvores finas para não escorregar.

No crepúsculo, erguiam-se diante delas grandes pedregulhos cobertos por grossas camadas de musgo e pareciam gigantes corcundas cansados e lobos agachados. Conforme avançavam, viam mais e mais dessas pedras, até que se encontraram em um vale rochoso, seguindo um canal entre penhascos cobertos de musgo que se erguiam ao redor delas.

— Não estou gostando disto aqui — disse Cassie. — Parece um labirinto; se encontrarmos algo ruim, não há lugar para correr.

Mas a única alternativa era voltar pelo caminho por onde haviam ido até ali, de modo que prosseguiram, adentrando mais o vale. Era um lugar mais verde e mais úmido, com musgo macio e galhos de samambaias delicados agarrados aos penhascos de pedra. Por fim, chegaram a uma rocha alta sobre a qual havia uma cachoeira, que jorrava e formava uma poça no fundo. Pararam à margem arenosa.

— Podemos descansar um pouco, por favor? — perguntou Tabitha. — Meus pés estão doendo.

— Foi sua constante necessidade de descansar que nos colocou nesta situação — retrucou Rue. — Se você não houvesse trazido aquela mochila ridícula, não teríamos parado no tronco e talvez tivéssemos voltado para casa antes do jantar.

Rue nunca ficava de bom humor quando estava com fome.

— Se estivéssemos com a minha mochila, poderíamos parar e acender uma fogueira, acampar e comer comida quente, em vez de ficar andando por essa escuridão e fugir sabe-se lá de que perigos — retrucou Tabitha.

— Caladas, vocês duas, algo pode acabar ouvindo a gente — disse Cassie.

Elas estavam fazendo barulho suficiente para alertar metade da floresta sobre sua presença. Cassie não estava gostando daquele lugar, era quieto demais e fazia os pelos de seus braços se arrepiarem. Tinha a desagradável sensação de que estavam sendo observadas, de que alguma presença espreitava das pedras e sabia que estavam ali.

— Acho que podemos parar um pouco. Como estamos de suprimentos? Rue virou seu chapéu sobre uma pedra.

— Uma dúzia de avelãs e algumas rosas-mosquetas; não há muito o que comer delas, está longe de ser um banquete.

Desde o início, estiveram forrageando enquanto caminhavam, mas a colheita havia sido escassa, e não viram nada comestível desde que entraram no vale pedregoso. Rue dividiu igualmente o que tinha, que rendeu pouco mais que um bocado para cada uma.

— Acha que podemos beber dessa água? — perguntou Tabitha.

Nem sempre era seguro beber água dos riachos e poças da Floresta; essas águas tendiam a ter efeitos curiosos. Algumas, como Cassie tinha experimentado, podiam devolver lembranças esquecidas, mas outras podiam levá-las embora, deixando a pessoa sem saber onde estava ou como havia chegado ali.

Cassie olhou para a cachoeira. Estava tão escuro que a brancura da água espumante era tudo que podia ver contra as pedras musgosas; só que... Cassie escalou as pedras mais próximas e semicerrou os olhos para enxergar nas sombras úmidas. Havia degraus recortados na rocha, que levavam para cima e para dentro da cachoeira.

A curiosidade é maravilhosa para reavivar os sentidos, e as três esqueceram a fome e o cansaço por um momento, enquanto subiam os degraus. Descobriram que podiam contornar a cachoeira e ficar atrás da água quase sem se molhar. Havia uma porta alta, em arco, escavada na rocha, e mais degraus que subiam e passavam por ela.

— Vamos subir mesmo? — perguntou Tabitha. — Alguém deve ter construído tudo isto; e se estiver nos esperando do outro lado?

— Se tiverem comida decente para dividir com a gente, por mim, tudo bem — disse Rue.

— Cassie... — disse Tabitha.

— Estes degraus são muito antigos. Veja como o musgo está grosso. Acho que quem fez esta escada já foi embora há muito tempo.

A entrada e o túnel estreito fizeram Cassie se lembrar de outra ruína, que ela havia descoberto em Castle Hill, a norte de Hedgely. Ela raspou um pouco a parede de pedra e sua mão ficou coberta de algo brilhante, como a trilha seca de um caracol. Quem havia construído aquele lugar não era humano.

Continuaram subindo pela face do penhasco e, estranhamente, embora o caminho estivesse escuro, conseguiam enxergar. Cassie parou para olhar a pedra acima e encontrou um tapete de um verde vívido e brilhante.

— O que é isso? — perguntou Rue.

— É uma espécie de musgo fosforescente — disse Cassie, que havia lido sobre isso em *Uma história natural da Floresta*. — Chama-se ouro de duende.

— *Que maravilha* — disse Rue. — Era só o que nos faltava: duendes!

Seguiram a trilha brilhante do musgo e saíram no alto do penhasco, ao ar livre mais uma vez. Lá de cima, podiam ver os vales de ambos os lados, como cortes de escuridão na rocha. Acima delas, as nuvens haviam se dissipado e uma lua cheia as espreitava por trás de seu véu enevoado.

Pararam diante de uma ponte de pedra que atravessava o abismo e levava a outro penhasco, onde mal podiam distinguir as formas das árvores e outro arco de pedra. Tinham apenas duas opções: atravessar a ponte ou descer os degraus que haviam subido.

— É melhor ver onde isso vai dar — disse Rue. — Já chegamos até aqui mesmo.

Ela foi na frente pela ponte estreita. Se dessem um passo em falso, nada as impediria de cair no vale.

Cassie prendeu a respiração e tentou se convencer de que era como subir em uma árvore. Trocou um olhar preocupado com Tabitha, que parecia não estar gostando daquilo tanto quanto ela; e isso a ajudou.

Rue foi em frente, feliz como se estivesse andando pela rua Loft, e foi a primeira a chegar ao arco.

Ela deu uma olhada e o atravessou depressa.

— Rue, espere! — gritou Cassie.

Mas Rue já havia desaparecido na penumbra, do outro lado.

Quando Tabitha e Cassie a alcançaram, viram o que havia deixado Rue tão animada.

Estavam no alto de outro penhasco, em uma plataforma elevada mais ou menos circular. No solo, crescia um musgo verde denso e rico, macio como um tapete persa, e estavam cercadas por todos os lados de árvores brancas e esguias que se erguiam como pilares na escuridão. Fizeram Cassie pensar em bétulas, mas não tinham olhos pretos na casca, de modo que ela não sabia que árvores eram.

Mas Rue não estava olhando para as árvores. Diante delas havia uma mesa, lindamente esculpida em pedra, com bancos de pedra de cada lado. Sobre a mesa havia uma toalha bordada, almofadas de veludo macio nos bancos, e todo o cenário era iluminado por dezenas de velas colocadas em candelabros de prata. Mas elas mal notaram esse rico mobiliário, porque a mesa estava coberta de centenas de pratos e travessas, cada um continha alguma iguaria: frutas frescas, carnes assadas, pãezinhos macios, sobremesas feitas com caramelo em forma de castelos, frutas gelificadas em tigelas de vidro, bolos, doces e tortas.

As meninas ficaram ali, atordoadas diante daquela visão.

Capítulo 15

O Enigma da Floresta

— De onde veio tudo isso? É de verdade?

Rue deu um passo à frente e pegou um pãozinho, levando-o ao nariz.

— Tem cheiro de verdade. A questão é: tem gosto de verdade?

— Rue! — disseram Cassie e Tabitha em coro.

Rue riu, devolvendo o pãozinho à mesa e limpando as mãos na capa.

— Ha! Deveriam ter visto a cara de vocês! Claro que não vou comer isso, com certeza está enfeitiçado. Até eu sei que não devo tocar em comida de fada.

Mas lançou um olhar ansioso por cima do ombro enquanto voltava até elas, sob o arco.

— Acho que devemos voltar para a cachoeira e seguir nossa trilha de lá.

— Acho que não consigo dar mais um passo — disse Tabitha. — E não quero voltar por aquela ponte no escuro.

Elas se entreolharam na penumbra. Embora houvessem cogitado a possibilidade de acampar na floresta e até feito planos para isso, agora, a realidade de ter que dormir na Floresta era muito mais assustadora.

— Acho que podemos passar a noite aqui e procurar um caminho para casa de manhã, quando clarear — disse Rue.

— Não sei se é uma boa ideia — disse Cassie. — Há algo estranho aqui. Quem colocou essa comida aí? E se esse alguém voltar? Sei que está escuro e estamos cansadas, mas não seria melhor continuar?

Rue olhou de novo para a mesa cheia.

— Não sei se estaríamos mais seguras lá embaixo, com a wyrm rondando por aí. Aqui em cima ela não vai conseguir chegar, o túnel é muito estreito.

— E aqui, pelo menos podemos ver se alguma coisa vier em nossa direção pela ponte — acrescentou Tabitha.

— Ah, tudo bem, mas vamos nos revezar na vigilância — disse Cassie. — Eu vou primeiro.

Foi um acampamento pobre sem a tenda e os suprimentos de Tabitha. Dividiram o punhado de rosas-mosquetas que Rue tirou do bolso, mordiscando a polpa azeda e evitando as sementes, e se deitaram na relva macia. A noite estava fria, elas tinham apenas suas capas como cobertor, mas Rue e Tabitha estavam tão exaustas que logo adormeceram, com o rosto no musgo macio.

Cassie se recostou em uma das árvores brancas e ficou olhando o círculo de céu aberto acima delas. As nuvens se deslocavam de vez em quando, revelando trechos de céu noturno mais profundo. Ela viu as três estrelas brilhantes do cinturão de Órion e a forma de caçarola da Ursa Maior; seguiu a linha das duas últimas estrelas da constelação até a Estrela Polar. Se ao menos suas vassouras não estivessem quebradas... poderiam usá-las para guiá-las para casa.

Foi uma luta manter os olhos abertos, mas quando viu que as estrelas haviam avançado bastante, achou que deviam ter se passado algumas horas e acordou Rue, que se sentou assustada, esfregando os olhos. Mas concordou em fazer o próximo turno. Grata, Cassie afundou no musgo, puxando a capa até o queixo. Antes que se desse conta, já estava dormindo.

Quando Cassie acordou, o ar tinha esfriado e havia gotas de orvalho em seu cabelo. Tabitha ainda estava dormindo; seu corpo pequeno e escuro subia e descia com sua respiração suave. Mas o pedaço achatado de musgo onde Rue esteve sentada estava vazio. Levantando-se, Cassie viu que as nuvens haviam se dissipado por completo e a lua pairava no zênite do céu como uma grande lâmpada, dizendo que era quase meia-noite. O topo do penhasco estava banhado por uma suave luz cinza, que projetava tudo em relevo, preto e branco. Diante dela, a mesa de pedra estava inalterada; as travessas de prata transbordavam de frutas, o pão ainda estava crocante, as tortas, intocadas. Tudo muito mais tentador que antes.

O estômago de Cassie doía, e ela se obrigou a desviar os olhos do banquete. Foi quando viu a cabeça de cachos escuros de Rue emoldurada pela luz da lua e, diante dela, uma mulher, uma mulher clara como a aurora, com um longo cabelo prateado que descia por baixo de uma coroa de pedras preciosas em forma de estrela. Estava usando um vestido de seda branca que caía em ondulações suaves sobre seus pés. Era difícil olhar para seu rosto; era como olhar para uma luz forte e artificial. De fato, todo o seu corpo parecia brilhar por dentro. Ela era como as fadas que Cassie imaginava quando criança ao ler contos que falavam da beleza e doçura encantadora delas. E ela se deu conta de que, em parte, ainda ansiava por isso. Todo duende, e diabrete, e espectro que havia visto falhava em se encaixar nessa visão. Mas ali estava, enfim, uma criatura tão etérea que parecia ser feita de névoa e luz das estrelas.

Rue estava em transe, enraizada no chão, enquanto a mulher se aproximava, estendendo a mão. Havia algo nela, e Cassie se aproximou para ver o que era. A mulher ainda não a tinha notado, estava com a atenção fixa em Rue. Cassie viu que o que ela segurava era uma maçã, mas não uma maçã comum – era vermelha como uma papoula e brilhava como se estivesse mergulhada em mel. Era perfeita demais, uma maçã de sonhos; não podia ser real.

Cassie sentiu uma brisa fria na nuca e, voltando-se, viu que estavam cercadas. Mais mulheres, pálidas e bonitas como a primeira, estavam ao redor da mesa, com as mãos juntas diante do corpo como se estivessem rezando. Então, Cassie notou que as altas árvores brancas que circundavam a clareira haviam sumido. As mulheres se aproximavam, fechando cada vez mais o círculo. Conforme se aproximavam, Cassie ia vendo melhor o rosto delas; os olhos eram dourados e brilhantes, os lábios, vermelhos como a maçã, vermelhos como sangue.

Rue ergueu a mão para pegar a maçã.

— Rue! — gritou Cassie, de repente dominada pelo medo. — Não toque nisso!

Mas Rue já havia pegado a fruta, seus olhos ainda estavam na fada. As outras mulheres sibilaram para Cassie, e ela descobriu que não conseguia alcançar Rue; seus pés estavam fixos no lugar em que ela estava.

— Tabitha! — gritou, e a pequena figura deitada no musgo se mexeu, piscando para espantar o sono.

Rue estava olhando para a maçã que tinha na mão, paralisada; e a levou aos lábios.

Passos pesados ecoaram na ponte de pedra. Voltando-se para olhar, Cassie viu outro ser se aproximando pelo arco. Era alto, moreno e largo, com algo na cabeça, algo como chifres.

O Rei Elfo! Ele tinha preparado uma armadilha para elas e estava indo buscá-las.

Mas quando o ser se encontrou sob o luar, ela viu que estava enganada: ele não usava as vestes pretas esfarrapadas nem a máscara de crânio de cervo que ela temia, e sim um manto de folhas que caía até seus pés descalços; e as roupas simples que usava por baixo eram de casca de árvore. O que pareciam chifres eram galhos que deviam crescer em seu cabelo desgrenhado.

O tempo parecia diminuir seu ritmo conforme ele se aproximava; Cassie ainda não conseguia se mexer. As mulheres de branco sibilaram de novo e se afastaram.

O homem do manto de folhas foi até Rue. Estendeu um braço grande e forte como se fosse bater nela, mas deu um tapa na fruta que ela segurava e ficou entre Rue e a mulher brilhante.

— Vá embora, você não tem direito a esta criança — disse o homem com voz áspera e seca como casca de carvalho.

O rosto da mulher se contorceu e, de beleza, passou a pura fúria, revelando dentes afiados em uma boca vermelha e olhos amarelos brilhantes. Ela deu um passo à frente, erguendo os braços esguios e brancos e fazendo deslizar as mangas de seu vestido de seda. Suas mãos eram longas e tinham garras. O homem ergueu o bastão que carregava; Cassie viu que era um machado com uma ponta de pedra afiada.

A mulher pálida sibilou mais uma vez e recuou para a beira do penhasco. Em um instante, desapareceu. Cassie se voltou e viu que as outras mulheres haviam ido embora e as árvores brancas estavam de volta no lugar, com suas folhas pendentes, como se nunca houvessem se mexido.

As velas sobre a mesa estavam apagadas. A comida também já não estava ali; onde antes havia pães doces, agora havia pilhas de folhas mortas e podres; as tigelas tinham frutas podres, cheias de vermes e besouros. O que tinha sido um javali assado não passava de um pombo morto, e as finas toalhas de mesa eram farrapos de teias de aranha.

Tabitha estava ao lado de Rue agora, envolvendo-a com uma capa. Tocou o rosto da amiga, que havia perdido o calor e a vida habituais. Cassie viu que podia se mexer de novo e correu para elas.

— Ela está em choque — disse Tabitha.

— A criança ficará bem; ela tocou na fruta, mas não a comeu — disse o homem.

Ele era alto, largo como um tronco de árvore, de pele escura como um velho carvalho, e seu cabelo era selvagem e emaranhado. De sua testa brotavam galhos grossos, e seus olhos, acima de sua grande barba, eram da cor de latão polido. Era óbvio que não era humano, mas tinha salvado Rue.

Cassie abriu a boca para falar, mas ele ergueu a mão larga.

— Venham, não é seguro aqui.

Ele voltou pelo arco e pela ponte, sem esperar para ver se elas o seguiam. Cassie pegou o braço de Tabitha.

— Acho que é um homem-selvagem da floresta, já li sobre eles. Dizem que são selvagens e perigosos; alguns dizem que são *loucos*.

— Bem, não podemos ficar aqui, precisamos tirar Rue do meio destas árvores — disse Tabitha, olhando os troncos brancos e esguios. — E ele a *salvou*.

Com relutância, Cassie concordou e, apoiando Rue entre elas, seguiram o homem-selvagem.

Não foi fácil acompanhar o homem-selvagem da floresta. Ele dava grandes passos e seu manto de folhas tornava difícil ver onde ele acabava e começava a floresta. Apesar de seus passos, se deslocava tão silenciosa e suavemente que mal mexia as folhas, e parecia saber exatamente onde colocar os pés para evitar pedras ou raízes soltas. Cassie e Tabitha iam tropeçando atrás dele, apoiando Rue o melhor que podiam. Seguiram-no pelos caminhos estreitos de pedra, virando à esquerda, à direita e à esquerda de novo. Teria sido impossível se lembrarem sozinhas de cada curva, mas o homem-selvagem não parava para pensar em sua rota. Parou apenas quando Rue tropeçou em uma pedra solta e caiu. Cassie e Tabitha a ajudaram a se levantar. A expressão de Rue estava vazia e seus membros, flácidos.

— Ela não está bem; não podemos deixá-la descansar? — perguntou Tabitha.

— Aqui não — disse o homem-selvagem. — Este lugar é o Enigma da Floresta. Não é um lugar para ficar durante o dia, muito menos à noite, pois muitas coisas antigas e famintas habitam as sombras.

Meio que carregando Rue, elas tropeçavam atrás dele. Por fim, depois de voltas e reviravoltas sem fim, saíram dos penhascos cobertos de musgo e começaram a subir de novo. O solo ainda era pedregoso, mas a terra estava mais seca ali. Enquanto subiam, com braços e pernas doendo, iam encontrando pinheiros e freixos. Era, de longe, a parte mais selvagem da Floresta que já tinham visitado, onde não havia trilhas nem pedras de barragem indicando que humanos já estiveram ali.

Rue estava mal; não falava desde o encontro com a mulher e tinha um olhar distante que preocupava Cassie. Quando Rue tropeçou e caiu mais uma vez, o homem-selvagem a tirou delas e a ergueu nos braços como se não pesasse mais que um bebê.

Por fim, chegaram a um penhasco de pedra que se erguia diante deles, cercado por uma cascata de grandes pedregulhos, deixados ali por algum antigo rio de gelo. Árvores retorcidas e atrofiadas cresciam nas pedras, com galhos contorcidos e envoltos em musgo e raízes, que se agarravam às rochas como dedos retorcidos.

O homem-selvagem da floresta foi até o penhasco, virou à esquerda e desapareceu na parede de rocha.

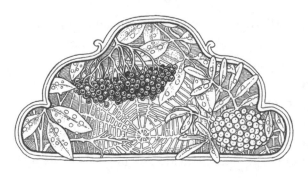

Capítulo 16

Lailoken

Cassie e Tabitha correram até o lugar onde o homem-selvagem da floresta havia desaparecido, levando Rue junto. A parede era áspera e sólida, mas ele a havia atravessado como se fosse feita de névoa.

— Venham — disse uma voz grave.

Uma luz apareceu em uma fenda escura na rocha, à esquerda, e elas foram nessa direção. Encontraram uma porta escondida onde uma pedra de granito se sobrepunha a outra. Não era magia, e sim uma simples ilusão de ótica que escondia a entrada da caverna de quem chegasse diretamente a ela. Ainda assim, a porta era estreita e Cassie ficou impressionada pelo homem-selvagem ser capaz de passar por ela.

Uma vez lá dentro, demorou um pouco para que seus olhos se adaptassem. A profunda escuridão da caverna era quebrada apenas por uma luzinha vermelha em um nicho da parede. A princípio, Cassie pensou que fosse um fogo baixo, mas quando se aproximou, viu que era uma wyrm, do tamanho de um gato, com chifres grossos e manchas em suas escamas laranja brilhante. Estava com os olhos fechados, mas parecia iluminada por dentro por uma luz suave, como se houvesse engolido um carvão em brasa. A criatura emitia um calor que Cassie pôde sentir ao se aproximar.

— Esta é Pyrrha, ela é uma anciã brilhante — disse o homem-selvagem. — Ela não vai machucar vocês, mas não toquem nela, ou vão se queimar. Não gosto de fogo, é o devorador das florestas, mas a criança precisa se aquecer.

Ele colocou Rue gentilmente diante da wyrm brilhante, sobre peles macias. Tabitha ficou perto da amiga, esfregando suas mãos e braços, e Rue acordou um pouco de seu torpor. O homem-selvagem entregou a Tabitha um copo feito de madeira áspera, cheio até a borda com um líquido transparente.

— Seiva de bétula em infusão de betônia. Faça-a beber — insistiu ele.

Cassie olhou a câmara de pedra, mas mal conseguia distinguir alguma coisa com a luz suave de Pyrrha. Tinha um teto natural de cerca de três metros de altura, sob o qual o homem-selvagem cabia confortavelmente. O que Cassie havia confundido com troncos, à penumbra, revelaram-se móveis de madeira finamente fabricados – cadeiras, bancos, uma mesa, vários baús e até uma estante de livros. Uma reentrância na parede de pedra estava cheia de peles e uma colcha de penas de cisne. Cassie imaginou que devia ser a cama do homem-selvagem. Ao redor, havia esculturas de animais e pássaros, duendes, wyrms e peixes. Algumas eram de tamanho natural, como o gavião empoleirado nas costas de uma cadeira, e outras menores, como o minúsculo wyrm de folha, esculpido em uma madeira clara, que caberia na palma da mão de Cassie. Todos eram feitos com tantos detalhes e compreensão do tema que pareciam ter pensamentos, movimentos, vida própria.

Rue já segurava a xícara sozinha e tomava grandes goles do líquido; o calor e a vida estavam voltando ao seu rosto. Ela se sentou e olhou em volta.

— Uau! Isto é o que eu chamo de covil.

Cassie e Tabitha riram, felizes por verem a amiga de volta ao que era antes.

— Tome, coma — disse o homem-selvagem, entregando-lhe um pequeno bolo escuro. — É feito com semente de urtiga, vai lhe dar força.

Rue devorou o bolo avidamente.

— Obrigada — disse Tabitha. — Você foi tão gentil, e ainda nem nos apresentamos.

Ela fez as apresentações necessárias.

— Podem me chamar de Lailoken. É um nome que recebi de sua espécie, há muito tempo, e embora não seja meu nome verdadeiro, é suficiente para vocês.

— Quem eram aquelas mulheres? Eram da aristocracia? — perguntou Cassie, imaginando se acaso haviam encontrado as mais senhoriais e poderosas criaturas do povo da Terra das Fadas. Embora soubesse que deveria temê-las, fazia muito tempo que desejava ver uma; desde que tinha aprendido que fadas existiam.

— Não; eram as esposas da floresta — disse Lailoken. — Elas parecem *árvores* de dia, mas, à noite, são como vocês viram; lindas, sim, mas se as vissem por trás, veriam que são ocas como troncos podres.

Rue engasgou com a bebida e Tabitha lhe deu um tapa nas costas.

— As esposas têm muita magia, com a qual lançam armadilhas para humanos tolos — prosseguiu o homem-selvagem da floresta. — Se sua amiga houvesse comido aquelas coisas, elas teriam bebido seu espírito vital até deixar apenas uma casca seca como estas folhas. — Ergueu a ponta de um tapete feito de capim seco e decorado com esqueletos de folhas.

— Mas elas eram *tão* lindas... — disse Tabitha.

— E desde quando a beleza torna uma perversidade menos perversa? Os mais perigosos de nossa espécie muitas vezes são deslumbrantes para quem não tem visão de bruxa para ver através dos disfarces.

— Mas nós *somos* bruxas! — disse Rue.

— Então, já deveriam saber. Vocês não deveriam ter dormido naquele penhasco.

— Eu sei... digo, já deveríamos saber — disse Cassie. — Mas estávamos tão cansadas, e nenhum lugar parecia seguro, e achamos que encontraríamos o caminho de casa pela manhã.

— Vocês não teriam encontrado o caminho para sair do Enigma da Floresta nem sob o luar nem à luz do sol. É um lugar antigo, com mais truques e armadilhas que o covil de uma aranha. Vocês tiveram sorte por eu estar passando e as ter encontrado antes que encontrassem um andarilho noturno, um homem-salgueiro ou uma feiticeira da árvore, perto de quem até as esposas da floresta parecem gentis como cervos.

As meninas se entreolharam, enquanto Lailoken dizia esses estranhos nomes de criaturas que pareciam muito mais assustadoras que os duendes, diabretes e fogos-fátuos do *Manual da Bruxa*.

— Mas agora, me digam: o que três jovens bruxas estavam fazendo nas profundezas da floresta?

— Nós nos perdemos — disse Tabitha, e contou sobre a wyrm e a perseguição que destruiu os sinais de Cassie.

O homem-selvagem apenas observava enquanto ela falava.

— Vocês conheceram Galtres, então. Ela é a última de sua espécie e a mais velha do povo da floresta. É uma das Vigilantes dos Caminhos.

— Vigilantes? — perguntou Rue. — Como na música? *Três são os Vigilantes dentro da floresta...* Achei que era só um jogo infantil; brincávamos disso depois da aula.

— Não é um jogo; e, de fato, são três. Os Vigilantes são os guardiões e guias das velhas estradas. Há mais de um caminho para a Terra das Fadas, mais de um ponto de passagem, mas o Enigma da Floresta é o mais seguro para quem consegue escapar de uma wyrm da floresta e encontrar o caminho. No entanto, muitos encontraram a morte ou perderam a cabeça tentando passar.

— Mas os duendes cruzam a fronteira o tempo todo, não é? — perguntou Tabitha.

— Por mais astutos e numerosos que sejam, até os duendes são vítimas dos perigos das velhas estradas. Galtres gosta particularmente de carne de duende.

Tabitha estremeceu.

— Mas vocês ainda não me contaram por que vieram à Floresta Ocidental. O que buscam aqui para correr tantos riscos?

— Estávamos tentando encontrar um amigo meu — disse Cassie. — Um velho carvalho... ou melhor, um homem numa árvore. O nome dele é Ambrósio.

— Estão procurando o mago? — perguntou o homem-selvagem, erguendo suas grossas sobrancelhas. — E o que querem com ele?

— Estamos procurando uma coisa — disse Cassie, sem saber quanto ousaria contar a ele. Lailoken tinha sido muito útil até então para elas, mas será que poderiam confiar nele? Afinal, ele era do povo da Terra das Fadas. — É algo que representa um perigo para nosso vilarejo, e pensamos que ele poderia nos ajudar a encontrar antes que faça algum mal. Você o conhece? Pode nos levar até ele?

— Eu o conheço, sim, e se é a ele que procuram, levarei vocês até lá. Mas não antes do amanhecer. Vocês precisam descansar aqui primeiro.

Ele as deixou perto da wyrm brilhante, mas logo voltou com uma travessa de madeira com mais daquele bolo de urtiga que Rue havia comido, além de ameixas secas e cerejas silvestres, avelãs cristalizadas com mel, castanhas douradas assadas, pãezinhos verdes que pareciam bolas de musgo e tinham sabor de ervas, fatias de torta de maçã silvestre e lascas de queijo de leite de cerva. Para acompanhar, cada uma recebeu uma xícara de seiva de bétula, que tinha gosto de primavera e neve derretida com um toque doce e amadeirado. Era uma refeição simples, em comparação com o grande banquete que haviam deixado para trás no topo do penhasco, mas satisfatória, e elas se sentiram revigoradas depois de comer e capazes de pensar com clareza de novo.

O homem-selvagem estava sentado um pouco mais afastado, em um banquinho baixo, girando um pedaço de madeira em uma das mãos. Na outra, segurava uma faca de pedra de ponta afiada, como os dardos que Eris Watchet lhes havia mostrado. Enquanto as meninas comiam, uma longa pena foi surgindo da madeira, depois uma asa, e aos poucos começou a se revelar a cabeça e o corpo de um pássaro, como se estivesse preso na madeira, esperando para emergir.

Após a refeição, Tabitha insistiu para que Rue descansasse e, embora ela tentasse ficar acordada para cuidar de sua carga, não demorou muito para que ambas estivessem dormindo pacificamente. Mas Cassie ainda não estava pronta para se entregar.

O suave brilho da wyrm se refletia nos olhos de Lailoken e iluminava os galhos que cresciam de seus cachos escuros. Era um rosto que poderia ser assustador, se elas o houvessem conhecido em circunstâncias diferentes. Mas Cassie decidiu, de repente, que *podia* confiar nele. Não havia nada de falso ou dissimulado naquele rosto.

— Se alguém quisesse atravessar a fronteira para a Terra das Fadas, como passaria por Galtres e atravessaria o Enigma da Floresta? — perguntou.

— Precisaria de um guia disposto, que é outro Vigilante — disse o homem-selvagem, esculpindo o bico do pássaro e jogando aparas de madeira enroladas em seu colo.

— Você é um dos Vigilantes, não é? — perguntou Cassie, tentando não deixar transparecer sua ansiedade. — Poderia me mostrar o caminho para a Terra das Fadas?

— Os humanos, inclusive as bruxas, não têm nada a fazer nas terras sem sol. Se acha que vai ganhar algo atravessando, saiba que pode perder muito mais. Ninguém que vai por esse caminho volta.

— Mas minha mãe está lá. Ela foi para a Terra das Fadas há sete anos e meio, na celebração da Noite de Travessia. Foi você quem a ajudou a atravessar?

— Não fui eu — disse Lailoken. — Mas há outra que pode ajudar os imprudentes e desesperados. Hyldamor, a quem alguns chamam de Anciã Mãe. Ela é uma feiticeira da árvore, mas muito mais velha e mais perversa que as outras. É chamada de "mãe", porque oferece ajuda aos que se perdem, e seus dons e poderes são grandes.

Ele virou a faca para esculpir a longa cauda do pássaro.

— O caminho dela é o mais fácil, mas como acontece com a maioria das coisas neste mundo, quem segue o caminho mais fácil paga o preço mais alto. Não fale mais sobre isso; seja grata pelo sol em seu rosto e pelo calor da lareira e do lar, pois é possível perder essas coisas mais facilmente do que você imagina.

Capítulo 17

Os murmúrios da floresta

Cassie acordou várias horas depois do amanhecer, quando o sol entrou na câmara de pedra por uma fenda natural que havia no teto. Rue ainda dormia ao seu lado na pilha de peles, sob o brilho suave da wyrm. A colcha de penas de cisne de Lailoken estava sobre elas, quente e leve como uma nuvem.

Sentando-se, Cassie viu que nem Tabitha nem Lailoken estavam na caverna e, com certa ansiedade, descobriu que as três vassouras também haviam sumido. Ela seguiu o feixe de luz até a entrada e saiu ao dia, protegendo os olhos contra a claridade repentina. A pequena clareira rochosa diante da caverna estava tomada pelo brilho dourado da luz da manhã, quebrado aqui e ali pelas sorveiras, com suas folhas e frutos vermelhos.

— Cassie! — chamou Tabitha.

Ela estava ao lado do homem-selvagem, segurando sua vassoura, que brilhava à luz do sol. Lailoken segurava as vassouras de Rue e Cassie, uma em cada uma de suas grandes mãos. Cassie correu até eles. Quase não reconheceu Galope. Lailoken havia restaurado a antiga glória das três vassouras enquanto as meninas dormiam, substituindo os pelos perdidos e tecendo novos, lixando lascas e arranhões nos cabos e os polindo com óleo e cera de abelha até deixá-los brilhantes.

Cassie pegou Galope; ela zumbia em sua mão, e Cassie não resistiu e foi com Tabitha voar um pouco ao redor da clareira. Suas botas roçavam o topo dos pinheiros, assustando os pombos-trocazes. Foi bom voar de novo, por puro prazer, e sentir Galope forte e viva outra vez.

Ela pousou diante do homem-selvagem com apenas uma leve oscilação e agradeceu a ele.

— É um pedaço muito bom de árvore-da-brisa — disse Lailoken. — Meio exuberante. Eu gostaria de conhecer a árvore de onde ela provém.

— Você já viu uma árvore-da-brisa? — perguntou Cassie.

— Sim, elas crescem nas Montanhas Ondulantes da Terra das Fadas. Há quem acredite que são suas raízes que mantêm as pedras firmes no lugar.

Cassie sentiu aquele mesmo anseio desesperado que sentia sempre que pensava em atravessar a fronteira para a Terra das Fadas.

Partiram depois de comer pão verde macio com geleia de rosa-mosqueta e leite de cerva adoçado com mel. Rue ficou igualmente impressionada com a condição restaurada de sua vassoura, que havia sofrido a maior mudança de todas. Labareda já estava ruinzinha antes da wyrm da floresta, mas agora, estava com novos pelos de bétula e abeto. Rue queria voltar voando para casa, mas Lailoken insistiu que o seguissem a pé, se ainda quisessem encontrar Ambrósio.

Sem o homem-selvagem para guiá-las, as três jovens bruxas teriam se perdido de novo em poucos minutos. Não havia caminhos a seguir por entre o Enigma da Floresta e as sombras profundas dos rochedos, e os penhascos muitas vezes escondiam a luz do sol.

Lailoken as conduziu para baixo, descendo o promontório rochoso que escondia sua caverna e atravessando o labirinto de penhascos cobertos de musgo e desfiladeiros de samambaias pelos quais elas haviam vagado na noite anterior. Ele não as deixou parar para descansar ali, e pediu que não falassem nem fizessem barulho desnecessário. Mas o homem-selvagem lhes deu um odre de couro com água fresca de nascente e bolo de sementes de urtiga para mordiscarem enquanto caminhavam.

Por fim, saíram de entre os penhascos e começaram a subir a colina por um bosque de faias. As panturrilhas das meninas doíam e elas respiravam com dificuldade devido ao esforço. Lailoken foi lhes mostrando os sinais que o guiavam pela floresta. Bússolas não funcionavam dentro da Floresta, mas ele explicou que havia outros marcadores naturais que podiam ajudar a encontrar o caminho quando não se via o sol ou as estrelas.

— Vocês precisam aprender a ouvir os murmúrios da floresta. As árvores têm uma linguagem própria, para quem tem ouvidos para ouvir, mas até os humanos podem ler o que está escrito na casca e nos galhos delas.

Ele as fez parar para observar as pedras musgosas, cuja pele era mais grossa no lado norte, onde o sol não as secava. Parando diante da faia mais alta, o homem-selvagem lhes mostrou as longas raízes que as ancoravam, apontando para o sudoeste e protegendo a árvore dos ventos fortes. Ele as fez olhar para cima para descobrir onde a copa era mais densa em cada árvore, estendendo-se para o sol alto do sul e procurando liquens ferruginosos, que, como os musgos, sempre cresciam à sombra norte do tronco. Cassie se viu olhando para as árvores sob uma ótica totalmente nova; cada uma era uma bússola, um marcador de caminho que poderia levá-las para casa.

Quando finalmente encontraram uma pedra de barragem, Cassie, Rue e Tabitha correram para lá com alívio, mas Lailoken se conteve.

Claro, pensou Cassie, *o povo da Terra das Fadas não chega perto delas*. O que significava segurança para as bruxas teria o efeito oposto para o homem-selvagem.

— Não costumo vir por aqui — explicou ele. — As pedras prendem a floresta como uma corrente de ferro. Tudo que é verdadeiramente selvagem e livre fica a oeste daqui, mas temos que ir um pouco mais longe para chegar ao mago.

Atravessaram um riacho e passaram por um bosque de bétulas jovens, e Cassie começou a reconhecer o caminho: tinha sido ali que ela havia encontrado o wyrm do livro. Logo estavam entre carvalhos velhos, retorcidos e enrugados, dos quais brotavam tufos de bigodes. A circunferência desses carvalhos era como uma grande coluna, e muitas tinham a copa quebrada devido à idade.

— Dizem que o carvalho cresce durante trezentos anos, vive trezentos anos e leva trezentos anos para morrer — disse Lailoken. — Mas na Floresta, eles podem viver o dobro do tempo. Essas árvores são as verdadeiras anciãs da floresta. Elas recordam as guerras entre nossos povos, lembram-se das primeiras Bruxas da Floresta, e algumas delas até de tempos anteriores.

O homem-selvagem as levou até o maior e mais antigo carvalho; tiveram que atravessar uma camada de folhas que lhes chegava até os joelhos, e viram os galhos quase nus.

Quando Cassie viu no tronco o rosto enrugado, os olhos e a boca bem fechados, correu para a frente, gritando de alegria:

— Ambrósio!

Os olhos se abriram devagar e a fitaram com o mesmo calor de que ela se lembrava.

— Ora, se não é a bruxinha que me acordou ontem. Você voltou, pelo que vejo.

— Sim, só que não foi ontem! Foi há muitos meses.

— Ora, já é outono? Achei mesmo ter sentido um calafrio. É bem desagradável ter que abrir mão das folhas quando começa a geada, mas todas as árvores começam a dormir no outono; seus pensamentos vão para o subsolo, para as raízes, lá no fundo, onde é quente e escuro. É lá que elas se reúnem no conselho secreto, sabia? Mas quem é esse que estou vendo? Lailoken, velho amigo, é você?

O homem-selvagem deu um passo à frente.

— Sim, mago, sou eu. Se soubesse que havia acordado, teria vindo cumprimentá-lo antes.

— Ambrósio, precisamos de sua ajuda — disse Cassie. — Achamos que o Rei Elfo está procurando por um tesouro do povo da Terra das Fadas; uma lança. Pesquisamos mais sobre isso e encontramos um nome que você mencionou uma vez: "Nimue". Ela foi a última Bruxa da Floresta a possuí-la.

— Primeiro a chave e agora a lança… Fico imaginando que travessuras esse menino está aprontando — disse Ambrósio, juntando os pedaços de madeira acima dos olhos. — Sim, conheço bem esse pretenso tesouro, que só traz má sorte a quem o procura. Costuma ser chamada de Lança Assassina, mas seu nome verdadeiro é Rhongomiant. Foi feita do vidro-da-noite das montanhas da Terra das Fadas e trazida para estas paragens pelos andarilhos. A lança atrai a morte para tudo que toca, seja uma folha de grama, um homem ou animal mais forte; ninguém pode resistir. É um poder tentador, mas que acaba por destruir o possuidor, como fez com o último cavaleiro do povo da Terra das Fadas.

— Sir Egad — disse Rue. — O que aconteceu com ele?

— O pobre tolo queria ser herói. Aventurou-se cada vez mais fundo na floresta, matando feras dos dois mundos, mas nunca era o suficiente.

A lança lhe deu uma sede de morte enorme, até que nada o satisfazia; nada além de um grande wyrm. Havia dois deles na Floresta Ocidental naquela época, e eram um terror, pois nada poderia matá-los, nem mesmo o aço frio. Chamavam-se Melchet e...

— Galtres! — disse Cassie.

— Exato. Mas foi Melchet quem Sir Egad seguiu até o covil, e lá eles lutaram, pois embora ele possuísse a lança, não é fácil matar um grande wyrm. Dizem que ainda se vê o campo de batalha deles, pois lá nada verde cresce e só os esqueletos das árvores se erguem em direção ao céu. Sir Egad matou Melchet, mas foi morto quando wyrm caiu sobre ele.

— O que aconteceu com a lança? — perguntou Tabitha.

— O povo de seu vilarejo reivindicou o corpo do cavaleiro. Ele foi uma espécie de herói para eles na morte e a lança passou para as mãos das primeiras Bruxas da Floresta: Morgana e, depois dela, Nimue. Foi exatamente por isso que a procurei; eu desejava possuir a lança, pois achava que poderia ser a resposta para a grande tarefa que havia assumido. Mas ela a escondeu de mim, e muito bem, e depois de um tempo, acabei me distraindo com outros assuntos. Foi melhor, pois provavelmente teria sucumbido ao poder mortal da lança, assim como Sir Egad e outros antes dele.

— Então, ela ainda pode estar escondida, depois de todos esses anos — disse Cassie.

— Isso é tudo que posso dizer a vocês, jovens bruxas. De todos os tesouros, ela tem o coração mais sombrio; quem fixar sua vontade nela será levado à destruição. Deixem a lança onde está, é o que eu aconselho.

Cassie ficou pensativa. Tudo bem que a lança continuasse escondida; mas o Rei Elfo continuaria usando o povo de Hedgely para procurá-la. E se um deles, por acaso, a encontrasse?

Lailoken olhou para o céu, onde nuvens escuras estavam se formando.

— Preciso devolver estas três aos campos de além enquanto o sol ainda está alto.

Ambrósio fechou os olhos mais uma vez, pronto para voltar ao sono.

— Foi bom ver vocês, jovens bruxas, mas prestem atenção aos alertas de Lailoken; ele conhece a floresta melhor que ninguém. E não procurem a lança, pois seu poder não é uma dádiva para quem a empunha; ela sempre mata seu guardião no fim.

O homem-selvagem as conduziu para o leste; conforme caminhavam, as árvores iam ficando mais finas e mais jovens. Cassie as via de um jeito diferente agora, imaginando o que sussurravam sob o solo, de raiz a raiz.

Por fim, chegaram ao limite da floresta, e adiante se estendia a encosta de relva que descia até o vilarejo. As casas, quentes sob o sol da tarde, pareciam uma fileira de pães assados pelo vapor que saía das chaminés.

— Isto é o mais longe a que me atrevo chegar — disse Lailoken, parando entre as sombras das árvores. — Tome, isto é para você.

Ele ergueu algo e Cassie o pegou e o virou nas mãos. Era o passarinho de madeira que ela o tinha visto esculpir na caverna. Suas asas estavam dobradas e seu bico, aberto. Cada pena de seu peito era formada por finos traços esculpidos, e ele tinha um buraco na ponta da cauda levantada, dentro do qual se podia soprar, transformando-o em um apito.

— É um rouxinol — explicou. — Se você se encontrar mais uma vez em dificuldades, sopre nele e a ajuda surgirá, seja de mim ou de outra parte.

— Obrigada — disse Cassie, pensando em tudo que o homem-selvagem havia feito por elas. — É lindo.

Elas se despediram de Lailoken e, deixando a Floresta para trás, foram para o vilarejo. Passaram um dia e uma noite fora e estavam loucas por uma boa refeição e suas próprias camas.

Capítulo 18

Pó de fada

Já era fim de tarde quando Cassie voltou, cansada e suja, para Hartwood Hall. Os jardins estavam roxos e laranja devido à luz fraca. Cassie respirou fundo o ar fresco do outono, sentindo o cheiro das maçãs derrubadas pelo vento e das folhas secas acumuladas no caminho. Uma fumaça cinza-azulada subia da horta, onde Brogan havia feito uma fogueira, e envolvia as torres de Hartwood Hall. No alto, um bando de gansos anunciava sua chegada do norte. Cassie estava aliviada por estar em casa e já ansiava por uma das tortas da sra. Briggs, seguida de um banho quente.

Mas quando voou em direção à grande porta de carvalho, viu duas pessoas nos degraus: um homem alto e magro com um quepe preto e, ao lado dele, o primo dela, olhando fixo para o chão.

O que o policial Griffiths estava fazendo na casa deles? Ela esteve fora apenas por uma noite… Sebastian havia chamado a polícia? Cassie incitou Galope a alcançá-los.

— Boa noite, srta. Morgan — disse o polícia Griffiths. — Eu ia bater à porta quando vi você chegando.

Ele a olhou de cima a baixo e Cassie percebeu que devia estar coberta de lama e folhas e com o cabelo arrepiado, parecendo o rabo de uma raposa.

O policial pigarreou.

— Estou ciente de que a Bruxa da Floresta está viajando a negócios, e suponho que você seja a responsável na ausência dela, correto?

Cassie não tinha muita certeza de que sua tia concordaria com isso. Ficou imaginando onde estaria Aoife.

— Tia Miranda só volta na quinta. Aconteceu alguma coisa?

— Bem, aqui está o jovem Sebastian. Sei que meninos da idade dele são um tanto… inquietos, digamos, e se metem em encrenca, mas não podemos admitir esse tipo de comportamento no vilarejo, senhorita. Não vai funcionar assim. Tenho certeza de que a Bruxa da Floresta diria o mesmo, se estivesse aqui.

Cassie olhou para o policial e para o primo, que ainda estava examinando seus cadarços, com uma carranca no rosto pálido.

— O que ele fez? — perguntou Cassie.

— Foi pego roubando coisas na loja de Whitby. Nada valioso, veja bem, apenas uma revista e uns doces, mas, mesmo assim, temos que cortar esse tipo de mal pela raiz, tenho certeza de que você entende. — O policial ajeitou o colarinho. — A sra. Whitby disse que não vai apresentar queixa, mas preciso de sua garantia de que o rapaz será mantido sob controle e que isso não se repetirá. Da próxima vez, haverá *consequências*.

Cassie percebeu que estava boquiaberta.

— Entendo. Obrigada por trazê-lo para casa. Tenho certeza de que não vai acontecer de novo, e irei até a sra. Whitby amanhã e pedirei desculpas.

Griffiths sorriu para ela.

— Pronto, é só isso que preciso ouvir. Vou deixá-lo aos seus cuidados, srta. Morgan.

Cassie e Sebastian ficaram observando, enquanto ele pegava sua bicicleta e saía pedalando.

— Você roubou doces da loja de Rue? — disse, se voltando para o primo. — Por que diabos faria isso? Você ganha um monte de dinheiro do tio Elliot e, mesmo que tenha acabado, pode pedir uns trocados para a sra. Briggs.

Sebastian fez uma careta, erguendo pela primeira vez o olhar para ela.

— Não é pelo dinheiro. Você não entenderia.

— Não, não entendo. Deixo você sozinho cinco minutos e você começa a praticar furto amador?!

— E o que devo fazer, então? Ficar sentado o dia todo sozinho? — perguntou Sebastian. — Enquanto você sai por aí e se diverte com aquelas meninas do *coven*? Sei que você passou a noite toda fora; foi procurar o tesouro, não foi? Eu disse que poderia ajudar e você me deixou para trás, *de novo!*

Cassie suspirou.

— Não poderíamos ter levado você, Sebastian. Era muito perigoso e você não é bruxo.

— eu sei que não sou! — gritou ele, apertando os punhos.

Cassie viu que, mais uma vez, tinha tocado em um ponto sensível. Ela ainda se lembrava de como era se sentir excluída em Fowell House, e Miranda a havia encarregado de ficar de olho no primo. Se ela houvesse passado mais tempo com Sebastian, talvez pudesse ter evitado o que havia acontecido.

— Olha, se você jurar que não vai fazer nada disso de novo, não vou contar para a tia Miranda e você vai poder vir com a gente da próxima vez que formos para a Floresta, está bem?

Sebastian não pareceu convencido.

— Você vai mesmo me levar para a floresta? Promete?

— Palavra de bruxa — disse Cassie.

— Ora, ora — disse a sra. Briggs, aparecendo à porta de braços cruzados. — Era o policial Griffiths que eu vi agora há pouco, descendo o caminho, não é? Não gostaria de explicar o que ele estava fazendo à nossa porta, rapazinho?

Sebastian enfiou as mãos nos bolsos e fez uma careta.

— E você, Cassandra, não pense que alguns travesseiros podem me enganar, eu não nasci ontem. Você não usou a cama, perdeu três refeições e tem musgo brilhante no cabelo. Vocês dois têm muita coisa a explicar. O que a Bruxa da Floresta diria se estivesse aqui?!

Cassie foi até a loja dos Whitby no dia seguinte, depois da escola, para se desculpar, mas a sra. Whitby a mandou sair com Rue, tranquila. Elas foram até o gramado do vilarejo para encontrar Tabitha. Cassie ainda não conseguia entender o que tinha dado em Sebastian para roubar na loja, e ele tinha se recusado a falar sobre isso.

— Não se preocupe com isso, minha mãe disse que meninos são propensos a comportamentos irracionais — disse Rue, dando de ombros. — E ela deve saber, tem três.

— Mas não consigo deixar de sentir que a culpa é minha — disse Cassie. — Eu deveria ter ficado de olho nele. Ele é um pé no saco, mas nunca pensei que faria algo assim.

— Ele ainda escreve para o pai todos os dias? — Tabitha perguntou. Cassie confirmou.

— Mas o tio Elliot nem sempre responde; acho que ele deve estar bastante ocupado. Só recebemos uma carta de Londres uma vez por semana.

— Talvez Sebastian não quisesse os doces; como você disse, ele ganha uma bela mesada. Desconfio que o que ele queria mesmo era se meter em encrenca.

Rue ficou boquiaberta.

— Mas isso é loucura!

— Sim, loucura suficiente para que o seu tio ficasse sabendo e viesse buscá-lo — disse Tabitha.

Pelo que Cassie sabia, a notícia do comportamento de seu primo ainda não havia chegado a Elliot; mas se Tabitha estivesse certa sobre as motivações de Sebastian, que mais ele poderia fazer para tentar chamar a atenção do pai?

Cassie suspirou.

— Só espero que a tia Miranda não descubra. Eu deveria estar cuidando dele. Vou ter que pensar em algo para explicar nossa noite na Floresta também. A sra. Briggs vai contar para ela se eu não contar primeiro.

— Talvez a gente devesse contar a verdade para a Bruxa da Floresta — disse Tabitha. — Sobre a lança, a wyrm e tudo que Ambrósio nos contou. Odeio ter que dizer, mas tudo isso não é um pouco demais para a gente?

— Ainda acho que a gente poderia encontrar a lança nós mesmas — disse Rue. — Sabemos que Nimue esteve com ela e que a escondeu em algum lugar. Pensem só: se a encontrássemos e salvássemos o vilarejo, todos teriam que admitir que a Patrulha do Carvalho é a melhor e mais corajosa do *coven*!

— Mas e o que aconteceu com seu pai? Não lembra? — perguntou Tabitha. — E se alguém for enfeitiçado antes que a encontremos? A pessoa pode *morrer*, Rue.

Cassie hesitou. Sabia que Tabitha tinha razão e que era responsabilidade da Bruxa da Floresta proteger o vilarejo. Se sua tia soubesse sobre a lança, proibiria as meninas de procurá-la, dizendo que era muito perigoso. Mas, do fundo do coração, Cassie queria concordar com Rue. Já estavam tão perto, ela não conseguiria esquecer o assunto. E mais: sua mãe estava, de alguma maneira, envolvida naquilo tudo. Rose Morgan havia sido amiga de Toby Harper, e quando ele desapareceu, catorze anos atrás, ela tinha se culpado e fugido de Hedgely. Sua mãe, o Rei Elfo, Toby Harper e a lança... tudo estava conectado, mas ela não conseguia entender direito como.

Como punição por ter ficado fora a noite toda, a sra. Briggs deu a Cassie mais tarefas em Hartwood. A governanta a mandou deixar a casa impecável antes que a Bruxa da Floresta voltasse. Cassie passava as tardes varrendo, limpando e esfregando ao máximo.

Na terça-feira, a sra. Briggs levou Cassie ao salão de banquetes. Era o maior cômodo da casa e tinha uma galeria de músicos, um lustre e uma tapeçaria representando uma cena de caça: uma comitiva de nobres a cavalo perseguindo um cervo branco. Em uma das paredes havia uma enorme lareira com um console do qual emergiam rostos e criaturas esculpidas, como se tentassem se libertar. Cassie achou que um deles se parecia bastante com o homem-selvagem. Não era um cômodo que elas usassem muito, pois tinha correntes de ar e era grande e formal demais para as refeições diárias; era reservado para quando a Bruxa da Floresta recebia visitas ou para festividades importantes.

— Muito bem, querida, vista isto enquanto eu vou buscar meu segundo melhor espanador — disse a sra. Briggs, entregando a Cassie um avental estampado com amores-perfeitos roxos. Ela voltou com um espanador de penas de cores vivas. — Penas de boobrie, a única coisa que tira pó de fada. Sacuda-o neste balde para que o pó não entre nos seus olhos. Nem despeje o pó lá fora, ele faz coisas estranhas com os vegetais e Brogan não vai gostar.

Cassie passou o espanador na lareira com energia demais e fez subir uma nuvem de pó brilhante, o que as fez espirrar e tossir.

— Pelas minhas ligas verdes! Você não pode fazer assim, isso não é poeira comum, você sabe! Segure o espanador assim e faça movimentos suaves.

A governanta demonstrou, despejando o pó em um balde de cobre.

Cassie tirou o pó de suas mangas e cabelo. Era muito fino e brilhava em várias cores. Lembrava o pó que ela havia encontrado nas ruínas abaixo de Castle Hill e no Enigma da Floresta.

— De onde vem isso tudo? — perguntou.

— A maior parte vem da árvore Hartwood — explicou a sra. Briggs.
— Ela já estava aqui antes de a casa ser construída. Suas raízes estão fincadas lá no fundo sob os porões e seus galhos sustentam o telhado. Como você sabe, ela gosta de mudar as coisas de vez em quando, criar um cômodo novo, mudar um corredor, bloquear uma janela, e sempre que faz isso, levanta poeira. Assim é a arquitetura mágica: bonita de se olhar, admito, mas difícil de limpar.

— O pó é levantado pela magia das fadas? — perguntou Cassie.

— Sim. Onde houver magia ou um grande número de pessoas reunidas, você o encontrará. Até os diabretes e afins deixam um rastro de poeira com suas constantes idas e vindas. Tem algo a ver com a maneira como a magia interfere neste mundo; é uma espécie de efeito colateral, se preferir. Há um livro sobre isso na biblioteca, se bem me lembro, e a Bruxa da Floresta deve conseguir explicar melhor. Só sei que ele entra em todos os cantos e recantos; é a ruína da minha vida!

Cassie parou com o espanador no ar. Tinha ouvido direito?

— Biblioteca? Quer dizer que há uma biblioteca *aqui*, em Hartwood?

— Bem, havia. Ela sumiu quando o duende doméstico foi embora.

— Como uma biblioteca pode desaparecer?

— Vou contar se você tirar o pó dali de baixo; minhas costas vão me castigar amanhã se eu ficar curvada o dia todo. Isso, movimentos suaves. Bem, havia um duende doméstico em casa, chamava-se Gwili. Ele também era bom no que fazia; nunca tivemos nenhum problema com espectros ou coisas rastejantes quando tínhamos um duende doméstico. Mas agora, olhe só para isso! Todo outono, assim que começa a chover, elas vêm! — A sra. Briggs pegou uma aranha amarela pequenina na palma da mão e a jogou pela janela aberta.

Cassie acompanhava a Bruxa da Floresta em suas rondas e conhecia os duendes domésticos de outras casas do vilarejo. Esses duendes protegiam seus lares e sabiam tudo que acontecia sob seu teto. Mas nunca lhe havia ocorrido perguntar por que não tinham um em Hartwood.

— A casa se comportava melhor também quando tínhamos um duende doméstico para cuidar dela — continuou a sra. Briggs. — Não ficava mudando os banheiros de lugar ou trancando os armários quando ficava furiosa por uma calha entupida. Mas logo depois que a sua bisavó, Sylvia Morgan, morreu e Miranda se tornou a Bruxa da Floresta, ela e o duende doméstico tiveram uma briga.

Isso não surpreendeu Cassie nem um pouco.

— Nem lembro o que aconteceu; algo sumiu, acho, e ela culpou Gwili, mas ele jurou que não tinha nada a ver com aquilo e tudo desandou; até que ele fez as malas e foi embora. Mudou-se para a casa de uma boa família em Oswalton, pelo que ouvi dizer. Desde então, estamos sem um duende doméstico, o que é uma pena.

— Não poderíamos pegar outro? — perguntou Cassie.

— Você acha que eles dão em árvore? Não, a sua tia deixou o pobre Gwili tão chateado que ele espalhou o ocorrido. Estamos na lista negra dos duendes domésticos, infelizmente, e teremos que nos virar sem eles!

— Mas e a biblioteca? — perguntou Cassie, tentando reconduzir a sra. Briggs a esse detalhe crucial.

— Era o lugar preferido de sua tia em toda a casa. Havia livros sobre tudo que uma bruxa poderia precisar: fórmulas de poções, histórias, relatos de viagens à Terra das Fadas. Eu a encontrava dormindo lá algumas noites, com a cabeça sobre uma pilha de livros. Quando o duende doméstico foi embora, quis puni-la, por isso escondeu a biblioteca. Ainda está aqui em casa, em algum lugar. Sua tia passou meses procurando, mas não conseguiu encontrar. Teve que levar suas coisas para o escritório, no fim, mas ela ainda sente falta daquela biblioteca. Bem, mas *há* um lugar que precisa de uma boa limpeza. Deve estar com uns trinta centímetros de poeira.

Capítulo 19

O julgamento de Renata Rawlins

Quando Cassie desceu para o café da manhã, na quinta-feira de manhã, encontrou sua tia sentada no lugar de sempre, à cabeceira da mesa, diante de uma tigela de mingau, uma xícara de chá de urtiga e o *Hedgely Herald* da semana anterior. Ela ergueu os olhos quando Cassie entrou.

— Soube que Ted Whitby foi a última vítima daqueles estranhos feitiços, e que você e Rue lidaram com a situação admiravelmente bem.

Cassie corou diante do elogio inesperado.

— Está tudo bem agora, Aoife deu uma poção restauradora para ele.

Ela se sentou e trocou um olhar com a sra. Briggs, que estava fritando ovos. A governanta, é claro, não havia contado a Miranda sobre a noite de Cassie na Floresta; se houvesse contado, a tia já lhe teria dado uma bronca. Cassie sabia que a sra. Briggs esperava que ela mesma contasse tudo; mas assim que contasse, o meio sorriso de sua tia desapareceria e seria substituído pela decepção de sempre, e ela não conseguiu contar, ainda.

— Estou surpresa com sua paciência incomum, Cassandra. Imagino que deseja saber sobre o resultado do julgamento — disse a tia.

— Sim, claro — disse Cassie, pegando o pão com manteiga e evitando o olhar da sra. Briggs enquanto servia o chá.

Ela queria saber *mesmo* sobre o julgamento e a Assembleia das Bruxas e o que havia acontecido com Renata. O fato de que isso adiaria por mais alguns minutos a obrigação de contar tudo à sua tia era só um benefício extra.

— Renata se declarou culpada; não poderia ser diferente, depois do que presenciamos. Ficou falando sobre as mudanças no caminho e as bruxas que estavam ficando poderosas de novo; como se bruxaria tivesse a ver com poder. Nossa magia sempre teve como objetivo proteger, curar e compreender os outros. Esse é o juramento que todas nós fizemos, e quem o quebra, tem que enfrentar as consequências. — Miranda tomou um gole de chá. — Mas creio que a rede do Rei Elfo é muito mais ampla do que imaginávamos.

— Isso significa que há mais feiticeiras? — perguntou Cassie.

— Renata nos deu dois nomes, uma da Cornualha e outra da Escócia. Foram necessárias três bruxas e uma forte infusão de lunaria para extrair essa informação dela. Mas se houve algo de bom nesse julgamento foi que a Assembleia está levando a ameaça mais a sério agora.

— Ainda não entendo por que alguém escolheria trabalhar para o Rei Elfo.

— Antes de a Inglaterra entrar em guerra com a Terra das Fadas — respondeu Miranda depois de uma pausa —, antes do Tratado de Rosehill, nossos mundos não eram tão distantes. Havia muito mais criaturas mágicas nesta terra, e as antigas bruxas iam para a Terra das Fadas e voltavam com uma compreensão mais profunda da magia. Para algumas pessoas, aquela época foi como uma idade do ouro; elas querem voltar a esses tempos e, para isso, estão dispostas a destruir toda a segurança e a paz que conquistamos. O Rei Elfo lhes prometeu acesso a todas as maravilhas e magias da Terra das Fadas, e isso é uma tentação muito grande. Mas ao virar as costas para nós, elas se afastam da humanidade e da responsabilidade que temos de proteger aqueles que amamos.

— O que vai acontecer com Renata agora?

— Ela ficará presa na penitenciária de Sua Majestade, em Hexham. Há uma ala especial lá para feiticeiras e seus familiares, embora faça muito tempo que não é usada. Bem, o resultado do julgamento foi determinado de antemão; muito mais importante são as crianças desaparecidas. Não sabemos por que o Rei Elfo quer as crianças nem o que pretende fazer com elas. E continuam sendo roubadas por toda a Grã-Bretanha.

— Mas fechamos o túnel! Os duendes encontraram outro caminho para passar pelas barreiras da Floresta?

— Não, e tenho visto muito menos sinais de atividade duende aqui desde o solstício de verão. Mas creio que ele tem outros planos. Ele pode até estar por trás desses feitiços — disse a Bruxa da Floresta, apontando o jornal. — O fazendeiro Scrump, a sra. Mossley e agora Ted Whitby. Parece haver um padrão nos ataques.

— Tia Miranda, preciso contar uma coisa — disse Cassie. — Rue, Tabitha e eu passamos uma noite na Floresta. Estamos trabalhando no distintivo de bruxa do bosque, a patrulha toda, e é um dos requisitos...

— Depois de eu expressamente ter proibido você de entrar na Floresta sem supervisão? Francamente, Cassandra, pensei que depois de suas experiências no solstício de verão, você teria aprendido. E o distintivo de bruxa do bosque foi removido do manual há anos, justo por esse motivo. Como é que você ficou sabendo dele?

— No manual da minha mãe, mas eu...

— Você deveria ter esclarecido isso comigo primeiro. Mas, claro, você sabia que eu jamais teria autorizado uma empreitada tão imprudente. Quer provar que é uma bruxa responsável e capaz, mas assim que eu viro as costas, faz ações tolas como essa?! *Francamente*, Cassandra, você precisa aprender seus limites. Você ainda é uma bruxa inexperiente, *não* está pronta para enfrentar os perigos da Floresta sozinha.

Cassie abriu a boca para argumentar, mas a fechou de novo com a mesma rapidez. Cerrou os punhos no colo. Pretendia contar tudo a Miranda sobre a lança, Nimue e o Rei Elfo, mas tinha medo da reação da tia. Além disso, se elas mesmas conseguissem encontrar a lança, provariam a Miranda que ela era mais que uma novata, que estava pronta para atravessar a Floresta e encontrar a mãe.

— Bruxa da Floresta — disse uma voz melodiosa à porta. Era Aoife, com um vestido longo laranja e as mãos cheias de galhos de trigo. — Sei que acabou de voltar, mas há alguém aqui que quer falar com você. Está no saguão de entrada. Espero que esteja tudo bem.

O policial Griffiths estava no hall com o quepe nas mãos, corado e constrangido, olhando de vez em quando para os retratos de bruxas que cobriam as paredes.

— Ah, Bruxa da Floresta, sinto muito incomodá-la. É muito cedo, mas houve outro roubo; um arrombamento, na verdade — ele ajeitou o colarinho —, da loja de Eris Watchet. Algo valioso desapareceu desta vez.

Miranda endireitou o corpo, vários centímetros mais alto que o do policial.

— E? Não é você que deve resolver esse problema? Pelo que me lembro, entre minhas responsabilidades neste vilarejo não está a de capturar ladrões humanos. Ou acaso acredita que foi trabalho de duendes?

— Não é isso, senhora, é que seu sobrinho... — Ele fez uma pausa e engoliu em seco. — Bem, ele já foi pego roubando coisas antes, e eu disse à srta. Morgan que se isso acontecesse de novo...

Miranda se voltou para Cassie.

— É verdade, Cassandra? Onde está Sebastian?

Cassie subiu correndo para o quarto de Sebastian para buscá-lo. Ele desceu de pijama, pelo visto nem um pouco constrangido.

— Não fui eu — disse ele, tranquilo. — Nunca estive nem perto daquela loja velha e mofada. Que utilidade teria para mim uma coisa antiquada e podre?

— Vamos, menino, será mais fácil para você se disser a verdade. Onde esteve ontem à noite?

— Preso aqui, claro. E entediado demais, se quer saber.

— Alguém da casa pode corroborar sua história?

Ele olhou para Cassie. Ela tentou lembrar quando havia visto o primo pela última vez. Ela o tinha visto tomando café no dia anterior; ela se lembrava de ele comer uma quantidade particularmente grande das panquecas da sra. Briggs. Mas não o havia visto no almoço. O jantar foi torta de abóbora e carne de porco e, pensando bem, Sebastian tinha saído antes, depois de comer pouco, alegando que não estava se sentindo bem. Aoife lhe ofereceu um dos seus tônicos de ervas, mas ele fez uma careta e subiu para o quarto.

— Ele jantou com a gente, por volta das seis horas — disse Cassie, esperando que isso satisfizesse o policial Griffiths.

— E depois disso? Alguém da casa o viu?

— Depois fui para a cama! — disse Sebastian, com a voz embargada. — Por que não acredita em mim? Vocês estão todos contra mim desde que cheguei!

— Já chega — disse Miranda. — O menino disse que não foi ele. Você não tem absolutamente nenhuma evidência de que Sebastian está envolvido, e enquanto assim for, peço a gentileza que vá com suas acusações para outro lugar.

O tom de voz da Bruxa da Floresta foi como aço.

O policial Griffiths tentou protestar, mas acabou gaguejando um pedido de desculpas e saindo com o quepe nas mãos.

Assim que a porta se fechou, Miranda se voltou para os sobrinhos.

— E a que aquele bom policial estava se referindo quando mencionou um incidente anterior?

Cassie e o primo se entreolharam. Pelo visto, havia mais uma confissão a fazer.

Faltando apenas cinco dias para o Halloween, o 1º *Coven* de Hedgely estava totalmente ocupado com os preparativos para a Noite de Travessia. Haveria uma procissão pelo vilarejo, seguida de um banquete em Hartwood Hall, e ainda havia muita coisa a fazer.

A Patrulha das Cinzas tinha requisitado o grande caldeirão na lareira central, no qual estavam derretendo cera de abelha em banho-maria. Harriet Webb mergulhava longos pavios de algodão no líquido dourado derretido e os pendurava no suporte de vassouras. Quando começavam a esfriar e solidificar, Alice Wong os tirava para inscrever runas protetoras nas velas macias e enrolá-las em ervas secas. Seriam entregues aos habitantes do vilarejo para que as acendessem no Halloween e ficassem protegidos.

Eliza Pepper e Anika Kalra, da Patrulha dos Espinhos, estavam fazendo maçãs carameladas com frutas do pomar do fazendeiro Scrump. Ferviam o açúcar em caldeirões menores, mergulhavam as maçãs nele e, depois, já brilhantes, em nozes trituradas que haviam colhido na Floresta. Com a Bruxa da Floresta no comando de novo, Ivy se dignou a voltar a participar. E claro que suas maçãs eram as mais brilhantes e mais uniformemente banhadas.

Heather Shuttle, Lucy Watercress e as irmãs Drake estavam ensaiando uma tradicional dança irlandesa com vassouras, sob as instruções de Aoife, enquanto Nancy Kemp as acompanhava na flauta irlandesa. Girando pelo salão do *coven*, elas pulavam sobre suas vassouras e dançavam no ar, fazendo as outras terem que se abaixar.

— Isso mesmo, meninas, sintam a música — gritava a srta. Early, flutuando pela sala. — Deixem que o espírito de Halloween guie vocês!

O salão estava cheio de cera e açúcar pingando e pés e vassouras voadores.

— É só uma questão de tempo até que o espírito do Halloween acabe ganhando uma maçã coberta de cera ou um pé coberto de caramelo — disse Montéquio, da segurança do canto da Patrulha do Carvalho.

Cassie, Rue e Tabitha estavam cercadas por nabos e beterrabas forrageiras e faziam o possível para esculpi-los com seus canivetes, abrindo o interior para fazer lanternas de Halloween. Era um trabalho difícil, pois os sólidos vegetais resistiam a seus esforços, e elas precisaram dos cataplasmas e emplastros de Tabitha para seus dedos cortados.

— Achei que era para usarem caretas terríveis para assustar o povo da Terra das Fadas — disse Montéquio, inspecionando a tentativa de Cassie. — Essa parece estar dormindo e babando.

Sua lanterna estava com uma expressão bastante torta e preguiçosa. Ela a deixou de lado e pegou outro nabo.

— Não entendo por que não podemos usar abóboras — disse Cassie. — Brogan cultivou uma montanha delas, e a sra. Briggs não está conseguindo usar tudo. Só nesta semana já tivemos scones de abóbora, sopa de abóbora, enroladinho de abóbora, abóbora recheada, pudim de abóbora…

— A Bruxa da Floresta disse que os nabos são tradicionais; ela não aprova vegetais importados — disse Tabitha. — O que acha deste aqui?

Ela ergueu seu nabo, que tinha a cara de um coelho com bigodes. O modelo havia sido o familiar dela, e ela havia colocado um laço vermelho amarrado em cima.

— *Aterrorizante* — disse Rue.

— E aí, o que a Bruxa da Floresta te disse quando você contou para ela sobre a lança? — perguntou Tabitha.

Cassie corou.

— Não contei. Só disse que passamos a noite na Floresta, porque estamos trabalhando nos nossos distintivos de bruxa do bosque. Ela ficou furiosa, não ousei contar o resto. Mas Rue tem razão, podemos encontrá-la, nós mesmas, e, quando isso acontecer, ela verá que somos uma patrulha engenhosa.

— Já ganhamos a Estrela de Prata; vão ter que inventar outro distintivo para nos dar por heroísmo e bravura! — disse Rue, com os olhos brilhando.

— Tudo bem, mas se não a encontrarmos? E se o servo do Rei Elfo encantar alguém do vilarejo?

— *Shhhh*! — sibilou Cassie.

Phyllis e Susan Drake estavam se aproximando do canto da Patrulha do Carvalho, comendo pedaços de caramelo que sobraram.

— É melhor ficar de olho naquele seu primo, Cassandra — disse Phyllis.

— Mamãe disse que temos que trancar a porta, com um ladrão à solta — disse Susan.

— Do que elas estão falando? — perguntou Tabitha.

— Não ouviu falar do arrombamento na Watchet? — perguntou Susan. — O vilarejo inteiro está falando sobre isso.

— O oficial Griffiths disse que foi Sebastian Penhallow — disse Phyllis. — Isso só serve para mostrar que sempre há uma maçã podre em cada família.

— E às vezes, duas — disse Rue, encarando as irmãs até que elas se afastaram.

— Isso não pode ser verdade — disse Tabitha quando Phyllis e Susan saíram. — Você não acha que foi ele, acha?

Cassie suspirou, deixando de lado a faca.

— Ele disse que não foi, e eu quero acreditar, mas...

— Ele foi pego roubando doces na nossa loja — disse Rue.

— Bem, doces são uma coisa, mas não acredito que ele faria algo assim — disse Tabitha. — Griffiths disse o que foi levado?

— Só disse que era uma antiguidade valiosa — respondeu Cassie. — Ele estava mais interessado em saber onde Sebastian estava naquela noite, e o fato é que eu não sei. Ele acabou de jantar mais cedo... pode ter escapado, e duvido que alguma de nós houvesse notado.

Rue voltou a se dedicar à sua lanterna com vigor.

— E você mesma disse, Tabitha, ele *quer* se meter em encrenca.

A Bruxa da Floresta foi para o centro do salão, batendo palmas, para chamar a atenção de todas.

— Fico feliz por ver que os padrões não caíram durante minha ausência e que vocês estão bem preparadas para o Halloween. No entanto, em apenas dois meses, haverá outra Noite de Travessia: o solstício de inverno. Pode parecer cedo para pensar em neve e visco, mas temos que começar logo os ensaios para a peça, para que estejamos prontas a tempo para o solstício.

— Isso! — disse Rue, sorrindo. — Apresentamos *São Aelfwig e o nuggle* ano passado, foi maravilhoso. Tenho que interpretar um diabrete desta vez!

Aoife deu um passo à frente, radiante.

— A Bruxa da Floresta fez a gentileza de me pedir para dirigir a peça este ano. Ela me contou que houve alguns contratempos no ano passado, e que talvez seja necessário ensaiar mais para resolver possíveis problemas de figurino e cenário.

— Heather interpretou uma árvore mágica espinhenta — sussurrou Rue —, e Phyllis e Susan deveriam derrubá-la; mas Susan balançou forte demais e acertou o chapéu da sra. Blight; e depois, Phyllis pisou nos pés de Heather e todo mundo caiu, arrancando o pano de fundo e ateando fogo nos galhos de Heather. Foi fantástico!

— Este ano, apresentaremos *O wyrm, a bruxa e o cavaleiro do povo da Terra das Fadas.* Tenho certeza de que muitas de vocês já conhecem a história. Andei observando vocês e já escolhi quem vai representar cada papel.

O *coven* explodiu em conversas e discussões animadas sobre o tema. Algumas delas já conheciam a história e já sabiam quais papéis queriam. Cassie, Rue e Tabitha se entreolharam. Seria uma coincidência ou Aoife sabia algo sobre Galtres e Sir Egad?

Aoife teve que levantar a voz para ser ouvida acima do burburinho.

— Será uma grande oportunidade para expressar a criatividade! Estou louca para ver como cada uma de vocês vai elaborar seu papel. O elenco será o seguinte...

A sala ficou em silêncio; todas as meninas do *coven* queriam ouvir com atenção para saber qual papel receberiam. Aoife desdobrou um pedaço de papel e leu em voz alta:

— Narradores: Eliza Pepper e Harriet Webb, com acompanhamento musical de Nancy Kemp. — Isso não foi uma grande surpresa; Eliza e Harriet eram as líderes das patrulhas dos Espinhos e das Cinzas e as mais velhas do *coven*, e Nancy era maravilhosa na flauta irlandesa. — O wyrm será interpretado por uma equipe formada por Susan e Phyllis Drake e Anika Kalra.

As três meninas da Patrulha dos Espinhos ficaram bem satisfeitas com isso e logo se reuniram para discutir quem seria a cabeça, o corpo e a cauda.

— Tabitha Blight interpretará a rainha das fadas, com Rue Whitby como o cavaleiro.

— Viva! — disse Rue, alto demais.

— O papel principal, da Bruxa da Floresta Morgana, será interpretado por Ivy Harrington — anunciou Aoife.

Foi uma surpresa ouvir isso. Ivy havia criticado abertamente as atividades de Aoife e mal participava de nada desde que a Bruxa da Floresta havia partido, mas, ainda assim, foi recompensada com o melhor papel da peça e ficou toda presunçosa, como sempre.

— Deveria ter sido você — sussurrou Tabitha para Cassie. — Morgana não é antepassada sua?

— Os habitantes serão Alice Wong, Lucy Watercress e Cassandra Morgan — continuou Aoife. — Heather, você será a ovelha levada pelo wyrm.

— Bem, pelo menos você não será a ovelha — disse Rue. — Pobre Heather.

Cassie tentou sorrir; poderia ter sido pior. Provavelmente ela não teria muitas falas para decorar, já que seria a habitante número três; e ainda era nova no *coven*, de modo que não poderia esperar o papel de protagonista. Além disso, faltavam dois meses para o solstício de inverno e elas tinham coisas mais importantes com que se preocupar.

Aoife distribuiu os roteiros; Cassie o folheou para ver se tinha alguma fala para decorar.

— *Ah, não! Minhas ovelhas não* — leu Ivy, em pé. — Você só tem uma fala, Cassandra, não deve ser muito difícil.

— Sai daqui, Ivy — disse Rue.

— Na verdade, vou precisar de vocês duas para ensaiar. Morgana tem duas cenas com o cavaleiro e outra meio longa com a rainha das fadas no final aqui, viram? Não quero que nenhuma de vocês esqueça suas falas e me decepcione; é melhor a gente se encontrar depois da escola, segunda-feira, para ensaiar.

Rue suspirou; concordou com relutância, só para que Ivy fosse embora e as deixasse em paz.

— Eu queria *muito* que você interpretasse Morgana! — disse Rue.

Capítulo 20

Um ladrão incomum

Na segunda-feira seguinte, Cassie se encontrou com Rue e Tabitha no Bramble's depois da escola. Selena Moor havia feito de tudo para decorar a casa de chá para o Halloween. Havia lanternas de abóbora em cada mesa, sorrindo com uma luz trêmula; pilhas de abóboras ao redor da lareira e da porta, bandeirolas pretas sobre a lareira e nas janelas, e fantasmas de musselina flutuando entre os cachos de ervas que pendiam do teto. Eles esvoaçavam e viravam de um jeito bem estranho sempre que alguém passava.

A casa de chá estava lotada; Cassie e Rue ficaram aliviadas ao ver que Tabitha havia conseguido uma mesa perto da janela. Foram até lá, largaram suas coisas da escola e se jogaram nas poltronas.

— Saí cedo, já que era para a gente se encontrar com a Ivy — disse Tabitha. — Aliás, cadê ela?

— Ela disse que tinha que fazer umas coisas primeiro — disse Rue. — Típico! E isso que foi ela quem insistiu que ensaiássemos juntas.

— Aqui está, minhas queridas! Desculpe fazer vocês esperarem, mas estamos bem sobrecarregados hoje, como podem ver! — Selena Moor chegou com uma bandeja pesada e começou a distribuir os chás. — A cidade está cheia de boatos e especulações após a invasão; alguns acham que os duendes estão por trás disso, e outros...

— Outros acham que foi o meu primo — disse Cassie, baixinho.

— Nunca devemos tirar conclusões precipitadas, esse é o meu lema — disse Selena, deixando uma bandeja de bolo de gengibre para que elas dividissem. — Vejamos, flor de sabugueiro e eufrásia para Tabitha; dente-de-leão e labaça-crespa para a jovem Rue; e framboesa e trevo-roxo para você, Cassandra. Ah, e uma bandeja do melhor bolo de gengibre da Marchpane.

— Mas você deixou quatro chaleiras — disse Cassie.

— Claro! O de alecrim e cambará é para a jovem srta. Harrington, quando ela chegar.

As meninas se entreolharam. Ninguém havia dito a Selena que Ivy chegaria.

— Com licença, acabei de ouvir a campainha tocar. Posso ser bruxa, mas não consigo fazer mesas do nada!

Selena saiu apressada, deixando-as com seus chás. O de Cassie era doce e azedo, cheio de frutas vermelhas, e logo clareou sua cabeça, fazendo-a se sentir mais alerta e decidida.

Rue pegou três cubos de açúcar do caldeirãozinho que havia na mesa e os jogou em sua xícara.

Tabitha puxou a manga de Cassie.

— Veja, Eris Watchet!

Voltaram-se e viram uma mulher alta e magra, vestindo um terninho de *tweed*, passar pela porta e ir até o balcão, onde Selena Moor estava cuidando de seis chaleiras ao mesmo tempo. Selena a viu e as duas começaram a conversar baixinho.

— Aposto que estão falando sobre o arrombamento — disse Rue.

— Ah, como eu queria ouvir o que estão dizendo — disse Tabitha.

Cassie se levantou e pegou o caldeirão de açúcar.

— Vou pegar mais.

— Mas ainda está cheio... — disse Rue.

Cassie olhou para ela com a sobrancelha erguida.

— Ah, entendi. Aproveite e traga outra fatia de bolo de gengibre, por favor.

Por sorte, a casa de chá estava tão cheia que Cassie conseguiu passar entre as mesas sem chamar muita atenção e parou ao lado de um grande vaso de cosmos e papoulas que quase a escondia. Teve que apurar o ouvido para sintonizar a conversa em meio ao barulho geral e conseguir ouvir apenas Selena e Eris Watchet.

— Aliás, nunca mais compro um bule na sua loja — disse Selena. — Precisava ter visto a cara da srta. Bobbin quando servi Darjeeling salgado para ela!

— Deve ter feito um bem enorme para ela. Aquela mulher é insípida! Além disso, eu dei desconto para você. Já conhece minha política: não aceito devolução.

— Bem, não há muito o que devolver, de qualquer maneira, outra cliente a deixou cair — explicou Selena. — Minha preocupação é com a origem da sua mercadoria, Eris, e nas mãos de quem pode cair.

— Não há nada de errado com a minha mercadoria nem com os meus fornecedores. É com *ladrões* que estou preocupada. Quem entrou na minha loja semana passada não quebrou nem uma vidraça nem acordou Barbarossa. E olha que ele dorme com um olho aberto! Não... se quer saber minha opinião, há bruxaria nisso.

— Então, você não acha que foi o menino? O policial Griffiths parecia bastante convicto... — disse Selena.

— Ora, o policial Griffiths não conseguiu encontrar a flauta roubada e está enrolando! — disse Eris. — Não, o menino teria levado alguma bugiganga brilhante; um elmo de cavaleiro ou qualquer outra coisa impressionante para mostrar aos amigos. Duvido que ele saiba algo sobre a flauta, mesmo sendo sobrinho da Bruxa da Floresta. Não... se quer saber, acho que foi um ladrão incomum, visto que deixou para trás todas as joias e a prataria e levou aquela flauta...

Houve uma pausa. Eris baixou ainda mais a voz. Cassie teve que enfiar o rosto no meio das flores para ouvir.

— Sir Henry a vendeu para mim depois que a esposa dele... Ora, você sabe o que aconteceu com Tamsin. Ele apareceu com uma caixa cheia de coisas dela, inclusive aquela flauta. Não dei muita atenção a isso na época, mas ele parecia especialmente interessado em se livrar daquilo.

Cassie ouviu o barulho da água, enquanto Selena servia outra xícara para Eris.

— Ora, sem dúvida, o pobre homem estava aflito, não queria ter nada dela por perto para não recordar. Essa flauta era feita de quê? Marfim? Prata?

— Madeira de sabugueiro — disse Eris.

— Madeira de sabugueiro? Tem certeza? Dá muito azar esculpir madeira de sabugueiro. Eu não conheço nenhuma bruxa que tocaria nisso. Um ladrão incomum, de fato... quem iria querer uma coisa dessas?!

Cassie voltou pé ante pé para a mesa e recolocou o açúcar no lugar. E logo contou a Rue e Tabitha tudo que tinha escutado.

— E outra coisa: vi a flauta quando Rue e eu fomos perguntar para Eris sobre a lança. Eu a peguei e tive uma sensação estranha ao tocá-la.

— Acha que é encantada? — perguntou Rue. — Ou amaldiçoada?

— Não sei, mas Eris disse que é feita de madeira de sabugueiro.

— Nada disso nos ajuda a saber quem a pegou — disse Rue. — Mas acho que ela tem razão sobre Sebastian. O que ele iria querer com isso?

— Não, não pode ter sido Sebastian. Eris disse que o ladrão entrou e saiu sem deixar vestígios; ela acha que há bruxaria nessa história.

Quando Ivy se dignou a aparecer, elas haviam terminado o chá e o bolo e quase esgotado o assunto sobre quem poderia ter invadido a loja de Eris Watchet para roubar a flauta e por quê. Cassie tinha certeza de que era a mesma pessoa que estava enfeitiçando os moradores de Hedgely para encontrar a lança. Rue concordava que estavam lidando com outra feiticeira, mas Tabitha não tinha tanta certeza, embora estivesse convencida de que Sebastian não tinha nada a ver com aquilo.

Ivy chegou à casa de chá corada. Com a mochila na mão, foi até a mesa delas.

— Vamos, não tenho o dia todo e não podemos ensaiar muito bem aqui — disse ela, olhando ao redor.

— Você é quem está atrasada — disse Rue.

— E Selena Moor fez um bule de chá para você, ainda está quente — disse Tabitha.

— Não tenho tempo, vamos, podemos ensaiar no gramado do vilarejo. Mas não precisamos de você, Cassandra, já que não está em nenhuma cena importante — Ivy respondeu.

— Ou Cassie vem com a gente, ou nós não vamos — disse Rue.

— Tudo bem, ela pode ser útil e nos dar as deixas. Vamos, então!

Enquanto desciam a rua Loft em direção ao gramado, Cassie notou que Ivy estava estranha. Havia folhas e galhos pequenos presos em seu cabelo curto e preto e ela estava mancando de leve da perna esquerda, que tinha vários arranhões vermelhos e finos.

— Estão prontas? Já decorei as minhas falas, mas imagino que vocês não — disse Ivy, deixando sua mochila com cuidado na grama.

— O que aconteceu com você? — perguntou Rue.

Ivy limpou a saia e respondeu:

— Nada. Vamos continuar.

— Você não voltou para a Floresta, não é? — perguntou Tabitha. — Faltam poucos dias para o Halloween e…

— Eu sei me cuidar, muito obrigada. Agora, se acabaram de se preocupar, vamos começar com a cena em que eu… digo, em que Morgana impede a morte do cavaleiro com sua poção.

— Mas eu tenho um monte de falas antes disso — disse Rue. — E minha batalha com o wyrm; essa é a melhor parte!

— Ora, não temos o wyrm, então, podemos começar com a *minha* primeira cena. Fique deitada ali, como se estivesse morta.

Rue olhou para o lugar meio lamacento que Ivy apontou.

— Ei, vamos acabar logo com isso — disse Tabitha. — Tenho que voltar para casa a tempo de fazer o jantar.

— Meu belo cavaleiro! — começou Ivy, com voz estridente. — Que ferimento mortal sofreu!

Cassie estava lendo seu roteiro quando, de soslaio, viu algo saindo da bolsa de Ivy. A princípio, pensou que fosse um galho que havia ido parar ali, por isso foi retirá-lo.

— Ahhhh! — gemeu Rue, deitada no chão.

Tabitha riu.

— Você é um cavaleiro moribundo, não um pirata. Tente de novo — instruiu Ivy. — Não vou me deixar ofuscar por suas bobagens. É uma peça muito séria.

O galho era reto e leve e fez os dedos de Cassie formigarem ao tocá-lo.

— Ajude-me, ó bruxa bondosa, não estarei muito tempo neste mundo! — gritou Rue, exagerando a voz e segurando o riso.

— Não tema, pois lhe trago um tônico. Você não morrerá hoje — disse Ivy, se debruçando sobre Rue e fingindo lhe dar uma poção.

Cassie tirou o galho da bolsa de Ivy e se levantou. Não havia dúvidas, era a mesma que ela havia visto na loja de Eris Watchet: a flauta feita de madeira de sabugueiro.

— O que você está fazendo? — gritou Ivy e correu para Cassie, arrancando a flauta de suas mãos. — Isso é meu! Como ousa mexer nas minhas coisas?

— Foi você! — exclamou Cassie. — Você invadiu o antiquário e roubou a flauta, e está deixando Sebastian levar a culpa!

— *Shhh*! Fale baixo! — sibilou Ivy.

— Por quê? — perguntou Rue, indo para o lado de Cassie. — Por que não deveríamos ir direto ao policial Griffiths e contar tudo para ele? Ou para a Bruxa da Floresta.

— Como pôde, Ivy? — perguntou Tabitha. — O que deu em você?

Ivy pegou a mochila e enfiou a flauta de volta para escondê-la. Quando se voltou para as outras, havia lágrimas em seus olhos, apesar de seu olhar furioso.

— Vocês não entendem, nenhuma de vocês entende. Esta é minha última chance, eles vão levá-la embora!

— Quem vai levar quem embora? — perguntou Tabitha.

Mas Cassie já sabia.

— A mãe dela — disse.

Ivy confirmou.

— Eles vão levá-la para Convall Abbey.

— O hospital das bruxas — disse Rue. — Mas isso fica em Devon.

— Ela não está melhorando. A Bruxa da Floresta disse que é o único lugar onde podem ajudá-la.

— Mas com certeza será melhor assim — disse Tabitha. — E você poderá ir visitá-la...

— Você não sabe de nada, Tabitha Blight. Depois que ela for, não haverá nada que eu possa fazer para ajudá-la. Esta é a minha última chance.

— Mas a flauta... — perguntou Cassie. — Por que você a roubou?

— A flauta era da minha mãe; só a peguei de volta.

— Tamsin... Sir Henry... são seus pais? Foi seu pai quem vendeu a flauta para Eris Watchet?

— Ele vendeu todas as coisas de bruxaria dela. Mas a flauta pode trazer de volta a parte dela que foi levada para além da fronteira. Ela pode convocar uma pessoa que esteja na Terra das Fadas. *Ela* me disse isso.

Uma onda fria de compreensão atravessou Cassie. A mãe de Ivy estava doente havia anos, em um sono encantado. Cassie tinha visto a sra. Harrington quando saiu com Miranda para fazer a ronda; a Bruxa da Floresta lhe contou que parte do espírito da mulher havia sido tomada pela fada que a tinha amaldiçoado. Ivy queria tentar trazê-la de volta. Mas não foi isso que provocou um arrepio na espinha de Cassie. Não; o que lhe ocorreu naquele momento foi que a flauta também poderia ajudá-la a chamar a própria mãe de volta.

— Ela disse que eu tenho que tocar três vezes no Halloween — disse Ivy.

— Quem é essa "ela" de quem você está falando? — perguntou Rue.

Mas Cassie já estava um passo à frente. Lailoken lhe havia contado sobre o terceiro vigilante, que ajudava os imprudentes e desesperados.

— A Anciã Mãe... você a anda procurando, por isso tem ido escondida para a Floresta nas últimas semanas.

— Ela me chamou em sonhos; disse que poderia me ajudar se eu levasse a flauta para ela. Disse que poderia trazer a minha mãe de volta.

— Mas ela é uma bruxa velha e maluca! — disse Rue. — Você não pode estar falando sério! Você deveria saber melhor que ninguém que não se pode confiar no povo da Terra das Fadas. Foi um deles que amaldiçoou a sua mãe!

Ivy apertou a flauta no peito.

— Vocês não podem me criticar! Vocês fariam exatamente a mesma coisa no meu lugar; Cassie já fez!

Cassie mordeu o lábio. Ivy tinha razão, ela não pararia até encontrar a mãe e tentar trazê-la de volta da Terra das Fadas. E também se sentia tentada pela presença daquela flauta.

— Não podemos denunciá-la, depois de tudo que eu fiz no verão, tentando trazer a minha mãe de volta... o púca...

— Mas, Cass, temos que fazer alguma coisa! — disse Rue. — Ela vai se matar, e se abrir um caminho para a Terra das Fadas, pode deixar qualquer coisa passar!

— A Anciã Mãe é perigosa — disse Tabitha. — Lailoken disse que sempre cobra um preço pela ajuda.

— Então eu pago, seja lá o que for. Não me interessa.

Cassie estendeu a mão para Ivy.

— Deixa a gente ajudar. Podemos devolver a flauta para Eris, ninguém precisa saber quem a pegou...

— Ora, você quer ficar com a flauta, agora que sabe o que ela é capaz de fazer. Mas não vai. É minha e vou usá-la.

— Não podemos permitir — disse Cassie. — Vai colocar Hedgely inteira em perigo.

— Tentem me deter! — disse Ivy e, com um olhar furioso, saiu correndo pela rua, segurando a mochila e a flauta de madeira com força.

Capítulo 21

Noite de Halloween

— Ainda acho que devemos contar para a Bruxa da Floresta — disse Tabitha. — Sei que não é legal dedurar, mas Ivy pode acabar se machucando…

Cassie sacudiu a cabeça.

— Você não entende? É pior que isso. A polícia já está envolvida, e se contarmos para a minha tia, Ivy não só vai perder alguns distintivos e levar um sermão, como também pode acabar sendo levada para a Assembleia das Bruxas… como feiticeira.

Cassie havia imaginado Ivy junto de Renata Rawlins na prisão de Hexham. Mesmo sendo a bruxa mais irritante do *coven*, Cassie não achava que ela merecia isso. Podia entender muito bem o desespero de Ivy.

— Teremos que detê-la nós mesmas. Hoje à noite, vamos ficar de guarda. Se ela tentar fugir, nós a seguiremos.

Elas estavam na praça do mercado de Hedgely, enquanto o resto do *coven* perambulava. A Bruxa da Floresta estava inspecionando todas as patrulhas, e se uma menina estivesse com o manto torto ou com os broches sem polir, era obrigada a sair. Miranda tinha explicado que não lideraria um *coven* de jovens bruxas maltrapilhas e desarrumadas pelo vilarejo em uma das noites mais importantes do ano.

Aoife distribuía cestas cheias de amuletos, maçãs carameladas e as velas de cera de abelha enroladas com ervas e especiarias que a Patrulha das Cinzas havia feito. Cada menina também tinha uma lanterna de Halloween presa a uma vara para iluminar o caminho, e Cassie ficou feliz por ver alguns de seus melhores esforços entre elas. Quando o sol se pôs sobre a nebulosa Floresta, a noite esfriou; as meninas estavam gratas pela sra. Briggs ter sido encarregada das provisões, pois ela distribuía pãezinhos de abóbora e suco de maçã quente para aquecer as mãos. Alguns habitantes já começavam a se reunir para assistir ao início da procissão.

— Onde está Ivy? — perguntou Cassie. — Ela já deveria estar aqui. Acham que ela fugiria antes de começar?

Rue bufou.

— E deixar de ganhar o distintivo do evento? Não é provável.

— Lá está ela — disse Tabitha —, falando com Susan e Phyllis.

Cassie bebericou de seu suco.

— Fiquem de olho nela, não podemos perdê-la de vista.

Era mais fácil falar que fazer, pois a noite caía e uma névoa cinzenta subia do rio Nix. Era uma névoa comum, como notou Cassie, não uma névoa mágica, mas tornava os rostos indistintos e criava um brilho nebuloso ao redor de cada lanterna.

— Juntem-se, meninas, todas têm que estar aqui! — chamou Aoife, com sua voz melodiosa. — Nove... onze... onde está Heather? Ah, lá está ela, treze... ótimo! Se estiverem prontas, vamos ao nosso primeiro canto, *Uma lanterna brilhante*. Prontas? Um, dois, três...

Aoife mexia as mãos como um maestro. Todas juntas, o *coven* ergueu suas lanternas e vozes e começou a cantar o primeiro cântico de Halloween:

Quando o orvalho sobre cada folha cai,
E a noite chega mais cedo.
Quando o crepúsculo atrás do fazendeiro vai,
E os ventos gritam, causando medo.
Quando o verão deita sua cabeça para descansar
E o inverno vê que é hora de se levantar,
É melhor trancar as portas
e deixar uma lanterna sob seu teto brilhar.

Cassie esticou o pescoço para procurar Ivy e a encontrou à frente do grupo, diante dos espectadores reunidos. Claro, Ivy jamais perderia a chance de mostrar sua bela voz.

Quando gritos selvagens quebram a paz noturna
E coisas estranhas se esgueiram, rastejantes,
Nós, bruxas, caminhamos pelas estradas solitárias, vigilantes
E perseguimos aqui e ali cada criatura soturna.

Cassie puxou Rue e Tabitha pelos cotovelos até ficarem logo atrás de Ivy.

Quando o *coven* terminou o cântico de Halloween, sob uma salva de palmas, Lucy, Heather, Phyllis e Susan se afastaram do grupo, cada uma com sua vassoura. E quando Nancy Kemp começou a tocar sua flauta, interpretaram a dança irlandesa da vassoura que Aoife lhes havia ensinado.

— Vocês três poderiam largar do meu pé? — sibilou Ivy, se voltando para Cassie, Rue e Tabitha.

— Entregue a flauta para a gente e vamos deixar — sussurrou Cassie, apontando com o olhar em direção à Bruxa da Floresta, que olhava feio para elas.

A dança da vassoura correu muito bem; as quatro se lembraram dos passos e seguiram o ritmo. O único problema foi que nenhuma delas havia pensado em ensaiar de chapéu, de modo que os perderam, um por um, no meio da dança. Mas as pessoas aplaudiram, pelo visto considerando isso parte da apresentação.

Por fim, chegou a hora da procissão de fato, e as treze jovens bruxas, com seus chapéus, capas e as lanternas erguidas, deixaram a praça do mercado e passaram pela rua Loft. Era uma antiga tradição, como tinha dito a Bruxa da Floresta, que as bruxas de Hedgely fizessem a ronda pelo vilarejo na noite de Halloween, verificando se tudo estava bem e afastando o povo da Terra das Fadas, se estivesse à espreita. Visitavam todas as casas, uma a uma, levando velas e amuletos para afastar qualquer ameaça.

Em fila e em duplas, passaram entre as lojas – Whitby, Saltash & Filho, Watchet, Widdershin, Marchpane e Bramble –, cujas janelas eram iluminadas por lanternas de abóbora.

Cassie, que estava mais à frente da procissão com Tabitha, ficava esticando o pescoço para olhar Ivy, que estava bem atrás, com Anika.

Enquanto caminhavam, Aoife ia conduzindo um cântico de Halloween bastante turbulento, que falava sobre um espectro chamado Clap-Cans e envolvia bater pés e mãos, e Cassie tinha certeza de que qualquer entidade com amor à música fugiria correndo e tampando os ouvidos.

Pararam primeiro na casa da sra. Mossley, atrás do correio, e Heather Shuttle deu um passo à frente para bater à porta. Ouviram o tilintar de chaves, o latido de um cachorrinho, e logo a porta se abriu. A carteira, segurando seu Yorkshire terrier, sorriu para elas e fez a pergunta de praxe:

— Quem vem me visitar nesta noite de Halloween? Ente ou espírito?

Ente, como havia explicado a Bruxa da Floresta, era sinônimo de pessoa viva.

Lucy Watercress, que era parceira de Heather na fila, adiantou-se para dar a resposta:

— Somos bruxas, viemos desejar a você felicidades e segurança nesta noite.

Ela estendeu sua cesta e a sra. Mossley escolheu uma vela e um amuleto para pendurar em sua porta e deixou algumas moedas como pagamento. Todo o dinheiro arrecadado iria para o hospital de Convall Abbey e para a casa de bruxas aposentadas, em Knaresborough.

Elas agradeceram e cantaram outro verso do cântico, enquanto Lucy e Heather corriam para o final da fila. Assim, a dupla seguinte ia para a frente com suas cestas e lanternas.

O *coven* fez a ronda pelo vilarejo, parando de casa em casa, sempre cantando. Teria sido muito divertido se Cassie, Rue e Tabitha não estivessem, desesperadas, observando Ivy o tempo todo, com medo de que ela escapasse e fosse para a Floresta.

— Vamos, somos as próximas — disse Tabitha, puxando Cassie pelo cotovelo.

Deram azar, pois quando Cassie bateu à porta de madeira escura de uma casa antiga bem imponente, foi atendida por ninguém menos que Silas Saltash.

Cassie empalideceu. O boticário, de quem de vez em quando compravam as ervas mais raras e ingredientes para feitiços que não podiam cultivar ou colher na natureza, odiava crianças, ainda mais jovens bruxas.

Ele as encarou.

— Quem vem me visitar nesta noite de Halloween? Ente ou espírito?

Saltash olhou para Cassie com seu nariz comprido e ela esqueceu as palavras que deveria dizer. Até que percebeu que o velho estava de roupão e chinelos, e isso o deixava bem menos intimidador.

— Somos bruxas — conseguiu gaguejar —, viemos desejar a você felicidades e segurança nesta noite.

Saltash puxou os lábios para trás em um meio sorriso de escárnio e se inclinou para a frente para inspecionar o conteúdo da cesta de Tabitha. Por fim, escolheu uma vela longa e fina e largou duas moedas, fechando a porta na cara delas.

Rue deu uma piscadinha para elas enquanto se dirigiam ao final da fila. Atrás, Cassie poderia ficar de olho em Ivy com mais facilidade.

Quando acabaram de visitar todas as casas do vilarejo, suas cestas estavam vazias, era quase meia-noite e fazia bastante frio. A névoa se enrolava em torno de suas botas e beliscava seus joelhos cobertos com meias, de modo que todas ficaram felizes na hora de seguir a Bruxa da Floresta colina acima, até Hartwood. Iam conversando, caminhando em pequenos grupos, juntinhas para se protegerem do frio.

A Patrulha do Carvalho ia atrás de Ivy e Phyllis Drake, que estavam contando as doações que receberam para calcular se eram as que mais haviam arrecadado naquela noite.

— Talvez ela *não* tente nada — disse Tabitha. — Sei que Ivy é meio imprudente, às vezes, mas ela não é boba.

Mas Cassie não tinha tanta certeza. Ela não se sentiria segura até que o sol nascesse – faltavam algumas horas – e a longa noite terminasse.

Hartwood Hall era uma explosão de luz. Havia lanternas de abóbora em todas as janelas, sorrindo e fazendo caretas para as meninas que subiam o caminho. Lá dentro, foram recebidas pela sra. Briggs, que as conduziu ao salão de banquetes, o grande salão que Cassie tinha ajudado a limpar e decorar. Uma grande ceia de Halloween havia sido preparada para elas, iluminada por dezenas de velas. Havia diabretes de açúcar e maçãs carameladas, tortas de abóbora e purê de nove ingredientes, presunto com mel, bolos de alma e um pão de frutas chamado barmbrack, que Aoife tinha feito. Ela explicou que, dentro, o pão tinha pequenos amuletos que diriam o destino de cada uma pelo resto do ano.

As outras bruxas de Hedgely, Selena Moor e a velha sra. Blight, já estavam se servindo, e Brogan, sentado em um banquinho em um canto, comia um grande pedaço de torta de cogumelos.

Lanternas e cestas, capas e chapéus ficaram espalhados pela sala e as meninas foram se sentar para o banquete, famintas após os esforços da noite. Mas Cassie, Rue e Tabitha mal haviam chegado à mesa quando a sra. Briggs as encontrou.

— Venham me ajudar com esta tigela de ponche — disse. — Vamos precisar de mais copos também, e eu preciso de mais seis mãos!

Sebastian estava na cozinha, jantando sozinho.

— O que você está fazendo aqui? — perguntou Cassie. — Venha para o salão com a gente, há uma verdadeira montanha de comida e...

— E uma dúzia de bruxas que pensam que eu sou um ladrão — disse Sebastian.

Cassie estremeceu e trocou um olhar com Rue e Tabitha. Elas sabiam quem era a verdadeira ladra, mas não podiam limpar o nome de Sebastian sem trair Ivy – pelo menos, não ainda.

— Sabemos que não foi você — disse Tabitha. — E lamentamos. Quer que eu traga alguma coisa?

— Não, tudo bem. Não quero estragar a diversão de vocês.

Quando voltaram da cozinha com mais travessas e pratos cheios de comida, Cassie olhou em volta à procura de Ivy. Ela esteve perto da lareira antes, recitando suas falas da peça do solstício de inverno diante de uma plateia composta unicamente por sua própria patrulha.

— Ela foi embora! — sibilou Cassie, e Tabitha teve que resgatar o prato de biscoitos de avelã que a amiga estava carregando, antes que acabasse no chão.

Rue deu uma volta rápida pela sala, parando para conversar com Eliza Pepper, a líder da patrulha de Ivy.

— Ivy disse que precisava voltar para casa mais cedo, mas aposto que ela foi para a Floresta.

Miranda estava mostrando a Aoife os entalhes do antigo console da lareira; sem dúvida, por isso Ivy havia escolhido aquele momento para fugir. Se corressem, poderiam alcançá-la antes que ela chegasse à floresta.

Pegando suas capas e vassouras, elas saíram pelo saguão de entrada, indo pelo pátio. A noite estava escura, sem lua, e a névoa ainda pairava abaixo das árvores. Mas quando chegaram às faias, viram alguém voando à frente delas, com seu chapéu pontudo preto desaparecendo na névoa.

— Ivy! — chamou Cassie, mas a menina fugiu.

Montando em suas vassouras, foram atrás dela, e quando chegaram à ponte de pedra, quase a alcançaram. Mas, para sua surpresa, Ivy não seguiu o rio Nix até a Floresta; ela virou à esquerda e pegou uma estrada escura que passava entre algumas casas e o gramado do vilarejo, em direção à igreja de São Aelfwig.

— O que ela está fazendo? — perguntou Tabitha.

— Ela sabe que a estamos seguindo, talvez esteja tentando despistar a gente.

Quando saíram do beco escuro e entraram no cemitério, já não viram mais Ivy.

Capítulo 22

O pó Seguidor de Pegadas

Cassie, Rue e Tabitha estavam dentro do cemitério, cercadas por imponentes mausoléus de pedra e altas torres de teixos. À frente, a igreja surgia da névoa, deixando ver sua torre normanda quadrada contra o céu sem estrelas. O relógio da torre marcava duas da manhã, mas os sinos estavam mudos e os vitrais, escuros.

— Vamos voltar — disse Tabitha, hesitando a dar mais um passo entre as lápides. — Nós a perdemos.

— Ela deve estar aqui em algum lugar — disse Rue. — Deve estar escondida.

— E se ela só veio para cá para despistar a gente? Ela poderia ter voltado e estar no meio do caminho para a Floresta — disse Cassie, dividida entre ficar para procurar Ivy entre os túmulos e correr de volta pelo mesmo caminho para detê-la antes que ela chegasse à floresta. — Acho que é melhor pelo menos darmos uma olhada; não há muitos lugares para ela se esconder aqui.

Mas a névoa e a escuridão faziam o cemitério parecer maior e mais estranho que à luz do dia, e andar era difícil devido às folhas caídas, que escondiam as grandes lápides, que as faziam tropeçar. A certa altura, uma raposa saiu correndo de trás de uma cruz de pedra e Tabitha gritou.

— Não se preocupe, vou proteger você dos fantasmas — brincou Rue.

Mas quando ela se voltou para liderar o caminho até a igreja, as três viram algo saindo do bosque de teixos. Era uma pessoa alta e esguia, com um vestido branco e braços longos e nus. Mangas pálidas ondulavam ao redor dela enquanto avançava, como se flutuasse sobre a grama. Ela soltou um grito baixinho e misterioso.

— É uma esposa da floresta! — gritou Rue. — Corram!

As três deram meia-volta e saíram correndo, indo para o portão; mas, quando chegaram, o grito misterioso se transformou em um riso infantil.

Ao se virarem, viram que a figura fantasmagórica havia sido cortada ao meio; ou melhor, metade dela estava curvada sobre a grama, segurando o flanco no meio de um ataque de riso. A outra metade tirou um pano branco da cabeça e fez uma reverência. Eram Susan e Phyllis Drake, com uma das toalhas de mesa da sra. Briggs.

— Ah, vocês deveriam ter visto a cara de vocês! — disse Susan, ofegante, se recuperando de um ataque de riso.

— Ivy tinha razão, foi divertido! Espera só até a gente contar para o resto do *coven* — disse Phyllis. — E vocês se dizem bruxas? Pois deveriam saber que fantasmas não existem!

— Não pensamos que você era um fantasma; pensamos que... — começou Tabitha.

— Espera, *cadê* a Ivy? — perguntou Cassie.

Susan deu de ombros.

— Ela disse que encontraria a gente aqui depois. Achei que ela estaria aqui para se divertir com a nossa pegadinha.

— Foram *vocês* que perseguimos morro abaixo? — perguntou Cassie.

Uma ideia terrível a dominou; a brincadeira não tinha apenas a intenção de fazer delas motivo de chacota, mas também a de distraí-las, enquanto Ivy fugia para sua terrível missão dentro da Floresta.

— Vamos ter que rastreá-la — disse Cassie quando chegaram à fronteira de árvores, ponto onde o vilarejo terminava e a floresta começava.

Estava quase escuro como breu na floresta; o tapete de folhas caídas era obscurecido pela névoa baixa, e as árvores estendiam galhos ossudos em direção a elas. Nenhuma delas estava disposta a entrar sem ter ideia da direção que Ivy havia tomado.

—Tabitha, você ainda tem o pó Seguidor de Pegadas? — perguntou Cassie.

— Sim, mas precisamos encontrar pelo menos uma pegada dela para que funcione; não tenho o suficiente aqui para cobrir toda a floresta procurando Ivy.

— Ela deve ter vindo do vilarejo para cá, mas é melhor a gente se apressar; ela ganhou vantagem considerável sobre nós usando Susan e Phyllis como iscas.

— Não acredito que as deixamos se safar dessa! — disse Rue. — Deveríamos tê-las perseguido até o lago dos patos!

— Isto aqui é mais importante — disse Cassie. — Temos que encontrar a Ivy antes que ela use a flauta!

— Vocês vão para a direita e eu para a esquerda — disse Rue, apontando. — Vai ser difícil ver pegadas sob todas essas folhas, e ela pode estar de vassoura; procurem sinais acima do solo também.

Cassie e Tabitha caminharam ao longo da fileira de árvores; Tabitha se agachou para analisar a grama, enquanto Cassie verificava cada azevinho e espinheiro por onde passavam em busca de sinais de que Ivy havia estado ali. Era uma maneira muito lenta, e cada minuto que passavam tentando encontrar o rastro de Ivy a levava mais para perto da Anciã Mãe.

Elas ouviram Rue triturando as folhas, na direção oposta, parando de vez em quando para analisar o solo da floresta.

— Por aqui! — gritou. — Encontrei algo.

Tabitha e Cassie voltaram atrás para se juntarem a ela. Rue estendeu a mão. Nela, havia um distintivo circular de tecido, com um chapéu de bruxa, uma escova de roupas e um ferro de passar, tudo bordado.

— É um distintivo de premiação — disse Tabitha. — De uniforme perfeito; deve ser da Ivy!

—Estava preso neste espinheiro; ela deve ter passado por aqui — disse Rue.

Juntas, vasculharam o solo, afastando pilhas de folhas acobreadas.

— Aqui! — gritou Cassie.

Rue e Tabitha correram para o lugar que Cassie indicava; era uma marquinha semicircular na lama, sem dúvida deixada pelo salto da bota de alguém.

— É melhor termos certeza — disse Tabitha. — Só teremos uma chance, e se for pegada de outra pessoa...

— Vamos — disse Rue —, quero ver essa coisa em ação.

— Tudo bem. Trouxe a sua fagulha de pedra?

Tabitha tirou um frasquinho de pó verde de seu bolso; havia buracos na tampa, como um saleiro. Ela polvilhou com cuidado a pegada e a área ao redor, certificando-se de preencher completamente a marca do calcanhar.

— Afastem-se — disse Tabitha. — Não quero que estraguem nada enquanto recito o feitiço.

Ela colocou as mãos acima da pegada e recitou com voz clara e calma:

Siga o pé, siga o pé, aonde quer que vá,
Aonde quer que vá, entre as folhas ou a argila.
A mim, a rota deste viajante diga
E ilumine um caminho que me guie já.

Ao terminar seu feitiço, Tabitha se abaixou e tirou uma única faísca da pedra de Rue. Elas prenderam a respiração quando a fagulha tocou o pó. A princípio, nada aconteceu. Até que, aos poucos, as bordas da pegada começaram a brilhar, como um pedaço de papel colocado diante da luz. O brilho queimou o pó, iluminando toda a pegada, e depois se apagou. Mas então, a outra metade da pegada apareceu, contornada por faíscas na terra compactada. Quando também desapareceu, uma segunda pegada apareceu, logo à frente delas, apontando para a floresta.

— Depressa — disse Tabitha. — Se não as acompanharmos, vamos perder as pegadas.

Seguiram as pegadas brilhantes na floresta; cada uma se iluminava e desaparecia, não importava o que houvesse por baixo.

Tiveram que correr para acompanhar o pó. Parecia que Ivy estava se deslocando a um bom ritmo. Enquanto caminhavam, Cassie se perguntava como Ivy tinha conseguido encontrar o caminho para a Anciã Mãe na escuridão, visto que não havia trilha. Foi então que ela ouviu as vozes por entre as folhas acima, como tinha ouvido no dia em que ela e Ivy estiveram ali forrageando.

— Vocês ouviram? — perguntou, segurando o ombro de Rue.

— O quê? O vento?

— Não, era uma voz... tenho certeza, dizia... *filha*.

— Não ouvi nada, Cassie — disse Tabitha. — Talvez tenha sido um pássaro. Vamos, estamos perdendo o rastro.

Correram para alcançar as pegadas brilhantes, que as levavam cada vez mais fundo na floresta, entre aveleiras e cerejeiras silvestres, sob arcos emaranhados de rosa-mosqueta e passando por poças de água parada, que enchia os buracos das raízes das árvores caídas.

Passaram por um salgueiro oco e chegaram a um córrego estreito que cortava fundo a terra, formando um canal.

— Onde está? — perguntou Rue. — Não estou vendo a próxima pegada. Tabitha estava ofegante.

— Perdemos... perdemos o rastro.

— Não, acho que não — disse Cassie. — Veja esta última pegada; os dois pés estão juntos. Ela parou por algum motivo. Ela estava com a vassoura, não estava? Deve ter decolado daqui.

— Mas por que aqui? — perguntou Rue, olhando ao redor.

— Ali! — disse Cassie, apontando para o salgueiro morto.

Esculpida na madeira acinzentada estava a runa *faru*, com sua forma de flecha emplumada apontando o caminho.

— Ela deixou marcas para si mesma, como fizemos quando estávamos procurando Ambrósio.

— Só que encontramos a wyrm da floresta — disse Tabitha, esfregando os braços e olhando para as sombras tenebrosas. — Será que ela está aqui agora?

— Ei! Ali tem outra runa — gritou Rue. — Ela deve ter passado por aqui, vamos. Nós também podemos voar, agora achamos o caminho.

Elas montaram em suas vassouras e voaram atrás de Rue, que foi serpeando entre os troncos das árvores, se abaixando sempre que passava por galhos baixos. Era um desafio voar no escuro, e Cassie estava feliz por Rue estar indo à frente, pois precisava de toda a concentração só para não cair de Galope e evitar os galhos que se mexiam.

Rue parou de repente, forçando Tabitha e Cassie a puxar suas vassouras para trás para evitar uma colisão e uma queda no meio de arbustos de mirtilo.

— *Shhh*! — disse Rue, descendo com sua vassoura e usando o sinal das bruxas para indicar que elas fizessem o mesmo.

— Que foi? — sussurrou Tabitha.

Mas Rue só sacudiu a cabeça e apontou para a frente.

Devagar, com cuidado para não fazer barulho, Cassie ficou de joelhos e espiou por cima dos arbustos. A princípio, não conseguiu ver nada que pudesse ter alarmado Rue; só os troncos finos de freixos jovens, ainda com suas sementes agarradas a seus galhos, e a névoa rastejando em torno de suas raízes. Até que viu uma sombra entre as árvores, bem onde Rue havia indicado. Era difícil de distinguir, pois não tinha contorno sólido e aparecia só uma parte mais profunda de escuridão. Cassie pensou que era apenas uma sombra lançada por alguma pedra ou árvore, mas a coisa começou a se mexer e foi flutuando na direção delas. Tinha pelo menos dois metros de altura e uma forma vaga, quase humana, mas sem rosto nem olhos.

Cassie se abaixou e puxou Tabitha; ficaram com o rosto colado nas folhas secas, torcendo desesperadamente para que aquilo não houvesse notado a presença delas.

A sombra passou sobre elas, bloqueando a luz, de modo que ficaram cegas por um instante. Cassie escondeu o rosto na dobra do cotovelo e prendeu a respiração. Uma sensação horrível, profundamente inquietante, tomou conta dela. Pensou em sua mãe, no sorriso, na risada suave dela, e sentiu a tão conhecida dor de uma ferida aberta. Lembrou-se do dia em que tinha sido deixada em Fowell House, com apenas seis anos de idade, abandonada e sozinha. Todos os anos de espera voltaram à sua memória, sufocando-a de solidão. Ela se sentiu oprimida pela desesperança, exausta, incapaz de fazer mais que levantar a cabeça. Então, a forma sombria passou por elas e se afastou, levando consigo a escuridão e o peso opressivo de sua presença.

Por fim, as três se sentaram e se entreolharam.

— O que foi aquilo? Eu mal conseguia respirar... — disse Tabitha.

— Oliver... — disse Rue. — Essa coisa me fez pensar em quando Oliver foi levado pelos duendes, quando pensei que havia sido minha culpa. O medo de que o tivéssemos perdido para sempre...

Cassie não conseguia nem expressar sua própria sensação de perda, de desespero absoluto por nunca encontrar uma maneira de salvar sua mãe. Tudo que ela sabia era que, fosse o que fosse aquela coisa, não queria encontrá-la de novo.

— Vamos — disse Rue, ajudando Tabitha a se levantar. — Precisamos alcançar Ivy, e quero ficar o mais longe possível *daquela* coisa.

Por sorte, não estavam muito longe da última runa, e Cassie logo encontrou a próxima, conduzindo-as pela floresta, que escurecia. Logo, as árvores mudaram de novo, se tornaram mais curtas e retorcidas. Já haviam deixado para trás os altos e sólidos carvalhos, faias e freixos e agora se encontravam em um bosque de árvores verde-acinzentadas e retorcidas, e o solo coberto por um tapete de hera e urtigas moribundas.

Pararam suas vassouras em uma clareira, pousando uma a uma na terra úmida.

— Não estou vendo mais runas — disse Rue.

Passaram alguns minutos procurando nas árvores, mas não encontraram nada. O solo estava úmido e as próprias árvores estavam cobertas de musgo verde e líquen. Até a névoa parecia verde.

— Devemos estar perto — disse Cassie. — Todas essas árvores são sabugueiros!

Acima delas, os galhos de cem sabugueiros se retorciam. Cada árvore tinha uma forma; umas eram cheias de galhos, outras, sinuosas, parecendo cobras, e outras, partidas ao meio por causa de seu peso ou de um raio, com seus troncos cinzentos esparramados pelo caminho.

— Deve haver mil delas! — disse Tabitha. — Como vamos encontrar a árvore da Anciã Mãe?

Cassie girou, olhando para cada árvore. Todas eram diferentes, mas nenhuma era particularmente grande ou antiga, e ela não conseguia distinguir rostos nem sinais nos troncos.

Cassie sentiu sua mão formigar; quando olhou, viu uma aranha pequena, dourada, rastejando sobre seu pulso. Afastou-a e, quando ergueu os olhos de novo, viu uma cabana pequena, verde-acinzentada como as árvores, com telhado de palha preta e uma única porta. Como não a haviam visto assim que chegaram à clareira?

— Acho que devemos entrar — disse Cassie, preparando-se para se aproximar da cabana.

— Entrar onde? — perguntou Rue.

Cassie apontou.

— Naquela casa. Ivy deve ter ido para lá. Não estou gostando da aparência dela, mas temos que detê-la antes…

— Cassie — disse Tabitha —, não há casa *nenhuma* aqui. Não há nada ali além de uma velha árvore.

— Gire, como eu fiz; não, não assim, anti-horário! — disse Cassie.

Rue e Tabitha giraram, mais e mais.

— Estou vendo três árvores — disse Rue, cambaleando um pouco —, mas nenhuma casa.

Cassie esfregou os olhos, imaginando se acaso não teria caído em algum feitiço.

— Deve ser um feitiço — disse Rue, avançando para inspecionar a árvore. Bateu ao tronco com o nó dos dedos; era sólido. — Magia de fadas. Alguém não quer que vejamos a casa, mas, por alguma razão, Cass, você consegue.

Cassie não gostava desse tipo de magia; lembrou-se do banquete no Enigma da Floresta, da comida deliciosa que havia se transformado em podridão e larvas quando o feitiço foi quebrado. Não tinha como saber o que era real: a casa ou a árvore.

— Acho que vou ter que entrar sozinha, então.

— Estaremos aqui — disse Tabitha. — Se precisar da gente, é só chamar.

Cassie respirou fundo e abriu a porta.

Capítulo 23

Hyldamor

Estava surpreendentemente claro dentro da casinha, mas Cassie não sabia dizer de onde provinha a luz. Estava em uma sala simples, com paredes e piso da mesma madeira clara. Não havia janelas, mas havia uma segunda porta no fundo da sala, verde, com desenhos espiralados e, no centro, uma mesa. Sentada à mesa, com a flauta nas mãos, estava Ivy.

— Você! — disse ela, levantando-se de um salto e apertando a flauta junto ao peito. — Você me seguiu!

— Tivemos que fazer isso, Ivy — disse Cassie. — Você não pode confiar na Anciã Mãe. Lailoken disse que sempre...

— Vá embora! Você não deveria estar aqui, vai estragar tudo! — gritou Ivy.

— Ora, ora, há o suficiente para todo mundo — disse uma voz gentil.

Cassie e Ivy se voltaram e viram uma velhinha parada no fundo da sala. Tinha cabelos brancos e ralos, como cachos de flor de sabugueiro, que se enrolavam em torno de seu rosto velho e enrugado. Na cabeça, ela usava um gorro preto e seu vestido era verde, com um avental roxo por cima. Estava segurando uma panela com alguma coisa, mas o que impressionou Cassie na aparência da mulher foram seus olhos, pequenos e escuros, sem nada de branco, e brilhantes como bagas de sabugueiro. Cassie achava que a feiticeira da árvore seria assustadora, cheia de dentes afiados e garras no lugar de dedos, e foi pega de surpresa pelos olhos brilhantes e o sorriso suave daquela vovozinha.

— Muito bem; vocês, pobrezinhas, devem estar com muita fome. Por que não se sentam?

Cassie e Ivy se sentaram à mesa. Havia tigelas de madeira diante delas. Cassie tinha certeza de que as tigelas não estavam ali quando havia entrado na casa.

Em cada tigela, a velha colocou um líquido roxo, escuro, um tanto grumoso, como uma rica sopa de beterraba – mas também, pensou Cassie, estremecendo, como sangue coagulado.

Uma colher apareceu na mão de Cassie, feita da mesma madeira cinza.

— Ah, minhas pobres órfãs — disse a mulher, acariciando o cabelo curto e escuro de Ivy. — Abandonadas no mundo para se defenderem sozinhas... Ninguém para amá-las, ninguém para cuidar de vocês, ninguém para *alimentá-las*... comam, queridas.

Cassie não se sentiu tentada por aquela coisa horrorosa e escura que havia na tigela de madeira.

— Não coma, Ivy. Ela é uma fada, você sabe que não devemos tocar...

A velha lhe lançou um olhar sombrio.

— Ora, isso não é jeito de aceitar hospitalidade. Mas você não teve uma mãe para te ensinar boas maneiras, não é? Pobrezinha.

Mas Ivy estava tão interessada na sopa quanto Cassie. Voltou-se para a velha, com a flauta na mão.

— Já está na hora? Você disse que se eu viesse no Halloween, durante a hora das bruxas...

— Sim, sim, paciência, meu docinho. Está quase na hora, não sente? — Ela se voltou para Cassie. — E você, querida, veio até aqui... também deve ter alguém que deseja ver.

— Alguém? — perguntou Cassie.

— Alguém perdido, que foi para o outro lado; alguém com quem você deseja falar de novo...

O coração de Cassie batia rápido. E se fosse verdade? E se a Anciã Mãe de fato tivesse o poder de trazer alguém de volta da Terra das Fadas? Se Cassie soprasse a flauta, sua mãe ouviria? Apareceria?

— Mas fui eu que trouxe a flauta! — disse Ivy. — É o meu desejo que você deve conceder.

— Claro, minha querida menina — disse a velha, colocando as mãos nos ombros de Ivy. — Você vai primeiro. Venha, está na hora, as velhas estradas estão abertas. Vamos experimentar minha portinha.

Elas ficaram mais uma vez em pé; a mesa, as tigelas, as colheres haviam desaparecido, e a luz, que antes era vibrante como o dia, agora se reduzia a um brilho noturno.

A Anciã Mãe pegou Ivy pela mão e a conduziu até a porta verde, que havia dobrado de tamanho. Escancarando-a, a velha se colocou de lado e Cassie e Ivy espiaram. Não havia nada do outro lado além da escuridão.

— Agora — disse a velha —, três notas, claras e limpas, como eu mostrei a você.

Ivy levou a flauta aos lábios e soprou. Uma nota aguda cortou o ar e, enquanto Cassie observava, a escuridão de trás da porta se desvaneceu e surgiu uma pálida luz púrpura cheia de pontinhos, como estrelas. Sob as estrelas, surgiu um bosque e, além do bosque, por uma abertura entre as árvores, viram colinas ondulantes, rios sinuosos e, ao longe, montanhas de uma altura impossível. As cores eram vibrantes, mais brilhantes que qualquer coisa do mundo real. A grama era mais verde, as águas, mais azuis, e o céu, iluminado por uma luz brilhante que não provinha nem da lua nem do sol.

— É mesmo... a Terra das Fadas? — perguntou Cassie, incapaz de se conter.

— Sim, minha querida — disse a Anciã Mãe, baixinho. — Terras sem sol, reino atemporal, onde é sempre verão e nunca inverno, onde ninguém nasce e ninguém pode morrer. É esse seu desejo, minha querida? Quer passar por aquela porta e se encontrar com alguém que ama?

Cassie deu um passo em direção à porta para ver melhor. Uma brisa soprou na direção delas, e nela sentiram o gosto de flores, e prata, e um tempero que Cassie não soube identificar. Música provinha das árvores. Era o canto de pássaros ou de pessoas? Ela não sabia, mas sentiu seu ânimo se levantar e seu coração doer de anseio ao mesmo tempo. Luzes de fogos--fátuos dançavam entre os troncos sombrios e a folha de uma samambaia acenava para ela, logo atrás da porta. Bastava estender a mão para tocá-la.

Ivy ergueu a flauta de novo e soprou outra nota, dessa vez mais baixa. A brisa esfriou e uma sombra atravessou a floresta na direção delas. Era uma figura alta, ainda mais alta pela coroa de chifres que se erguia em sua cabeça e, enquanto caminhava, mantos pretos esfarrapados esvoaçavam atrás dela.

— Ivy, pare! Essa não é a sua mãe — disse Cassie, que já havia visto aquela figura antes, quando o púca havia assumido a forma de seu mestre para assustá-la.

Mas Ivy estava de olhos fechados. Moveu os dedos ao longo da flauta em forma de osso e a levou aos lábios mais uma vez para tocar a nota final.

Cassie saltou e arrancou a flauta de suas mãos.

— Ei! — gritou Ivy. — Devolva isso!

Alguém riu. Era uma risada jovial, quente e leve, e ecoou dentro da salinha de madeira.

O Rei Elfo estava parado do outro lado da porta. Sua forma alta lançou uma longa sombra sobre elas; a estranha luz da Terra das Fadas delineou os dentes de sua máscara de caveira de cervo. Cassie deu um passo para trás, puxando Ivy.

— Quem é você? — perguntou Ivy. — Você é o ser que amaldiçoou a minha mãe?

Elas não viam seu rosto nem suas mãos; ele estava completamente obscurecido por uma máscara e os mantos.

— Ora, esta cena me é familiar — disse o Rei Elfo, com uma voz mais suave e mais jovial do que Cassie esperava. — Curioso como os eventos se repetem em seu mundo, não? Os anos se sucedem como as páginas de um livro e, mais uma vez, encontro duas amigas, uma loira e outra morena, que vieram buscar a bênção da Anciã Mãe para entrar em um mundo proibido aos mortais.

— Não somos amigas — sibilou Ivy.

— Ah, mas as mães de vocês eram. Elas vieram ao bosque de Hyldamor… deve ter sido há mais de sete anos de sua época.

— Vieram? Mas por quê? — perguntou Cassie, ainda segurando a flauta.

No fundo de sua cabeça, uma voz que parecia muito com a de Montéquio a advertia para não falar com o Rei Elfo, para não acreditar em uma palavra do que ele dissesse. Mas ela a ignorou. Cassie precisava saber o que havia acontecido naquela noite e, até aquele momento, ninguém lhe havia contado.

— Elas vieram, assim como vocês, para convocar alguém que estava perdido para as duas, só que não é bem assim que a mágica funciona. Sua mãe, Cassandra Morgan, viu o que havia perdido, mas não poderia alcançá-lo se não passasse pela porta. A tentação foi grande demais; ela sempre foi uma criatura impulsiva. Ela o viu onde estou agora, seu verdadeiro amor, depois de tantos anos, ainda vivo e esperando…

Cassie deu um passo em direção à porta. Acaso ele estava falando a verdade? Foi de fato por isso que sua mãe havia atravessado para a Terra das Fadas? Para resgatar o homem que ela amava? E poderia ser…

— Meu pai? — perguntou Cassie.

O Rei Elfo ignorou sua pergunta.

— Você tem a flauta; basta tocar uma única nota e você mesma poderá encontrá-la. Pode atravessar o limiar, como ela fez, e recuperar o que perdeu: amor, família, a verdade sobre quem você é.

Cassie olhou para a flauta que tinha nas mãos. A porta estava aberta diante dela, exatamente como tinha ansiado encontrá-la; não precisava da permissão de sua tia nem da ajuda de Lailoken. Poderia simplesmente passar, fácil como respirar. Era tudo que ela queria desde que havia chegado a Hedgely, desde que soube aonde sua mãe havia ido: segui-la, encontrá-la e tê-la de volta. No entanto, ela não era a mesma menina; o verão a havia mudado e ela tinha crescido mais nos últimos seis meses que em todos os sete longos anos anteriores. Ela tinha Tabitha e Rue a esperando na floresta, e Miranda, a sra. Briggs, Brogan e Montéquio. Tinha um lar e um *coven*, e ao abrir o caminho, ao deixar o Rei Elfo passar, poria todos eles em risco. Ela poderia ter tudo que desejava, sim, mas a que custo? Cassie recordou as palavras de Lailoken: *Como acontece com a maioria das coisas neste mundo, quem segue o caminho mais fácil paga o preço mais alto.*

Cassie ergueu a flauta com as duas mãos e a quebrou ao meio.

— Não! — gritou Ivy, pegando as metades partidas. — O que foi que você fez?

— Uma péssima escolha — disse o Rei Elfo. Cassie percebeu uma mudança na voz dele. Foi-se o humor leve, a cadência alegre. Agora, havia gelo em suas palavras. — Grandes magias sempre exigem um sacrifício. Sua mãe era mais forte, abriu mão da própria filha, abandonando-a neste mundo sem saber quem era, sempre acreditando que a mãe um dia voltaria, esperando, esperando...

— Pare com isso! — disse Cassie, tampando os ouvidos.

— E a minha mãe? O que aconteceu com a minha mãe? — perguntou Ivy.

— Sua mãe não está na Terra das Fadas, criança; ela está aqui, nesta floresta. Em cada folha e raiz. Não tema, em breve vocês estarão com ela; as duas.

— Mas não entendo, como...

— Vamos, Ivy — disse Cassie, estendendo a mão para ela de novo. — Ele não pode passar. Vamos, antes que...

Mas quando se voltou para a primeira porta, pela qual elas haviam entrado, encontrou apenas um nó tosco de madeira.

O Rei Elfo riu de novo.

— Eu esperava aproveitar esta porta, é verdade. E dei uma quantia generosa à porteira pelo serviço: duas jovens órfãs de mãe. A refeição favorita dela. Ela terá um grande banquete de Halloween esta noite.

Cassie olhou em volta, mas a velhinha tinha desaparecido; havia apenas a árvore, a porta e Ivy, encolhida e assustada.

— Esta é apenas uma das velhas estradas — disse o Rei Elfo. — Em breve, terei o controle de outra, assim que o cão de guarda for abatido. Minha criada quase encontrou a ferramenta de que preciso. Na verdade, acabei de encontrar o assistente perfeito.

A lança, pensou Cassie. Ele estava falando sobre a lança.

— Adeus, Cassandra, darei lembranças suas a Rose.

O Rei Elfo recuou para as sombras da floresta e a visão da Terra das Fadas foi escurecendo, desaparecendo, até se dissolver por completo e as colinas verdes, o céu roxo e a máscara branca do próprio Rei Elfo sumirem.

Ivy correu para a porta, estendendo a mão para ela. Mas a porta verde se fechou na cara dela e começou a encolher, desaparecendo na moldura da madeira.

— O que foi que você fez? — disse ela, voltando-se para Cassie com fúria nos olhos. — Era minha última chance de trazê-la de volta, de ver minha mãe de novo. Você, mais que todo mundo, deveria entender!

— Eu entendo — disse Cassie. — Já cometi o mesmo erro; confiei em um deles, arrisquei tudo para trazer minha mãe de volta. Mas, Ivy, nunca é tão fácil, sempre há um preço.

— Fácil? Acha que tudo isto foi fácil? Encontrei a árvore da Anciã Mãe, roubei a flauta, acha que foi fácil? Ao contrário de você, eu não saio por aí quebrando as regras só por diversão!

— Foi uma armação, Ivy, não está vendo? E agora, estamos presas dentro desta casa e...

Mas, ao olhar em volta, viu que não era mais uma casa, e sim o oco de uma árvore. O piso era de folhas mofadas e o teto havia desaparecido, sendo substituído por uma cavidade escura e estreita que se estendia bem acima delas. As duas portas haviam sumido; não havia como entrar ou sair.

Cassie correu para a lateral mais próxima e bateu na madeira.

— Rue, Tabitha! — gritou. — Não podemos sair! — Ela encostou o ouvido na madeira, mas nenhum som retornou, só o gemido da própria árvore, enquanto o vento soprava pelos galhos lá no alto. Ivy se sentou no chão e abraçou os joelhos.

— Temos que encontrar uma saída — disse Cassie. — Está com sua faca? Mas Ivy a ignorou.

— Não adianta, vão levá-la... não há mais a fazer.

Cassie tirou seu canivete do bolso e o inseriu em uma rachadura no tronco da árvore. Algo molhado escorreu sobre sua mão, e a madeira gemeu e rangeu. Cassie tentou de novo, forçando o canivete para fazer um corte mais profundo, desesperada para fazer sua própria porta onde a outra havia desaparecido. A árvore gemeu de novo e seu canivete ficou preso na madeira. Ela o puxou, mas não saiu.

O que mais ela poderia tentar? Um feitiço para quebrar a magia? Mas ela tinha certeza de que a casa era o feitiço e que a árvore oca onde se encontravam presas era real.

— Rue! — gritou de novo. — Tabitha! Estamos aqui!

Mas mesmo que suas amigas a ouvissem, havia pouco que pudessem fazer do lado de fora. Talvez já houvessem ido embora. Talvez tivessem ido buscar a Bruxa da Floresta ou um machado para derrubar a árvore. Um machado, era isso!

Cassie tateou os bolsos de sua capa até encontrar um objeto de madeira que cabia na palma de sua mão – o apito de rouxinol que Lailoken lhe havia dado, com as asas flexionadas, como se estivesse em pleno voo e o bico aberto. Ela o levou aos lábios e soprou pela ponta da cauda. Ele soltou um trinado alto e doce, bem diferente das notas profundas e misteriosas da antiga flauta. Ela soprou de novo.

Ela só podia torcer para que o som chegasse ao homem-selvagem.

— Não faz sentido. Minha mãe... por que ela veio para cá? — perguntou Ivy.

Cassie se sentou nas folhas ao seu lado.

— Se o que o Rei Elfo disse for verdade, Tamsin deve ser a amiga que minha mãe mencionou na carta, que se ofereceu para ajudá-la a chegar à Terra das Fadas. Tenho certeza de que ela pensou que estava fazendo o que era certo. Ela não devia saber o preço...

— É tudo culpa sua, Cassie Morgan! Sua mãe era tão egoísta quanto você, e agora, a minha mãe está... está...

— Ainda deve haver uma maneira de ajudá-la, vamos continuar procurando — disse Cassie.

— Não me toque!

— Eu não toquei — respondeu Cassie.

Mas quando disse isso, sentiu uma pressão nas costas. Era o tronco da árvore. Enquanto elas conversavam, sentadas no escuro, as paredes de madeira foram encolhendo sobre elas. Cassie estendeu as mãos, tocando na madeira lascada e molhada. Estava sendo espremida contra Ivy. Elas não podiam ver e nem se mexer. A árvore gemia, um som sinistro que ecoava. Logo também não conseguiriam mais respirar.

— Rue! Tabitha! — gritou Cassie, batendo os punhos na madeira.

Mas seus gritos foram absorvidos pelo denso alburno da árvore.

Capítulo 24

Uma maca para Sebastian

Houve um estalo ensurdecedor. As duas deram um pulo. O som voltou e a árvore tremeu inteira e gemeu sob o impacto. Um terceiro golpe deixou uma fina faixa de luz entrar, mas foi logo bloqueada por meio rosto, que olhava para elas.

— Elas estão bem! Estou vendo! — gritou Rue.

— Afaste-se — disse outra voz, quente e seca como casca de árvore.

Outro estalo ensurdecedor reverberou pela madeira e, por fim, elas viram o mundo exterior mais uma vez quando a luz inundou a câmara escura. Rue estendeu sua mãozinha morena e Cassie a pegou. Teve que se contorcer para sair pela fenda, e seu cabelo e capa ficaram enroscados na madeira lascada, enquanto Rue a puxava para um lugar seguro. A seguir, foi a vez de Ivy; mas ela recusou a ajuda, saiu sozinha e ficou longe delas, de braços cruzados e carrancuda.

— Tudo bem, Cass? — perguntou Rue. — Você deixou a gente preocupada.

— Você ficou dentro dessa árvore por horas! — disse Tabitha. — Não sabíamos o que estava acontecendo. Estávamos indo buscar a Bruxa da Floresta quando ouvimos o seu apito. Está machucada?

— Não, acho que estou bem... — Ela olhou para a flauta quebrada que ainda segurava na mão.

Lailoken estava ali, com o machado de pedra na mão e uma profunda carranca no rosto. Não estava olhando para as meninas que tinha acabado de resgatar, e sim para a árvore partida, que havia ficado em um estado lastimável, com seu grande tronco rasgado.

— A Anciã Mãe está morta? — perguntou Cassie.

— Alguém como ela não desaparece tão facilmente, nem está presa a uma única árvore. Vejam.

Ele apontou para o corte de onde as meninas haviam saído e Cassie viu uma coisa brilhante e dourada. Aproximou-se e viu que a borda dourada era composta por milhares de aranhas amarelas minúsculas. Uma a uma, elas lançaram um fio de seda e se soltaram da árvore, pairando no ar.

— Venham — disse o homem-selvagem. — O perigo ainda não passou, pois ainda é uma das noites finas e os humanos não deveriam estar na floresta. Vou levar vocês para casa.

Cassie, Rue e Tabitha seguiram de perto o homem-selvagem; Ivy seguia atrás, olhando para o chão. O vento tinha soprado a névoa como teias de aranha e agitava os galhos, provocando uma chuva de folhas marrons e amarelas. Lailoken as conduziu por um caminho estreito, deixando o bosque de sabugueiros para trás e serpenteando entre os reconfortantes troncos de carvalho e bétula, sorveira e freixo.

Enquanto caminhavam, Cassie contou a Tabitha e Rue o que haviam testemunhado dentro da árvore da Anciã Mãe.

— Quer dizer que você conheceu o Rei Elfo, Cass? Em carne e... ou em osso e... sei lá? — perguntou Rue, erguendo as sobrancelhas.

— O que ele disse? — perguntou Tabitha.

— Muitas coisas. Ele está quase encontrando a lança, disse alguma coisa sobre outra das velhas estradas e matar um cão de guarda.

— Galtres — disse Lailoken. — É possível que ele pretenda destruí-la.

— Não é possível — disse Tabitha. — Ela é a última de sua espécie. Se ele a matar...

— Ele poderá entrar com um exército de duendes na próxima Noite de Travessia, e assim, controlar o Enigma da Floresta e a fronteira.

Cassie, Rue e Tabitha caminhavam em silêncio, pensando nessa possibilidade.

— Ele disse outra coisa — disse Cassie —, sobre a minha mãe e a de Ivy. Elas vieram juntas, há sete anos, pedir ajuda à Anciã Mãe.

— Uma mulher — disse Lailoken. — Encontrei uma mulher não muito longe do bosque antigo, sete invernos passados, dormindo como se nunca fosse acordar. Eu a deixei na fronteira da floresta, à vista de seu vilarejo. Ela ainda vive?

— Você encontrou Tamsin? — perguntou Cassie. — Você ouviu isso, Ivy...

— Silêncio! — disse o homem-selvagem, levantando a mão escura. — Alguém está vindo.

As quatro apuraram os ouvidos para ouvir o que Lailoken havia escutado. Cassie pensou na sombra que encontraram antes e estremeceu.

A princípio, não ouviram nada. Então, houve um leve estalido e o som de um galho quebrado. Todas viraram a cabeça ao mesmo tempo em direção ao barulho.

Duas figuras emergiram da escuridão. À frente estava uma mulher alta de cabelos escuros, com um longo manto preto, caminhando em silêncio como Lailoken. Eles nunca a teriam ouvido, não fosse pela outra figura, tropeçando atrás da primeira com uma capa amarela e longos cabelos soprados pelo vento, fazendo barulho com seus braceletes.

— Tenho certeza de que não foram tão longe — disse Aoife Early.

— Elas não precisam ir muito longe para arranjar problemas, srta. Early, e espero que não tenha *incentivado* o comportamento imprudente delas.

A Bruxa da Floresta parou ao ver Lailoken e as meninas. Montéquio estava com ela, assim como o próprio familiar de Miranda, o gato preto Malkin.

— Olá, Bruxa da Floresta — disse o homem-selvagem. — Como vê, nenhum mal aconteceu com suas jovens pupilas. Mas acho que aprenderam uma lição esta noite sobre feiticeiras das árvores.

— Olá, Lailoken — disse Miranda. — Feiticeiras das árvores, é? Para que passar uma Noite de Travessia em casa, se podem estar aqui, arriscando a vida e a integridade física de vocês, não é?

— A gente só estava tentando deter a Ivy — disse Rue.

— Ivy? O que deu em você para se envolver nisso tudo? Pensei que pelo menos você teria o bom senso de evitar essa travessura. Mas ouvirei a história completa quando estivermos em segurança em Hartwood. Vejo que vocês quatro estão relativamente ilesas, mas onde está Sebastian?

— Sebastian? — perguntou Cassie, com Montéquio se enroscando entre suas pernas.

— Ele está desaparecido há horas, pensamos que estava com vocês! — disse Aoife.

— Não o vejo desde a festa — disse Cassie.

Só então ela se lembrou de uma promessa que havia quebrado involuntariamente: levar Sebastian da próxima vez que fossem à Floresta.

— Ele veio por aqui — disse Montéquio, trotando à frente deles com o rabo erguido como uma bandeira. — O menino ficou andando por aí como um piolho tonto, mas meus bigodes indicam que estava indo mais fundo na floresta.

Tinha sido Montéquio quem encontrou Cassie em Londres – parecia que havia se passado uma vida desde então. Ele sempre conseguiria encontrar um Morgan, como havia explicado, e ela supôs que, embora Sebastian fosse tecnicamente um Penhallow, ainda contava como um membro da família. Se já fazia horas que ele estava na Floresta, poderia ter encontrado duendes sequestradores, um wyrm da floresta ou coisa pior. Se alguma coisa acontecesse com seu primo, seria culpa de Cassie; pelo menos a Bruxa da Floresta pensaria assim. E talvez ela tivesse razão. Cassie havia prometido levar Sebastian em sua próxima excursão à Floresta, mas se referira a colher cogumelos ou pegar diabretes, não a ir atrás de Ivy para impedir que ela tentasse resgatar a mãe da Terra das Fadas. Mesmo assim, Sebastian não veria dessa forma e ela deveria ter ido falar com ele primeiro. Se houvesse tido mais tempo, teria explicado e talvez impedido que ele as seguisse. Não havia como alcançá-las depois que elas montaram nas vassouras, e agora ele estava perdido e sozinho em algum lugar nas profundezas da floresta.

Lailoken se despediu e deixou as meninas com Miranda e Aoife, avisando-lhes para não se aproximarem do Enigma da Floresta naquela noite. Cassie, Rue e Tabitha seguiram Montéquio, com a Bruxa da Floresta, Aoife e Ivy logo atrás.

O vento chicoteava seus cabelos e fazia suas capas esvoaçarem. A Bruxa da Floresta não queria que chamassem Sebastian por medo de atrair atenção indesejada, mas tinha na mão uma luminária de fada para avisá-las sobre qualquer presença mágica. Cassie observava o rosto de sua tia iluminado pela chama azul; observou os galhos escuros e a mata ao redor. Era uma Noite de Travessia e todas as criaturas da Floresta estariam à solta.

Montéquio parou onde o caminho se dividia em dois e farejou.

— Você o perdeu? — perguntou Cassie, agachando-se ao lado de seu familiar.

Montéquio bufou.

— Francamente, Cassandra, estou ofendido com essa observação. Você deveria ter um pouco mais de fé nas minhas habilidades. Eu estava apenas confirmando meu instinto natural com a faculdade da razão, e faria bem se você a cultivasse. O menino acabou de passar por aqui. Se usasse seus olhos, não precisaria que eu dissesse qual caminho ele escolheu.

A camada de folhas era grossa demais para manter as marcas de sapatos, e elas estavam sem o pó Seguidor de Pegadas. Mas quando Cassie olhou para as árvores jovens que margeavam cada caminho, viu que as da esquerda estavam machucadas, com galhos dobrados, quebrados ou pisoteados, e um jovem broto jazia esmagado. Quem havia passado por ali não sabia como se locomover pela floresta com cuidado e muito provavelmente estava fugindo de alguma coisa.

A trilha os levou morro abaixo, até uma pequena valeta cercada por raízes de árvores. Caído no fundo da serrapilheira estava o primo de Cassandra. Seus olhos estavam fechados e ele não se mexia.

— Sebastian! — gritou Cassie, ignorando o aviso da Bruxa da Floresta.

Tabitha passou por ela, correu para Sebastian e tentou sentir o pulso do menino.

— Está vivo — gritou, e Cassie soltou o ar que estava segurando. — Mas inconsciente; deve ter batido a cabeça.

Cassie e Rue se juntaram a ela. Havia sangue no braço de Sebastian, que estava arranhado e machucado, e o ângulo de seu tornozelo estava todo errado. Mas pelo menos ele estava respirando.

Aoife se agachou e pôs a mão no braço do menino.

— Ele está muito frio, temos que levá-lo de volta para Hartwood e cuidar dele lá.

— Mas como? — perguntou Tabitha. — Não podemos levantá-lo, ele pode ter quebrado alguma coisa. E se teve uma concussão?

— Cassandra, Rue, coloquem suas vassouras ao lado dele.

Seguindo as instruções da Bruxa da Floresta, eles construíram uma maca, amarrando o longo manto de Miranda entre as duas vassouras, onde colocaram o menino inconsciente com muito cuidado. Todas colocaram suas capas sobre ele para aquecê-lo e, segurando as vassouras, o levantaram. Com Galope de um lado e Labareda do outro, a maca suportava o peso de Sebastian.

Formaram uma procissão estranha no caminho de volta para Hedgely, com a Bruxa da Floresta à frente, com sua lamparina erguida, seguida por Ivy, abatida, e Cassie e Rue guiando a maca e Tabitha não parava de observar Sebastian. Aoife seguia atrás, olhando tudo como se estivessem dando um agradável passeio na floresta.

De volta a Hartwood, o salão de festas estava silencioso; não havia mais convidados, todos tinham voltado para suas casas e camas. As mesas ainda estavam cheias de travessas com restos de comida, copos usados e velas apagadas.

— Pelos meus gansos! — gritou a sra. Briggs, correndo para eles. — Me deem o menino. Tabitha, há água quente no fogão, eu ia começar a lavar a louça. Traga a chaleira para mim; Rue, veja se você consegue encontrar umas toalhas limpas.

Ela tirou Sebastian da maca, como se ele não pesasse mais que um pão, e o carregou escada acima até o quarto dele.

Miranda se voltou para Cassie e Ivy, que estavam diante dela com o olhar baixo.

— Agora, vocês duas vão me contar o que aconteceu esta noite, em *detalhes*.

Cassie olhou para o rosto taciturno de Ivy e suspirou. Ela teria que explicar, não havia como evitar.

Ela descreveu tudo, desde o momento em que encontraram o rastro de Ivy até Hyldamor, o Rei Elfo e o resgate graças a Lailoken. Cassie tentou ser justa, pois entendia por que Ivy havia roubado a flauta. Mas, de qualquer maneira, Ivy não ficou bem na fita.

— Me mostrem seus pulsos — disse Miranda. — As duas.

Elas estenderam as mãos; Cassie se assustou ao ver que tinham marcas vermelhas iguais na pele, embora as de Ivy tivessem começado a desaparecer.

— Picadas de aranha-tecelã-de-sonhos — disse Miranda, procurando em sua capa um frasquinho de prata. — Bebam um bom gole disto.

Cassie tomou um gole da poção, que tinha gosto de ervas amargas e carvão, e a entregou a Ivy para fazer o mesmo.

— Por isso só vocês duas puderam ver a casa da Anciã Mãe. Ela usa as aranhas para atrair suas vítimas. O veneno não é fatal, mas tem um efeito sutil na mente, aumentando os sonhos e a vontade de realizá-los, obscurecendo a linha entre a verdade e a realidade. Desconfio que você não tem dormido bem, Ivy.

Ivy sacudiu a cabeça.

— Ela me mostrava minha mãe nos sonhos...

— É um feitiço poderoso, que se alimenta das emoções e desejos da pessoa, mas não rouba seu livre-arbítrio. As escolhas que você fez colocaram a segurança de todo o vilarejo, de todo o país, em risco. Uma bruxa tem que aprender a pensar nas necessidades dos outros antes das suas próprias.

— Mas, Bruxa da Floresta...

— Tenho certeza de que achava que estava fazendo o certo por sua mãe, mas o fato é que você roubou um item mágico e o usou para tentar abrir um caminho para a Terra das Fadas. Se houvesse conseguido, quem sabe o que poderia ter deixado passar? Seu comportamento mostra um julgamento extremamente pobre e, se fosse uma bruxa graduada, a Assembleia das Bruxas julgaria você por quebra de juramento. Você está suspensa do *coven* e não participará da peça do solstício de inverno.

Ivy ficou atordoada. Não disse nada, apenas ficou olhando para a Bruxa da Floresta como se houvesse levado um soco. Ivy, a bruxa perfeita que nunca errava, que tinha passado em todos os testes e provas com louvor, que era muitas vezes elogiada e considerada um exemplo pela Bruxa da Floresta, agora era forçada a aceitar sua punição.

— Brogan está esperando na estrada, ele vai levar você para casa — disse a Bruxa da Floresta, dispensando Ivy. — Cassandra, você deveria ter me procurado no instante em que suspeitou que Ivy planejava usar a flauta.

Cassie baixou a cabeça, esperando sua punição.

— Mas apesar dos riscos desnecessários que você e sua patrulha correram hoje, fez bem em resistir ao que a Anciã Mãe ofereceu. Fico feliz por ver que você aprendeu pelo menos isso com seus encontros anteriores com o povo da Terra das Fadas.

Cassie levantou a cabeça e olhou para a tia. Tinha ouvido direito? Sua tia estava mesmo impressionada com suas ações? Era difícil ter certeza.

— Conversaremos mais sobre isso pela manhã. Agora, descanse um pouco.

Com a cabeça, a Bruxa da Floresta indicou a escada que espiralava ao redor da árvore Hartwood e observou Cassie subir. A menina sentiu o cansaço a dominar, transformando cada passo em um grande esforço.

— Ah, e, Cassandra — disse a Bruxa da Floresta quando a menina estava na metade do caminho. — Parece que agora há um papel sobrando na peça do solstício de inverno. Você interpretará Morgana.

Capítulo 25

O sótão

Sebastian acordou ao amanhecer, poucas horas depois de ter sido resgatado da Floresta, mas estava fraco e atormentado por calafrios constantes. Tabitha havia feito um cataplasma com ervas frescas: folhas de bananeira, calêndula e *Stachys*, para ajudar a curar o braço dele. Ela ensinou Cassie a trocá-lo todos os dias. A sra. Briggs também cuidava de Sebastian, levava ensopados para ele e grandes quantidades de chá de hortelã.

Miranda havia mandado um diabrete a Elliot lhe pedindo para buscar Sebastian e tinha recebido uma mensagem explicando que o irmão não poderia ir antes do sábado da semana seguinte, de modo que seu filho teria que ficar sob os cuidados dela por mais dez dias. Cassie ficou imaginando o que estaria mantendo o tio tão ocupado que não conseguia encontrar tempo para ficar ao lado de Sebastian. Ela tinha certeza de que a presença dele faria toda a diferença.

— Ele vai ficar bem logo — disse a sra. Briggs. — Na minha opinião, ele só precisa de boa comida e boa companhia.

Na noite seguinte, a governanta pediu a Cassie para levar a Sebastian uma tigela de sopa cremosa de abóbora polvilhada com salsa. A menina deixou a bandeja ao lado da cama e disse:

— Você precisa tentar comer alguma coisa. Precisa estar bem para poder voltar para casa com o tio Elliot.

Mas seu primo ficou olhando para o teto, com uma expressão vazia. Mal tinha dito uma palavra desde que havia acordado, e não contou a ninguém o que havia acontecido na floresta.

Cassie tentou ler para Sebastian, tanto das revistas de ciências dele quanto dos seus livros de histórias, mas ele não prestava muita atenção a nenhum dos dois. Por fim, ela pegou seu roteiro amassado e começou a ler as falas. Ela tinha muitas agora que ia interpretar o papel principal.

— O wyrm foi banido — leu —, mas o senhor não nos deixará. Tenho aqui uma poção muito potente, de raiz de urtiga e vinho de mel, *melilotus* doce e *aquilegia*. Tome um gole e sua força e poder serão restaurados.

Cassie ergueu os olhos, esperando algum comentário de seu primo sobre a poção. Mas ele continuou ali, com olhos vagos. Ela pulou as falas de Rue e continuou:

— Levante-se, senhor cavaleiro, e pegue sua espada e lança mais uma vez!

Sebastian se sentou de repente e voltou para ela um olhar de intenso interesse, que havia substituído sua expressão apática.

— O tesouro, você o encontrou? — perguntou.

Surpresa com essa mudança repentina no comportamento do primo, Cassie sacudiu a cabeça.

— Não, não tivemos muito tempo para procurar semana passada, por causa da Ivy e da flauta. A propósito, o policial Griffiths veio se desculpar por ter acusado você. Tia Miranda explicou o que aconteceu e ele contou para todo mundo; seu nome está limpo.

Sebastian sacudiu a cabeça, como se nada disso importasse.

— Então você não descobriu nada?

Era a primeira vez que o primo demonstrava ânimo desde o Halloween; um rubor saudável voltou às suas bochechas e seus olhos estavam brilhantes e ansiosos. Talvez se ela houvesse incluído Sebastian na busca pela lança, levando-o em sua expedição, ele teria sido mais feliz em Hedgely. Ao tentar protegê-lo dos perigos da Floresta, ela também o havia afastado, privando-o de toda a emoção que ele tanto desejava. Talvez essa fosse a chance de eles recomeçarem e, embora ele não fosse bruxo, era inteligente, e ideias novas poderiam ajudar. Então, Cassie lhe contou tudo que sabia sobre o diário de Toby, Sir Egad e Galtres e o destino mortal que aguardava quem tocasse a lança.

— Se essa bruxa Nimue foi a última a ter a lança, e ela viveu há centenas de anos, isso limita um pouco as coisas — disse Sebastian assim que ela terminou de contar. — Não deve haver muitos lugares em Hedgely que já existam há tanto tempo, não é?

— Hartwood Hall existe — disse Cassie. — A sra. Briggs disse que tem quase oitocentos anos.

— Então, é por aqui que devemos começar. Me passa essa calça, por favor. Minha lanterna está no bolso.

— Quer começar a procurar agora? — perguntou Cassie, meio surpresa com a recuperação repentina dele.

— Não há tempo melhor que o presente — disse Sebastian, sorrindo.

— Prestem atenção, crianças, falta um degrau — disse a sra. Briggs, olhando para Cassie por um buraco no teto.

Cassie nunca havia estado no sótão de Hartwood, e levaram quase uma hora para encontrar a entrada – atrás de uma tapeçaria de unicórnio, no fim de um corredor no terceiro andar.

— Antes, era possível subir aqui passando por uma porta escondida no banheiro preto e branco — a sra. Briggs havia explicado. — Mas faz meses que não consigo encontrá-la.

Cassie subiu a escada, que rangeu, ameaçadora, e logo se viu em um espaço cavernoso com um telhado inclinado formado por pesadas vigas de carvalho. Sebastian subiu atrás dela.

Cada superfície estava coberta por uma fina camada de pó mágico, que brilhava de leve à penumbra. Cassie levantou seu castiçal, iluminando formas cobertas por lençóis.

O sótão estava cheio de coisas velhas e indesejadas, detritos de séculos de Bruxas da Floresta e suas famílias. Havia caixas de livros, caixotes de velhos amuletos, ervas ressecadas que se transformavam em pó ao toque, móveis cobertos por lençóis acinzentados como múmias, um cavalo de balanço careca, raquetes de tênis, vassouras velhas, um chapéu de bruxa com uma enorme fivela de prata, garrafas escuras lacradas com cera e pilhas de caldeirões enferrujados.

— O que... o que é aquilo! — gritou Sebastian, apontando para a cabeça peluda de um canino, que os observava das sombras.

— A fera de Tynton Moor — explicou a sra. Briggs. — A tataravó de vocês, Constance Morgan, o pegou. Todos achavam que era um cão espectral, mas o coitado era só um lobo fugido do circo. Ela ficou com ele como animal de estimação durante vinte anos, e o empalhou quando morreu. Eu também me assustava com ele de vez em quando, foi por isso que o trouxe para cá.

— Há quanto tempo trabalha em Hartwood, sra. Briggs? — perguntou Cassie, tossindo por causa de uma nuvem de poeira.

A governanta sempre falava como se houvesse conhecido cada Bruxa da Floresta pessoalmente, mas talvez só houvesse ouvido histórias sobre elas.

— Vou completar seiscentos e vinte anos agora, querida. Cuidado com os pregos soltos! Pedi para o Brogan martelá-los no outono passado, mas pelo visto ele esqueceu.

Cassie parou e olhou para ela.

— Mas isso é impossível! Isso significaria que você...

— Uma mulher nunca diz a sua idade, mas, sim, eu trabalhei para algumas Bruxas da Floresta ao longo dos anos. Mas ainda sou novinha comparada a Brogan.

Cassie sempre havia achado que a sra. Briggs e Brogan eram humanos, como ela. Eles podiam ser meio excêntricos, mas nunca os tinha visto fazer algo mágico.

A sra. Briggs riu.

— Então, o que queriam daqui? Trajes para a peça do solstício de inverno? Tenho certeza de que há uma caixa com roupas velhas em algum lugar.

— Ah, sim — disse Cassie, olhando de soslaio para Sebastian.

Eles haviam vasculhado a casa de cima a baixo durante a semana toda e não encontraram nada que sugerisse que a lança estivesse escondida em Hartwood. O sótão era o último lugar em que pensaram em procurar.

Sebastian estava inspecionando as vigas que corriam pelo chão, cutucando os cantos com sua lanterna de bolso e um velho guarda-chuva.

— Ah, aqui está! — disse a sra. Briggs, abrindo a tampa de um baú de madeira e liberando uma nuvem de poeira e teias de aranha.

Cassie aproximou a vela para ver o que a governanta havia encontrado. Dentro do baú, havia pilhas de veludo, seda e rendas, chapéus e sapatos velhos e o que parecia ser uma espada bastante real. Havia um vestido de seda prateada iridescente que serviria para Tabitha em seu papel de rainha das fadas, e um chapéu com uma pena que ficaria bem elegante em Rue. Um vestido simples de veludo verde com mangas compridas lhe pareceu perfeito para Morgana. Cassie o colocou diante do corpo para ver se serviria.

— Veja, aqui há algumas coisas antigas da sua mãe. Sua tia me mandou trazer tudo para cá quando Rose foi embora.

Cassie quase tropeçou no vestido longo em sua ânsia de ver o que a sra. Briggs havia encontrado. Era um baú robusto, do tipo que as pessoas usavam em navios a vapor, com as iniciais R. M. pintadas na tampa. Com reverência, Cassie o abriu. Muito bem dobradas estavam roupas velhas – lindos vestidos de verão, grossos suéteres de lã e uma capa de bruxa desbotada e um pouco carcomida. Cassie foi tirando tudo.

Bem no fundo do baú havia uma lata de biscoitos enferrujada. Cassie a abriu. Dentro, havia dois pares de luvas cinza e um monte de papéis – velhos recortes de jornais, recibos e páginas rasgadas de um caderno, rabiscadas com uma caligrafia que lhe pareceu extraordinariamente familiar. Enquanto Cassie folheava os papéis, uma foto escapou. Era de um jovem de óculos e cabelo loiro arrepiado em todas as direções.

— Sra. Briggs, quem é? — perguntou Cassie, segurando a foto desbotada contra a luz.

— Ora, não vejo esse rosto há muitos anos. Esse é o jovem Toby Harper, ele era amigo da sua mãe, há muito tempo. Perdeu-se na Floresta quando veio pela primeira vez para Hedgely; a patrulha da sua mãe o resgatou. Que interessante você encontrar isso nas coisas da Rose...

Isso significava que as páginas... ela começou a lê-las. Havia esboços também. Era a parte que faltava do caderno de Toby!

— Isso deve servir para a peça — disse a sra. Briggs. — Vou deixar vocês aqui, peguem o que quiserem e guardem o resto de volta. Tenho uma torta de pera no forno, é melhor eu dar uma olhada antes que queime!

Enquanto a sra. Briggs descia a escada, Cassie chamou Sebastian e lhe mostrou as páginas.

— Esta é a letra de Toby, e as datas batem também.

— O que diz? — perguntou Sebastian, agachando-se ao seu lado.

Cassie segurou o papel à luz da vela e leu em voz alta:

Quando comecei a procurar a lança, não tinha conhecimento real do que era ou o que havia feito no passado para quem a tinha possuído. Agora entendo muito bem. A lança não é um tesouro da era dos cavaleiros, não é algo para se exibir em um museu ou impressionar a Bruxa da Floresta – é apenas a morte, fria, dura e real. Não pertence ao nosso mundo, e sim ao outro, e nunca deveríamos tê-la procurado.

É pensar no que poderia ter acontecido, se não fosse a familiar de Rose... agora temos que viver com o que fizemos. Hoje à noite enterraremos Maeve, e com ela todas as malditas pistas da localização da lança. Amanhã, destruirei a placa que nos guiou até lá. Rose acha que estou indo longe demais, mas não posso arriscar que mais alguém a encontre.

Cassie passou o dedo sobre a frase final.

— Então, eles encontraram a lança, afinal!

— E depois destruíram todas as provas? Que idiotas! — disse Sebastian.

— Parece que eles tiveram um bom motivo. Maeve deve ter sido familiar da minha mãe, que morreu para protegê-los da lança...

Cassie pensou em Montéquio; ele era bem rabugento, mas sua garganta doía só de pensar em perdê-lo.

— O que é isso aí, rabiscado embaixo? — perguntou Sebastian.

Cassie olhou para uns rabiscos a lápis na lateral de uma página.

— São runas mágicas. Toby não era bruxo... minha mãe deve ter escrito isso.

— O que significam?

Cassie sacudiu a cabeça.

— Não são letras, não formam uma palavra. É mais complicado. Essas três são Swef, Tungil e Wyrm; o sonho, as estrelas e a serpente. Mas podem significar todo tipo de coisas, dependendo do uso.

— Então, é um feitiço? — perguntou Sebastian.

— Ou uma pista.

Capítulo 26

Castle Hill

O pai de Sebastian chegou no sábado seguinte, como havia prometido. Cassie o recebeu no saguão de entrada, onde as folhas da árvore Hartwood estremeceram com a rajada de ar frio que o seguiu.

— Está tão frio que pode congelar o nariz de um duende! — disse Elliot. — Por favor, me diga que a sra. Briggs pôs a chaleira no fogo.

Cassie o levou até a cozinha quente, onde um fogo alegre crepitava no fogão. A sra. Briggs estava em outro lugar da casa, trocando a roupa de cama, por isso Cassie encheu a chaleira com chá de amora e cortou para cada uma fatia de bolo de gengibre.

— Tia Miranda foi chamada hoje de manhã, mas deve voltar para o jantar — explicou Cassie.

— Ah, não vou ficar, só vim buscar o Sebastian. Como ele está?

— Está muito melhor — disse Cassie. — Mas tenho certeza de que ele ficará feliz em ver você.

— Ele me mandou muitas cartas mês passado, implorando para ser resgatado. — Elliot suspirou. — Eu, pessoalmente, tenho lembranças maravilhosas de Hartwood no Halloween e no Natal. Falando nisso, ouvi dizer que você conseguiu o papel principal na peça do solstício de inverno. Sua mãe ficaria tão orgulhosa! Ela interpretou a rainha das fadas uma vez.

A imagem de sua mãe com um vestido brilhante como o que ela havia encontrado no sótão fez Cassie sorrir. Ela olhou para a porta; nunca teve oportunidade de falar com o tio a sós antes para perguntar sobre sua mãe. Ela tinha centenas de perguntas, mas agora havia uma em particular para a qual precisava de uma resposta.

— Tio Elliot, você conheceu um menino chamado Toby Harper? Ele morava em Hedgely.

Elliot pousou a xícara no pires, com muito cuidado, como se tivesse medo de quebrá-la.

— Toby? Quem andou falando sobre Toby? Ele vinha a Hartwood de vez em quando, mas era alguns anos mais velho que eu.

— Ele era amigo íntimo da minha mãe? — perguntou Cassie.

— Eles eram unha e carne: Toby, Tamsin e Rose. Sempre saindo em aventuras, na Floresta ou em Castle Hill. Eles não me deixavam participar muito. É compreensível... quem iria querer carregar o irmão mais novo?

Então, a mãe de Ivy também era amiga de Toby...

— Eles subiam até o Castle Hill? — perguntou Cassie, tentando se mostrar inocentemente curiosa.

— Sim, eles adoravam escavar lá em cima. Toby Harper se considerava um arqueólogo iniciante. Eu não via graça, aquilo é só um monte de pedras antigas. — Elliot olhou para o relógio. — Já é tarde! Espero que Sebastian esteja com as malas prontas. Quero voltar para Londres antes que escureça, as estradas ficam horríveis com esse tempo. Veja se consegue encontrar Brogan para mim, Cassie. Pode ser que eu precise da ajuda dele para colocar as coisas de Sebastian no carro.

Mas quando Cassie voltou para dentro da casa, encontrou Sebastian parado no meio da escada central que espiralava ao redor da árvore Hartwood.

Seu tio estava parado no saguão de entrada, com as mãos enfiadas nos bolsos do sobretudo.

— Ah, aí está você, Cassie. Diga para o Brogan que não vamos precisar da ajuda dele, meu filho insiste em ficar.

Cassie não podia acreditar no que estava ouvindo. Desde que Sebastian tinha chegado a Hedgely, estava desesperado para ir embora, falando sem parar sobre o que faria quando chegasse a Londres com o pai, reclamando do tédio e da inconveniência de estar em um vilarejo tão atrasado. Embora procurar a lança o houvesse distraído nos últimos dias, ela havia imaginado que ele ainda estava ansioso para voltar para casa.

— Tem certeza de que não vai mudar de ideia? — disse Elliot. — Sua mãe vai sentir saudades, sabia? Eu disse que levaria você de volta à Cornualha no solstício de inverno.

Sebastian sacudiu a cabeça.

— Tenho que ficar aqui. Tenho coisas a fazer.

Elliot deu de ombros.

— Pois bem; fico feliz por você ter se acostumado. Eu sabia que você ia adorar Hedgely assim que a conhecesse, e imagino que queira ver a peça da Cassie e não perder o jantar de Natal da sra. Briggs. Não posso dizer que te culpo por isso, e talvez eu volte para o grande dia.

Cassie acompanhou o tio até a estrada gelada.

— Cuide do menino para mim, Cassie. Ele parece muito melhor, ativo e determinado como sempre. Devo ver vocês no Natal.

— Ainda não entendo por que você quis que a gente se encontrasse aqui — disse Rue, pousando com sua vassoura no sopé da grande colina, que ficava ao norte de Hedgely.

Acima, viam-se as ruínas de Castle Hill, escuras contra o pesado céu de novembro. Tabitha já estava lá, enrolada em um casaco de lã, um cachecol e um gorro de tricô com laço.

Cassie segurava um punhado de papéis, que o vento tentava arrancar de suas mãos. Estava terrivelmente frio.

— Encontrei o resto do diário de Toby; estava com umas coisas antigas de minha mãe.

Ela passou a explicar o que havia acontecido quando Toby e Rose encontraram a lança e por que decidiram deixá-la onde estava.

— Mas minha mãe rabiscou umas runas na última página; devem significar alguma coisa.

— Posso ver? — perguntou Tabitha.

Cassie lhe passou os papéis.

— O que ele está fazendo aqui? — perguntou Rue, apontando para Sebastian, que estava atrás de Cassie com as mãos enfiadas nos bolsos do casaco e o nariz cor-de-rosa.

— Ele me ajudou a encontrar esses papéis — explicou Cassie. — E foi ideia dele procurar em lugares que já existiam na época em que Nimue foi a Bruxa da Floresta.

— Mas por que Castle Hill em particular? — perguntou Tabitha.

— As runas são Swef, Tungil e Wyrm; o sonho, as estrelas e a serpente. As duas primeiras podem significar memórias e tempo. Acho que tem algo a ver com o passado, algum lugar quase esquecido. E o nome antigo desta colina é Wyrmroot. — Cassie tinha descoberto isso no verão, quando escalaram os túneis de Netherwood. — E o tio Elliot me disse uma coisa... minha mãe e Toby costumavam vir aqui, ficavam escavando por aí. Eles deviam achar que a lança estava escondida aqui.

— Podemos começar agora? Estou congelando — disse Sebastian.

— Tomem, peguem isto — disse Cassie, entregando uma luva de couro cinza a cada um.

— Eu não vou pôr isso — disse Rue, fazendo uma careta.

— Ah, mas são lindas e macias — disse Tabitha, passando a dela no rosto.

— Eu as encontrei no sótão, nas coisas da minha mãe — explicou Cassie. — A sra. Briggs disse que são de pele de selkie. Eu pesquisei, acho que são resistentes a magia. Se encontrarmos a lança, elas devem proteger a gente. Acho que é por isso que a minha mãe tinha estas luvas. Mas só achei dois pares; uma luva para cada, por isso, ainda teremos que ter cuidado.

Juntos, foram até um arco quebrado que antes tinha sido uma entrada para o castelo. Diante deles, a colina se aplainava e se viam os restos de paredes e janelas, além de grandes lajes sobre o gramado, cobertas de musgo e líquen. Estavam onde antes havia sido um salão, olhando para as paredes de arenito em ruínas e a lateral de uma torre quebrada. Além de um punhado de gralhas gritando, tudo estava estranhamente silencioso, como se o tempo houvesse parado e o resto do mundo estivesse muito, muito longe.

— O que exatamente estamos procurando? — perguntou Rue.

— Não sei direito — disse Cassie. — Talvez uma passagem secreta ou um alçapão.

— Você anda lendo romances demais — Sebastian debochou. — Precisamos ser sistemáticos; vamos nos dividir para cobrir o terreno por igual. Vocês duas, sigam naquela direção, nós dois vamos pela esquerda.

— Não vou receber ordens dele! — Rue se irritou.

— Ora, Rue, ele tem razão — disse Tabitha. — Vamos dar uma olhada por aqui, depois podemos nos encontrar neste salão.

Ela arrastou uma Rue relutante por uma porta em ruínas e desceu um lance de escadas.

— Gritem se encontrarem alguma coisa! — avisou Cassie.

— Vamos — disse Sebastian, indo na outra direção.

Passaram por diversos aposentos; seus sapatos ecoavam na pedra gasta e as paredes em ruínas pouco ajudavam a bloquear o vento gelado. O telhado tinha desabado havia muito tempo, deixando tudo a céu aberto.

Examinaram as paredes e pararam para inspecionar as pedras caídas. Sebastian enfiou a cabeça na chaminé, ainda suja de fuligem, e saiu praguejando.

— Nada além de um ninho de pombos velho — murmurou, e prosseguiram.

— Sebastian — disse Cassie —, por que você não voltou com o tio Elliot? Estava desesperado para ir para casa desde que chegou, e pensei que depois do Halloween...

— Eu nunca disse que queria ir para casa. Eu queria ir para Londres. Papai tem um apartamento lá, perto do trabalho. Ele me deixa visitá-lo, às vezes, aos fins de semana, mas quer que eu fique na Cornualha, e eu odeio lá. É quase tão ruim quanto este lugar — disse ele, apontando com o braço na direção de Hedgely.

— Mas não quer ficar com a sua família? Pelo menos no Natal.

Cassie estava pensando em todos os natais tristes e solitários em que havia passado em Fowell House.

Sebastian se afastou dela; uma sombra caiu sobre seu rosto.

— Não é mais a mesma coisa. Não é mais um lar com o papai sempre em Londres, e quando ele volta, eles não me dão atenção, não importa o que eu faça. Às vezes, acho que eles esquecem que eu existo. Foi por isso que me mandaram para cá, para eu não atrapalhar.

Cassie entendia. Ela sabia exatamente o que era ser abandonada, deixada para trás, fora do caminho, só esperando.

— Além disso — disse Sebastian, conduzindo-a para a próxima câmara —, ainda temos que encontrar a lança, não é? É evidente que vocês precisam da minha ajuda; vocês podem ser bruxas, mas essa busca requer pensamento racional e planejamento. Não posso deixar vocês se virarem sozinhas agora, não é?

— Cass! — gritou Rue por trás da parede. — Por aqui!

Cassie e Sebastian correram pela porta quebrada e encontraram Rue e Tabitha do outro lado. Elas estavam em um longo salão sem teto, com tocos de pilares no meio, formando duas longas filas, como uma linha de soldados feridos. De um lado, a sala se abria para a encosta, voltada para o oeste, para a Floresta, e do outro, havia um estrado curto e, sobre ele, um altar de pedra, com o topo rachado e manchado de líquen.

— Acho que deve ter sido a capela — disse Tabitha. — Mas vejam essas esculturas!

Dos quatro lados do altar havia imagens esculpidas na pedra. Estavam desgastadas pela chuva de tantos anos, com seus contornos suavizados e arredondados, mas Cassie conseguiu distinguir as figuras. A primeira era de um cavaleiro de armadura montado em um cavalo de guerra. A próxima, o mesmo cavaleiro sob duas árvores e uma mulher de vestido longo lhe oferecia algo, que os anos transformaram em uma vaga bolha. A terceira, voltada para o norte, era mais clara. Mostrava o cavaleiro diante de um grande wyrm, cujo longo corpo dominava o painel. Na mão de um braço estendido, o cavaleiro segurava uma lança.

— Sir Egad! — disse Cassie.

— Deve ser — disse Sebastian, se inclinando para olhar mais de perto.

Cassie correu para o lado que faltava e quase gritou de frustração, pois tinha sido atacado – não havia outra explicação para o que viu. A imagem que existia havia sido arrancada, deixando apenas uma superfície áspera e grandes sulcos na rocha.

— Quem faria uma coisa dessas? — perguntou Tabitha. — E por quê?

— Alguém que não queria que soubéssemos como a história acabou — disse Rue. — Ou onde a lança está escondida.

Cassie suspirou.

— Foi Toby Harper. Ele disse em seu caderno que teve que destruir a placa que os levou até a lança para que ninguém mais pudesse encontrá-la.

Ela passou o dedo sobre a superfície lascada. Era difícil acreditar que aquele menino tão fascinado por história havia feito isso. Ele devia ter ficado terrivelmente furioso e assustado para destruir algo tão antigo e belo.

Cassie se levantou e olhou as paredes da capela, procurando mais entalhes, alguma pista, mas estavam decoradas apenas com ervas daninhas – parietária e *cymbalaria muralis*.

— Então, este era mesmo o castelo de Sir Egad — disse Rue, parando ao seu lado. — O que será que aconteceu aqui?

— Acho que caiu em ruínas ao longo dos anos, depois que ele morreu — disse Tabitha.

Mas Sebastian estava inspecionando umas marcas pretas na parede sob uma pequena saliência de pedra.

— Vejam, isto é fuligem, só que não há chaminé aqui. Deve ter sido um incêndio. E olhem lá em cima, naquelas ranhuras na pedra, perto de onde deveria estar o telhado.

Elas seguiram a mão dele, que apontava para quatro arranhões profundos e uniformemente espaçados que marcavam a pedra cinzenta.

— O que poderia ter feito isso? — perguntou Tabitha. — Parecem... marcas de garras.

— Não acho que o castelo de Sir Egad tenha caído em ruínas — disse Sebastian. — Acho que foi destruído.

Capítulo 27

O mercado do solstício de inverno

Conforme novembro passava, o frio e a escuridão iam engolindo as noites e começavam a mordiscar as tardes. As últimas folhas haviam caído e as árvores da Floresta agitavam galhos nus contra o céu cinzento. Os jardins de Hartwood ficaram marrons e cinza, as flores de outono foram esmagadas pelas primeiras geadas, e só o roseiral ainda florescia, como um mar de cores em meio à grama seca.

Cassie, Rue e Tabitha tinham suas tardes curtas cheias de reuniões do *coven* e preparativos para a peça do solstício. Estava frio e escuro demais para usarem a toca da patrulha, mas sempre que encontravam um momento livre, elas se reuniam com Sebastian para ler as páginas do caderno de Toby e as pedras esculpidas em Castle Hill, que Tabitha havia copiado, usando papel de arroz e carvão. Cassie continuava estudando as três runas e analisando todos os seus possíveis significados. Se eram de fato uma pista para o esconderijo da lança, talvez sua mãe não quisesse que permanecesse em segredo, afinal, mas havia deixado uma mensagem que só outra bruxa poderia decifrar. Ela deveria ser capaz de descobrir se fosse uma bruxa de verdade; se fosse mesmo filha de sua mãe.

Nas tardes de sexta-feira, Aoife as fazia pintar telas e recortar flocos de neve de papel para decorar o salão do *coven*. Elas ensaiavam duas vezes por semana e Cassie treinava suas falas na caminhada da escola para casa, no banho e enquanto escovava o cabelo, antes de dormir. Estava determinada a não as esquecer para não fazer papel de boba na frente do vilarejo inteiro. Montéquio fazia o possível para ajudar, alertando-a sempre que ela perdia a deixa. Ele até lhe havia ensinado exercícios vocais que tinha aprendido com seu tio-avô, Marcel, que havia sido um gato de teatro em Covent Garden. Mas isso envolvia muitos uivos, e Miranda logo os interrompeu, reclamando que não conseguia ouvir os próprios pensamentos.

Em meados de dezembro, Cassie, Rue e Tabitha já sabiam suas falas de cor, mas ainda não estavam nem perto de encontrar a lança.

Na manhã da véspera do solstício de inverno, Cassie acordou em sua cama em Hartwood Hall em um silêncio profundo e abafado. Não ouviu nenhum canto de pássaro, nenhum vento uivando em torno de sua torre; parecia que a casa toda estava envolta em algodão. Vestindo o roupão, ela passou por Montéquio, que estava encolhido ao lado das cinzas de sua lareira, e foi até a janela leste. Subindo no apoio, abriu as persianas que bloqueavam o ar frio da noite e levou um susto.

Adiante estavam as conhecidas colinas e campos de Hedgely, só que as faixas verdes haviam desaparecido durante a noite, sendo substituídas por um lençol de neve branca. Mais neve cobria o peitoril da janela e o teto do estábulo. As árvores frutíferas estavam cobertas de gelo e um cobertor perfeito, de um branco imaculado e brilhante, escondia os caminhos e os canteiros do jardim.

Com o coração disparado, Cassie saiu correndo, quase caiu da escada e atravessou a cozinha aquecida, parando apenas para calçar as botas e vestir a capa.

Quando saiu ao jardim, a neve havia começado a cair de novo; era uma chuva de flocos brancos e macios que pareciam pretos contra o céu cinzento e grudavam em seus cílios, manto e mãos sem luvas, revelando por um instante seus cristais, que pareciam estrelas, antes de derreterem por completo.

Ela ria e girava, fazendo suas botas rangerem no solo grosso e coberto abaixo. Era a primeira nevasca do ano, a primeira neve verdadeira e limpa que ela via desde que era pequena, e isso transformava tudo. Cassie explorou o jardim mais uma vez, como se houvesse chegado de novo a Hartwood pela primeira vez, encontrando cada árvore, cada arbusto, cada parede alterada pelo toque da neve.

Por fim, chegou ao roseiral de sua mãe, onde a brancura da neve era quebrada por flores vermelhas, rosa e amarelas, que sobreviviam sob a geada. Ela tocou uma grande rosa vermelha, sentindo suas pétalas pesadas sob uma camada de neve. Eram verdadeiras rosas de fadas, que floresciam mesmo no solstício de inverno.

— Cassandra! — disse uma voz atrás dela, e ela se voltou. Encontrou Montéquio atravessando a neve macia. — O que está fazendo aqui? Sua tia está procurando você, e o café da manhã está esfriando e...

— Mas, Montéquio, veja só isto! Não é mágico?

— É úmido, e gelado, e pode causar um resfriado, se é isso que quer dizer.

Cassie riu e mergulhou sobre ele, pegando o gato no colo – para grande desgosto dele – e sentindo o adorável cheiro de neve no pelo de Montéquio.

— Está bem, vamos tomar o café da manhã.

Mas Cassie não conseguiu ficar dentro de casa por muito tempo; depois de devorar um prato de ovos mexidos, salsichas e bacon, quase queimar a língua com o chá e prometer à tia que iria cedo ao salão do *coven* para ajudar nos preparativos para a peça, Cassie pegou sua vassoura e saiu pela porta mais uma vez, para o mundo coberto de neve.

A luz do sol refletida na neve era de um branco ofuscante. Cassie voava com Galope colina abaixo em direção ao vilarejo. Pela primeira vez, deixou a vassoura guiá-la; gritava de alegria enquanto disparava sobre a ponte e sobre as primeiras fileiras de casas e lojas. Queria ver como era o vilarejo visto de cima e, mesmo sentindo seu estômago revirar um pouco por causa da altura, subiu mais alto, até poder ver a rua Loft e os telhados brancos do Diabrete Bêbado, a Marchpane e a igreja de São Aelfwig. Já havia pegadas na neve e rastros de carroças na rua, e todos pareciam levar à praça do mercado.

Algo frio, duro e úmido atingiu o ombro de Cassie. Ela se virou para a direita e olhou para baixo, bem a tempo de ver outra bola de neve dura voando em direção a seu rosto, e se esquivou.

Lá embaixo estava Rue, rindo de alegria e fazendo outra bola de neve com as mãos protegidas pelas luvas.

Cassie sorriu e mergulhou em sua direção, derrubando-a na neve macia. Cassie rolou de Galope, caindo em um monte de neve particularmente pesado que cobria metade do gramado do vilarejo, e foi logo atingida por outra bola de neve habilmente atirada por Rue. Ela pegou um punhado daquele gelo branco e frio para revidar.

— Dá para as duas pararem com isso? — disse Tabitha, que estava dando os toques finais em um coelho de neve que estava construindo. — Quero ir ver o mercado.

Cassie, Rue e Tabitha subiram a rua Loft em direção à praça do mercado. Todas as lojas, exceto a Whitby, estavam fechadas, e suas vitrines estranhamente escuras e silenciosas. Mas havia um burburinho de conversas e o som de violinos à frente.

Logo chegaram à primeira barraca de madeira do mercado, decorada com ramos de azevinho, trepadeiras e lanternas brilhantes. A rua estava lotada, mas as três mergulharam, passando por baixo de braços, e ziguezaguearam entre suéteres de lã e casacos de pele para chegar às barracas. Pelo visto, o vilarejo inteiro estava fazendo compras de Natal.

— Hedgely tem o melhor mercado de inverno de todo o condado — disse Rue, radiante. — Todo mundo diz isso; algumas pessoas até vêm de Oswalton para fazer compras aqui.

Elas já conheciam algumas barracas, como a da sra. Bellwether, que vendia ótimos queijos e presuntos; e do fazendeiro Scrump, que tinha barris de maçãs doces e de cidra. Widdershin estava sentado em um banquinho alto, atrás de pilhas oscilantes de livros, lendo um livrinho roxo e ignorando seus clientes, enquanto Saltash arrumava com cuidado fileiras de potes e garrafas – curas para doenças de inverno – e Selena Moor vendia latas de sua mistura especial de chás. Elas correram para a barraca da srta. Marchpane, onde encontraram metade das meninas do *coven* já fazendo fila para comprar bengalas doces listradas e doces de baunilha com forma de flocos de neve. Cada uma comprou um biscoito de gengibre em forma de duende e uma caneca de chocolate quente com especiarias para saborear enquanto passeavam pelas barracas mais interessantes, montadas por comerciantes de fora. Havia bolas de vidro soprado com as cores do arco-íris, e vasos de heléboros roxos e verdes que floresciam no inverno. Um velhinho vendia pássaros e insetos de corda e Cassie comprou para Sebastian um grilo que zumbia e cantava. Havia até uma barraca de suprimentos exóticos para bruxaria, e Cassie e Tabitha passaram séculos olhando os frascos de tintura de açafrão, pedras preciosas com runas, espelhos de obsidiana, pedaços de musgo islandês e amuletos de âmbar e coral, de modo que Rue acabou ficando entediada e foi olhar outra barraca que vendia apetrechos de pesca.

Havia gente cantando canções de Natal, um flautista e um violinista e, no centro da praça do mercado, malabaristas lançavam fogo azul, roxo e verde, como fogos-fátuos. Elas estavam curtindo a apresentação quando Tabitha olhou seu relógio de pulso.

— São quinze para as quatro! É melhor a gente ir ao salão do *coven*...

— Não dá para ficar até o final do show? — disse Rue, observando uma mulher que engolia uma espada.

Mas Tabitha lhe lançou um olhar suplicante e as três foram para a travessa Nearwood, longe da multidão e da música. Foi então que viram Aoife se afastando das festividades. A princípio, pensaram que ela também estava indo ao salão, mas ela fez uma curva fechada em direção à rua Loft e o gramado do vilarejo. Caminhava devagar, de cabeça baixa, e cada passo seu era cuidadoso e lento, bem diferente de seu andar saltitante habitual.

Cassie pegou a manga de Rue e disse:

— Olha a Aoife. Ela está andando de um jeito estranho, e está resmungando o quê?

— Talvez ela tenha machucado o dedo do pé.

— Acha que ela pode estar...

— Enfeitiçada? — perguntou Tabitha. — Mas ela é bruxa!

Rue bufou.

— Não muito boa.

— O Rei Elfo disse que seu criado havia encontrado o assistente perfeito; e se ele houver enfeitiçado Aoife? Ela estava na Floresta no Halloween, ele pode estar usando a Aoife!

— Está sentindo esse cheiro? — perguntou Tabitha.

— Fumaça! — disse Cassie.

— Vamos — disse Rue. — Ainda tenho sorveira no bolso, por via das dúvidas.

Elas correram atrás de Aoife, virando a esquina a tempo de vê-la entrar no Diabrete Bêbado.

O Diabrete Bêbado era o último edifício da rua Loft, antes de o rio marcar o fim do vilarejo propriamente dito. Tinha dois andares e um telhado inclinado de palha que parecia que ia deslizar, não fosse pela hera que cobria as paredes e mantinha tudo unido naquele local antigo. Em um dia normal, ficava cheio na hora do almoço, mas o mercado do solstício de inverno havia afastado a maioria dos frequentadores, deixando os bancos do jardim vazios e cobertos de neve.

Cassie nunca havia entrado naquele pub. Tinha um cheiro forte de lustra-móveis, cidra e carne assada. O teto era baixo, com vigas de carvalho escuro, como a cozinha de Hartwood, mas as janelas eram menores, e a atmosfera, fechada e escura. As paredes eram decoradas com antigos troféus de caça: chifres, uma cabeça de javali, uma truta em uma caixa de vidro e um diabrete preservado em um líquido amarelo dentro de uma garrafa.

— Não fica preocupada, moça! — disse uma voz atrás dela. — Ele era um caso perdido quando o engarrafaram. Não temos o hábito de caçar gente boa por aqui. Sua tia comeria meu fígado! — A voz era de Emley Moor, o proprietário, um homem largo e corpulento, tão alto que tinha que se curvar um pouco sob o teto baixo. Estava secando um copo com um pano de prato. — O que posso fazer por vocês?

— A srta. Early... para que lado ela foi? — perguntou Cassie.

— Ela foi para o salão dos fundos — disse ele, apontando com o polegar.

— Obrigada — disse Tabitha.

— Esperem aí! O que vão beber?

— Ah, não, viemos só... — disse Cassie, gaguejando.

— Quem vem ao Diabrete Bêbado tem que beber alguma coisa. São as regras! — Ele baixou a voz. — Não se preocupem, tenho algo adequado para jovens bruxas.

Elas o viram pegar três canecas de estanho e as encher com algo que tirou de um barril atrás do balcão.

O líquido era cor de rubi e tinha umas frutinhas vermelhas boiando. Cassie tomou um gole com cautela. Efervesceu em sua língua, doce e quente no início, mas logo as especiarias começaram a fazer efeito e ela engasgou; sua língua estava pegando fogo!

Emley Moor caiu na gargalhada.

— Ponche de canela! Não é brincadeira, mas você se acostuma. Tome uma hortelã-da-água, vai ajudar.

Elas agradeceram e saíram andando com suas canecas, respingando tudo enquanto iam depressa em direção à porta pela qual Aoife havia desaparecido.

A outra sala era muito maior e aquecida por uma vasta lareira crepitante. Havia mesas, cadeiras e velhos bancos de igreja espalhados, todos de madeira escura e polida. O teto era tão baixo que Cassie podia tocá-lo. Ela percebeu que aquele lugar devia ser muito antigo, talvez tão antigo quanto Hartwood Hall.

Aoife estava de joelhos diante do fogo, passando as mãos pelas pedras ásperas da lareira.

— Onde está? Deve estar aqui em algum lugar, tenho certeza... — murmurava.

— Afaste-se — disse Rue, erguendo o punho. — Cass, você se lembra do feitiço?

— Pelos frutos amargos da sorveira-brava, eu a liberto! — exclamou Cassie, enquanto Rue jogava um punhado de frutos secos de sorveira na bruxa.

— Pelas terras verdes! — disse Aoife, se levantando, enquanto os frutos caíam em cascata no chão ao seu redor. — Meninas, o que está acontecendo aqui?

Ela estava surpresa e confusa, mas seus olhos tinham o castanho-claro de sempre e sua sombra caía inofensiva contra a parede de pedra.

— Desculpe, achamos que você estava enfeitiçada — disse Cassie, sentindo o rubor subir às suas bochechas. — Você estava andando estranha e resmungando, e aí a vimos procurando algo...

— Meu bracelete — disse Aoife. — Eu o perdi ontem à noite quando vim aqui com Brogan. Eu estava olhando no caminho para cá. — Ela riu. — Vocês pensaram que eu estava enfeitiçada, como Ted Whitby e os outros?

— Sentimos cheiro de fumaça — disse Rue.

— Bem, já que vocês passaram meia hora paradas ao lado dos malabaristas de fogo no mercado, isso não é tão surpreendente. Suas capas estão cheirando a fumaça.

Elas cheiraram as capas de lã; tiveram que admitir que Aoife tinha razão.

— Aproveitem e me ajudem a encontrar meu bracelete. Depois, podemos nos sentar e vocês podem terminar essa bebida. Alguma de vocês conhece um bom feitiço de busca?

Tabitha usou um rápido feitiço que sua avó lhe havia ensinado e logo encontraram o bracelete perdido, que tinha deslizado para trás de um dos cães de lareira.

— Obrigada por terem corrido em meu socorro, mas, como podem ver, estou perfeitamente bem e não corro nenhum risco de ser enfeitiçada. É para isso que eu uso isto — disse ela, mostrando o bracelete que havia acabado de recuperar. Era feito de um material preto e denso, como pedra, com runas mágicas esculpidas. — *Abonos*, é como se chama; é feito de madeira de turfeira irlandesa. É uma madeira preservada debaixo d'água por milhares de anos. Isso lhe confere propriedades únicas, incluindo certo poder protetor. Tome, pegue um. Na verdade, vou dar um para cada uma.

Ela deu um bracelete para cada menina, tirando-os do monte que usava no braço. A madeira era quente. Cassie colocou seu bracelete; era meio grande, mas muito bonito com a luz do fogo refletida em sua superfície lustrosa e polida.

Aoife deu um tapinha na bochecha dela com um dedo.

— Vocês são uma patrulha observadora, sem dúvida. O que mais perceberam sobre as pessoas que foram enfeitiçadas?

Cassie, Rue e Tabitha descreveram os sinais que notaram: o cheiro de fumaça, as sombras estranhas e a perda de memória da vítima assim que o incidente terminava.

— Parece trabalho de uma brollachan — disse Aoife. — Elas não têm forma; são criaturas sem corpo físico. Procuram hospedeiros humanos, controlando a mente e o corpo deles por algumas horas ou dias. São tristes, tudo que desejam é um lar, um nome, um lugar ao qual pertencer...

— Bem, imagino que você não espere que eu vá sentir dó delas — disse Rue. — Uma delas pegou meu pai, ele poderia ter se machucado!

Aoife abriu um sorriso triste.

— Entendo a sua raiva, mas não se preocupe, ela não poderia ter possuído seu pai por muito tempo. A brollachan só pode entrar em um mortal que se encontre em seu ponto mais baixo; ela procura um vazio no coração e passa a residir lá. Todos nós temos nossos dias ruins, sim, mas quem é amado e cuidado não pode abrigar tanta escuridão por muito tempo. Por isso, a brollachan precisa passar de corpo em corpo; ela só pode ficar se for convidada a entrar, acolhida por alguém que se rendeu ao desespero.

— Eu estava pensando... — disse Cassie.

E contou a Aoife sobre a sombra escura que encontraram na Floresta, como ela tinha se sentido quando foram envolvidas por ela entre os arbustos. As três estremeceram só de lembrar.

Aoife ficou séria.

— É quase certo que é uma brollachan, então. Deve estar escondida na floresta e desce ao vilarejo só quando percebe a tristeza e a possibilidade de um novo hospedeiro.

— E como vamos deter uma coisa dessas? — perguntou Tabitha.

— As bruxas do passado tentaram capturar essas pobres criaturas. Com o feitiço certo, elas podem ficar presas dentro de uma garrafa ou caixa...

Cassie sentiu um aperto na boca do estômago.

— Ou uma chaleira?

— Seria uma escolha incomum, mas, sim, suponho que funcionaria. Nossa, vejam a hora! Terminaram a bebida? É melhor irmos ao salão do *coven*; a peça não pode começar sem as protagonistas!

Capítulo 28

O wyrm, a bruxa e o cavaleiro do povo da Terra das Fadas

—— Que vergonha! — disse Tabitha, colocando seu vestido de rainha das fadas. — Viram a cara de Aoife quando você jogou aquelas frutas nela, Rue? Eu quis morrer, mas ela foi tão legal! Eu disse que ela é uma boa pessoa.

— Admito que ela não seja *tão* inútil — disse Rue. — Mas por que você perguntou para ela sobre chaleiras, Cass?

Cassie mordeu o lábio; estava colocando seu vestido de veludo verde.

— Acho que *eu* liberei a brollachan. — Ela contou sobre sua ida à Bramble's com a Bruxa da Floresta e o chá com gosto de lágrimas.

— Eu não me culparia por isso — disse Rue, testando sua espada. — Você foi envolvida sem intenção; um duende vendeu a chaleira para Eris Watchet, alguém acabaria comprando e, mais cedo ou mais tarde, a brollachan se libertaria. Foi um azar ter sido com você.

Tabitha concordou.

— E ninguém mais foi enfeitiçado desde o pai da Rue. Talvez ele tenha desistido.

— Quem dera eu acreditasse nisso, Tabitha, mas não acho que o Rei Elfo desista assim tão fácil. Quando o vi pela porta da Anciã Mãe, ele me disse que seu criado havia acabado de encontrar o assistente perfeito. Se essa brollachan estiver servindo o rei, ajudando a encontrar a lança, o assistente deve ser alguém do vilarejo. Alguém que cedeu ao desespero, como disse Aoife, que a brollachan pode controlar com facilidade.

Enquanto se vestiam, o crepúsculo se transformou em noite. Lâmpadas foram acesas dentro do salão do *coven* e ao longo do caminho, onde arrancavam da neve um brilho azul e dourado.

Finalmente, Miranda considerou que o salão estava organizado e Aoife reuniu todas as meninas para fazerem aquecimentos quando os primeiros espectadores começaram a chegar. Foi só então que Cassie começou a ficar nervosa.

— Esta saia é muito comprida, e se eu tropeçar? — sussurrou. — E nunca vou me lembrar daquele longo discurso sobre o cinto.

— Ah, é só não pensar nisso, você sabe seu papel, vai ser maravilhoso — sussurrou Tabitha. — É com a Rue que estou preocupada; do jeito que ela está brandindo aquela espada, é capaz de decapitar alguém sentado na primeira fila.

O vestido de Tabitha, prateado, fazia com que ela parecesse uma criatura da neve, delicada e encantadora. Enquanto isso, Rue desfilava com seu traje de cavalaria sem qualquer sinal de preocupação.

Aoife reuniu Alice, Heather, Eliza e Harriet para o cântico de solstício de inverno, acompanhadas por Nancy na flauta irlandesa, enquanto o resto do *coven* esperava atrás de uma cortina improvisada.

Quando os ventos param de soprar e a noite desce,
A neve cobre os campos e prados, e tudo se recolhe.
As bruxas acendem o tronco do yule *e o fogo aquece,*
protegendo o lar e o vilarejo da luz que se encolhe.

Anika, que seria a cauda do wyrm, havia perdido sua meia-calça e Phyllis e Susan estavam ajudando em uma procura frenética.

Sagrados frutos pendem do alto lintel,
Uma vela em cada janela enquanto o crepúsculo desce.

A hera ultrapassa a soleira, da escuridão protege.
Despertar e vigiar até o raiar do dia é nosso papel.

Cassie roía a unha do polegar enquanto esperava atrás da lona na qual haviam pintado árvores altas e escuras. Mais pessoas iam chegando, bem agasalhadas. A velha sra. Blight, avó de Tabitha, insistia para que um menino na primeira fila cedesse seu lugar a ela. Os pais de Rue, ao fundo, conversavam com Eris Watchet e Selena Moor, todos com canecas de barro com sidra quente e temperada nas mãos. Ela viu sua professora, a srta. Featherstone, a sra. Briggs e Brogan, e por fim, parado à porta como se não soubesse se deveria entrar ou não, estava Sebastian.

Ouçam os sinos, os corcéis mágicos do trenó prateado,
Ouçam seus risos; todos que ouvem, prestem atenção.
Fiquem dentro de casa, com o ferro à mão,
Pois esta noite vagueiam fadas por todo lado.

A Bruxa da Floresta tocou um sino de latão e fez-se silêncio no salão. Só se ouvia o crepitar do fogo e a respiração do público. E, pensou Cassie, o suave *shush-shush* da neve caindo lá fora. A peça ia começar.

— Damos as boas-vindas a vocês esta noite, véspera do solstício de inverno, no salão do *coven* de Hedgely — começou Miranda. — Como todos sabem, esta é uma das quatro Noites de Travessia, em que os amuletos que protegem a Floresta se enfraquecem e é possível atravessar entre nosso mundo e a Terra das Fadas. Esta sempre foi considerada a mais perigosa das Noites de Travessia, pois é também a mais longa do ano. Por isso, agradeço a todos por virem até aqui e peço, quando forem embora, que vão com muito cuidado e nunca sozinhos. Enquanto estiverem entre estas paredes, estarão seguros, mas não podemos saber que perigos podem estar à espreita lá fora.

Cassie olhou para os rostos expectantes. Algumas crianças se assustaram com essas palavras, mas a maioria das pessoas ouvia com sorrisos alegres e olhos calmos. Passaram a vida toda ao lado da Floresta e conheciam bem seus perigos, e os aceitavam sem medo nem pânico.

— Como é tradição, nos reunimos esta noite para estarmos seguros ao redor do fogo da lareira, onde o tronco do *yule* queimará a noite toda. O 1º *Coven* de Hedgely apresentará uma peça tradicional do solstício de inverno, *O wyrm, a bruxa e o cavaleiro do povo da Terra das Fadas*, e embora seja uma história fictícia, pode servir como um lembrete das ameaças reais enfrentadas e superadas pelas bruxas do passado.

E então, Eliza e Harriet, as líderes das patrulhas dos Espinhos e das Cinzas, entraram na área definida como palco. Todos os olhos estavam sobre elas.

— Era uma vez, quando o povo da Terra das Fadas andava por esta terra... — começou Eliza.

— ... e o caminho entre os mundos estava aberto — disse Harriet —, surgiu no vilarejo de Hedgely um grande e monstruoso perigo.

Nancy tocou um tambor e o grande wyrm correu para a luz, contorcendo-se e rugindo. Era composto por Susan e Phyllis Drake, e por Anika, que tentava acompanhá-las como a cauda. Elas andavam sibilando para as crianças pequenas pela sala, fazendo algumas chorar e os mais velhos rirem de suas travessuras.

— As pessoas ficaram apavoradas, enquanto, uma a uma, o grande wyrm devorava suas ovelhas! — disse Harriet.

Heather Shuttle, com uma pele de carneiro nas costas e um par de chifres de papel machê, passou na frente da lona pintada. A cabeça do wyrm se voltou, farejou o ar e foi atrás dela, perseguindo a genuinamente assustada Heather pelo salão, provocando muitas risadas e aplausos.

— Chamaram um bravo cavaleiro para salvá-los daquela situação! — disse Eliza quando Rue deu um salto e se colocou entre o wyrm e a pobre Heather, brandindo sua espada.

— Vá embora, fera imunda! Eu sou o mais corajoso de todos os cavaleiros e certamente o derrotarei!

A plateia aplaudiu.

Susan, que segurava a cabeça do wyrm acima da sua, deu um rugido poderoso e tentou morder o ansioso cavaleiro, mas foi repelida pela espada. Eles lutaram, até que o wyrm atacou com a cauda e arrancou a espada da mão de Rue. O wyrm caiu sobre ela, levando-a ao chão e formando um emaranhado de escamas e penas.

— Mas o cavaleiro não era forte o suficiente para derrotar o wyrm e ficou gravemente ferido — disse Harriet.

— Aaaargh! Meu pé! Digo, minha cabeça! Fui envenenado, ahh! — gritou Rue, enquanto o wyrm se retirava para trás da lona.

— E lá estava o cavaleiro. E poderia ter morrido, mas uma bruxa estava passando em sua vassoura e ouviu seu grito — disse Eliza.

Essa era a deixa de Cassie. Ela respirou fundo e entrou no palco, com sua capa escura esvoaçando e Galope na mão. Agachou-se ao lado de Rue, caída. Ambas tentavam não rir.

Nancy tocou uma música triste em sua flauta irlandesa.

— Senhor cavaleiro, o que aconteceu? — perguntou Cassie. — Vejo, pela frieza de sua pele, que um veneno terrível está agindo em seu sangue.

— O wyrm, o wyrm! — gritou Rue, rolando como se estivesse em agonia.

— Infelizmente, não tenho remédio para combater essa picada venenosa, mas, veja, tenho a seiva da árvore Hartwood e, se beber apenas algumas gotas, não morrerá. Procurarei esse wyrm e verei o que pode ser feito para salvar você e este vilarejo!

O público aplaudiu de novo; Cassie sentiu alívio por ter concluído sua primeira cena. E torceu para se lembrar do resto.

— E então, a bruxa, encontrando uma ovelha por perto, perguntou-lhe o caminho para o covil do wyrm e lá encontrou a fera — disse Harriet.

Heather pegou a mão de Cassie e a guiou, entrando e saindo de trás da cortina de novo para enfrentar o wyrm à espera.

Cassie respirou fundo e se dirigiu à fera:

— Wyrm, você causou grande dano ao povo deste vilarejo, roubando suas ovelhas e assustando seus filhos, e agora, descobri que feriu este bom cavaleiro, levando-o à morte!

Susan, Phyllis e Anika se contorceram dentro da fantasia.

— Mas sei que, na verdade, você não tem más intenções e só está perdido nesta terra estranha. Se vier comigo, eu o conduzirei de volta pela Floresta para a Terra das Fadas, onde você não incomodará mais as pessoas — disse Cassie.

— E então, a bruxa amarrou o grande wyrm com seu cinto — disse Eliza, enquanto Cassie passava seu cinto ao redor do focinho do wyrm. — E conduziu a criatura, mansa como um cordeiro, às profundezas da Floresta. Mas uma vez lá, eles logo se perderam.

Cassie, que tinha muita experiência em se perder na Floresta, achou essa a parte mais fácil de representar. Levando Susan pelo cinto, ela ficou vagando pelo salão, perscrutando a escuridão como se a plateia fosse um matagal.

— Mas eis que encontraram uma mulher, brilhante como a aurora — disse Harriet, quando Tabitha emergiu de trás da cortina, arrancando um "Ohh" da plateia. Seus cachos escuros brilhavam à luz das velas e seu sorriso era misterioso e radiante. Na mão, ela segurava um galho, pintado de branco e com enfeites prateados.

— Eu sou a rainha das fadas! — gritou Tabitha, e até Cassie ficou surpresa com a clareza de sua voz. — Tirarei essa fera de você e lhe darei um remédio para curar seu cavaleiro, se for capaz de desvendar um enigma!

Cassie se aproximou de Tabitha, puxando o wyrm. Com um movimento do braço, jogou o capuz para trás e ficou diante do público com seu vestido verde.

— Eu sou a Bruxa da Floresta e aceitarei seu desafio!

— Ouça-me e responda bem, pois se falhar, eu a levarei para a Terra das Fadas para ser minha serva, e você nunca mais verá estas terras — disse Tabitha.

— Fale e responderei — disse Cassie.

— Eis meu enigma: sou macio como pão, escuro como a noite, feito por mãos vivas para nenhum homem vivo. Quem dorme em mim nunca acordará, mas seu nome será lembrado. O que sou?

Cassie sabia a resposta, claro; haviam ensaiado uma dúzia de vezes. Mas enquanto Tabitha falava, ela começou a pensar em sua mãe. Rose Morgan havia interpretado a rainha das fadas, dito essas mesmas palavras tantos anos atrás. A peça era fictícia, como Miranda tinha dito, mas certa vez existiu um verdadeiro cavaleiro mágico que morava em Castle Hill, que havia lutado contra um grande wyrm e morrido devido aos ferimentos. E se essa peça contivesse um germe de verdade, um segredo escondido na história? Uma resposta para outro enigma? Pensou nas três runas que sua mãe havia anotado no caderno: Swef, Tungil, Wyrm – memórias, tempo, morte. Cassie ofegou. Tinha acabado de descobrir onde a lança estava escondida.

— Cassie! — sibilou Tabitha, baixinho.

Alguém na plateia sufocou uma tosse.

— A sepultura! — gritou Cassie. — Está no túmulo dele!

Tabitha fechou a cara; a frase de Morgana era simplesmente "um túmulo", e Cassie tinha estragado tudo com sua animação.

— De fato, você respondeu ao meu enigma corretamente; ou quase. Entregue-me esse cinto e eu a livrarei desse fardo bestial. Aqui está a poção que procura para salvar seu belo cavaleiro.

O resto da peça se passou sem que Cassie se desse conta. Depois que ela reviveu Rue e a ajudou a se levantar do chão frio, a ovelha e o habitante, interpretados por Heather e Alice, aplaudiram e imploraram a Morgana para ficar no vilarejo para sempre para protegê-los.

Depois, houve reverências e aplausos, e Aoife regeu outro cântico de solstício de inverno, enquanto Nancy tocava flauta.

— O que foi aquilo? — perguntou Tabitha, assim que o público terminou de bater palmas e foram todos fazer a fila do chocolate quente, vinho quente e tortas de frutas da sra. Brigg. — Pensei que você havia decorado suas falas.

Cassie chamou Rue e Tabitha de lado, olhando em volta para ter certeza de que nenhum adulto estava ouvindo. A Bruxa da Floresta estava conversando com a srta. Featherstone, e Sebastian estava parado ao lado dela.

— É a lança, eu sei onde está! A resposta está no enigma.

— Um túmulo? — perguntou Rue.

Cassie confirmou.

— Pense bem: Sir Egad viveu no castelo, mas quando morreu, foi enterrado na igreja mais próxima, a de São Aelfwig. Ela deve ter pelo menos a mesma idade, talvez mais, e também encaixa com as runas que minha mãe deixou: o sonho, as estrelas e a serpente; um lugar onde vamos dormir sob as estrelas para sempre.

— E você acha que a lança pode ter sido enterrada com Sir Egad? — perguntou Tabitha.

Cassie confirmou.

— Temos que ir agora, enquanto todos estão aqui.

— Agora? — perguntou Rue. — Quer que a gente entre no cemitério da igreja na véspera do solstício de inverno e aí cavemos uma sepultura?

— Ela tem razão, podemos esperar até de manhã, não é? Não conseguiremos ver nada sob a neve e a escuridão — disse Tabitha.

— Mas não somos os únicos procurando a lança; a brollachan também está procurando, e ela pode estar escondida dentro de qualquer um nesta sala; e se chegar lá primeiro? E se for bem-sucedida e o Rei Elfo matar Galtres? Ele poderia trazer um exército de duendes pela Floresta!

Rue e Tabitha jogaram suas capas sobre a fantasia e foram pegar as luvas de pele de selkie no canto da Patrulha do Carvalho.

— Uma das luvas sumiu — sussurrou Rue. — Eram quatro, eu as guardei aqui depois que subimos para Castle Hill.

— Não faz mal, ainda temos uma para cada uma — disse Cassie.

Olhando para trás para se assegurar de que nem a Bruxa da Floresta nem Aoife estavam olhando, elas saíram pela porta, pegando uma lanterna cada uma no caminho.

A neve havia começado a cair de novo e, com a escuridão, um frio profundo tinha se instalado, transformando a respiração delas em nuvens brancas e deixando vermelhos dedos e narizes. As três atravessaram com cuidado o vilarejo estranhamente silencioso. Até o Diabrete Bêbado estava silencioso, com suas janelas escuras e sua placa balançando ao vento. Todos estavam no salão do *coven*, seguros, aquecidos e se divertindo – ou quase todos.

— O que foi isso? — perguntou Cassie. — Ouvi um barulho atrás de nós.

Elas deram meia-volta, procurando alguma forma ou figura na escuridão, mas não conseguiram ver nada; apenas as três fileiras de pegadas profundas que elas mesmas haviam deixado na neve.

— Vamos — disse Rue. — Quanto mais cedo encontrarmos a lança, mais cedo poderemos voltar à lareira e às tortas doces.

Seguiram em frente, passando pelo gramado do vilarejo onde o lago havia começado a congelar, contornando a borda de gelo transparente, até chegar ao muro de pedra coberto de hera que circundava o cemitério da igreja. Pararam um instante sob a entrada para sacudir a neve que havia se acumulado em suas capas e reacender a lanterna de Rue, que tinha se apagado.

Diante delas se estendia o cemitério da igreja, todo branco sob um manto de neve. O lençol imaculado era quebrado aqui e ali por lápides antigas, pelas torres escuras dos teixos e a própria torre da igreja, que se erguia na noite. Cassie recordou a pegadinha de Phyllis e Susan e torceu para que não encontrassem nada pior que um fantasma de toalha de mesa naquela noite.

— Acho que é melhor que nos separemos e olhemos as datas nas lápides — disse Cassie. — Temos que encontrar a parte mais antiga do cemitério.

Cada uma pegou um dos caminhos estreitos que serpeavam entre as sepulturas. Com as rajadas de neve que caíam, só conseguiam enxergar graças às lanternas, que subiam e desciam quando elas paravam para tirar a neve de uma lápide ou se inclinavam para ler uma inscrição.

— *1918 – Jonathan Saltash*, leu Cassie. — *1746 – Mary Bellwether.*

Muitos sobrenomes eram conhecidos delas, pertencentes a membros de antigas famílias de Hedgely, que estavam lá havia centenas de anos; mas outros, como Harold Morpeth, um turista enterrado em 1825, eram estranhos, levando Cassie a imaginar qual seria a história deles. Nenhuma sepultura que ela viu tinha idade suficiente para pertencer a um cavaleiro medieval.

Depois de uma hora cansativa de busca, se encontraram à porta da igreja, trêmulas e exaustas.

— Acho que não vou aguentar muito mais tempo — disse Tabitha.

— Ela tem razão, Cass; já olhamos tudo. Talvez ele não tenha sido enterrado aqui, ou aconteceu alguma coisa com a lápide. Podemos voltar amanhã e olhar de novo, à luz do dia.

Cassie olhou para a torre e suas pedras salpicadas de branco.

— E *dentro* da igreja?

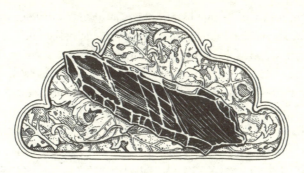

Capítulo 29

Aqui jaz Sir Egad

A porta da igreja estava destrancada, mas rangeu em ameaça quando elas entraram no interior sombrio.

Cassie já havia entrado na igreja uma ou duas vezes com Rue, mas sempre à luz do dia, quando os vitrais de cores vivas brilhavam e as pedras eram quentes por dentro. Era um lugar muito diferente à noite, quase tão frio quanto ao ar livre, mas, pelo menos, estavam protegidas do vento e da neve que caía. O ar estava parado, tudo estava mortalmente silencioso.

As meninas se separaram mais uma vez; Rue foi para uma das paredes, Cassie para a outra e Tabitha ficou com o corredor entre os bancos. Seus passos pareciam soar excessivamente altos e suas lanternas projetavam apenas pequenos círculos de luz, deixando grande parte da igreja à sombra.

Cassie inspecionou a parede norte, que era adornada com os brasões de famílias antigas – estrelas e flechas, a cabeça de um cervo e uma lebre olhando a lua. Também havia nomes, dedicatórias a vários indivíduos que pagaram novas janelas, um órgão ou o conserto do telhado.

Ela levantou sua lanterna bem alto para ver a estátua de pedra do próprio São Aelfwig, um homem de aparência gentil, com uma barba longa, segurando uma caneca em uma das mãos e um livro na outra. Então, ouviu algo cair no chão e quase morreu de susto.

— Rue, foi você? — sussurrou, mas a lanterna de Rue estava na outra extremidade da nave e Tabitha estava perto da pia batismal.

Devagar, Cassie foi em direção à origem do som e encontrou um hinário aberto no chão. Pegou-o e o examinou, mas não viu nada de especial no livro. As sombras eram profundas além de sua lanterna. Se houvesse mais alguém na igreja, seria fácil se esconder.

Cassie olhou para baixo de novo e viu o nome que estavam procurando. Estava bem debaixo de seus pés.

— Rue! Tabitha! — chamou Cassie, e sua voz ecoou na pedra fria.

Elas correram e Cassie lhes mostrou o que havia encontrado: uma grande laje de cerca de um metro e meio de comprimento, e nela, palavras esculpidas, já gastas e quase lisas devido à passagem dos anos.

— *HIC IACET EGADUS MILES* — leu Tabitha. — O que significa?

— É latim — disse Cassie. — Eu tive aulas de latim em Fowell House. Significa "Aqui jaz Sir Egad".

— Acha que ele está enterrado aqui no chão? Não vamos conseguir erguer essa laje, está cimentada — disse Tabitha.

— Ele deve estar na cripta — disse Rue.

— Na cripta? — Cassie e Tabitha perguntaram juntas.

Rue confirmou.

— Embaixo da igreja há uma abóbada. Eu só sei disso porque Angus desafiou Bran a entrar lá uma vez. Ele contou que há grandes caixões de pedra lá embaixo. Sir Egad deve estar em um deles.

— E como entramos? — perguntou Cassie.

Rue as levou para fora de novo, ao cemitério congelante e, a seguir, contornaram o edifício até uma escada que descia. Os degraus estavam cobertos de hera e mato espinhoso. Na escuridão ao pé da escada, conseguiram distinguir uma porta.

— Deve estar trancada — disse Rue. — O sr. Kirkwall, o zelador, trancou depois que Bran saiu gritando e o acordou de seu cochilo da tarde.

Mas encontraram a porta de madeira entreaberta e, além disso, havia uma linha de neve no chão de pedra escura e duas pegadas molhadas.

— Mais alguém esteve aqui hoje — disse Cassie. — Acha que foi o sr. Kirkwall?

— Acho que não — disse Tabitha. — Eu o vi no salão do *coven* antes de sairmos, conversando com a sra. Mossley.

Fazia um frio mortal embaixo da igreja, e a escuridão ali parecia mais densa, reunindo-se em torno das largas colunas de pedra que sustentavam o piso de cima. Avançaram juntas, cotovelos se tocando, lanternas erguidas, mal respirando o ar seco e parado.

A descrição de Bran era verdadeira: entre as colunas, havia grandes caixões de pedra, alguns com ornamentos esculpidos, outros bem simples. Uma tampa estava rachada e o interior do caixão, escuro. Cassie tentou não olhar para ele nem imaginar o que havia dentro.

— Aqui! — disse Rue, correndo para a frente. — É ele!

Diante delas, em um caixão de pedra, jazia um corpo. Não, era apenas uma estátua; um cavaleiro de armadura, deitado sobre o sarcófago com a cabeça apoiada em um travesseiro e os olhos fixos acima. Em uma das mãos, ele segurava uma longa lança, cuja ponta estava quebrada.

Quando aproximaram as lanternas, elas encontraram as mesmas palavras ao redor do caixão: *HIC IACET EGADUS MILES.*

— Encontramos — disse Cassie, aliviada por não precisarem mais explorar as profundezas da cripta. — Mas a lança está quebrada.

— Mas é só uma estátua. E se... — Tabitha respirou fundo. — E se a lança estiver dentro, com o corpo?

— Não diga isso — disse Rue. — Diga qualquer coisa, menos isso.

Cassie suspirou.

— Também não gosto da ideia, mas temos que pelo menos olhar. Está com as luvas?

Cada uma delas colocou uma luva de pele de selkie e se posicionou ao lado do caixão.

— Preparadas? — perguntou Cassie.

Ela contou, e no três, empurraram. Mas a pedra pesada não se mexeu. A estátua de Sir Egad fitava a escuridão.

— Precisamos de uma alavanca... algo para abri-la — disse Tabitha.

— Isto serve? — perguntou Rue, com uma viga de madeira na mão. — Encontrei ali, encostada naquele pilar.

Cassie ficou pensativa. Como tinha ido parar ali? Era meio conveniente demais... a menos que alguém houvesse estado ali antes.

Tentaram levantar a tampa de novo e conseguiram deslocar o cavaleiro de pedra, mas só o suficiente para inserir a viga. Com as três puxando a alavanca para baixo, conseguiram abrir só uma fresta, mas o suficiente para ver o interior.

— Eu seguro, vocês olham — disse Rue.

Tabitha e Cassie trocaram um olhar preocupado; nenhuma delas queria ver o que restava dentro do caixão.

— Vamos — disse Cassie. — Não pode ser tão ruim, depois de tantos anos.

— Ah, vão depressa com isso! — disse Rue, fazendo careta por causa do peso.

Juntas, levantaram as lanternas e espiaram pela fresta.

Tabitha ofegou.

— Está vazio! Não há nada aqui!

Rue gemeu e soltou a viga de madeira, deixando a pedra cair de volta no lugar e provocando um forte baque.

— Como assim?

Cassie falou:

— Ela tem razão, é só poeira. Não há sinal da lança. Devo ter me enganado sobre as runas…

Uma risada ecoou pela cripta.

— Quem está aí? — disse Rue, segurando sua espada e se colocando à frente de Cassie e Tabitha.

Uma sombra se afastou de um dos pilares e foi na direção delas.

— Sebastian! — exclamou Cassie. — Você assustou a gente, por um momento pensamos que…

— Que eu era o fantasma de Sir Egad? — Ele riu de novo.

— O que está fazendo aqui embaixo? Você seguiu a gente?

— Ora, como se eu precisasse da sua ajuda, prima. Era óbvio, na verdade. O único lugar no vilarejo onde ela poderia permanecer intacta por centenas de anos, enquanto o cavaleiro que a havia carregado se desfazia em pó.

— Mas o caixão está vazio! — disse Tabitha.

— Agora está — disse Sebastian.

Ele ergueu a mão esquerda, protegida por uma luva prateada de pele de selkie. O que segurava era um fragmento de pedra preta do tamanho de uma faca grande e ferozmente pontudo. Suas bordas lascadas soltavam uma sombra lúgubre à luz das lanternas.

— Cuidado! — disse Cassie, dando um passo em direção a ele para pegar a lança.

Mas Sebastian recuou.

— Não. Eu achei, é minha.

Havia algo estranho com seu primo. Ele estava mais alto, mais ereto que o normal, e o sorriso que brincava nos cantos de sua boca não era comum nele. Seus olhos tinham um tom peculiar, enevoado, e…

— Cassie, veja! A sombra dele! — exclamou Tabitha.

A luz das três lanternas lançava sombras longas e finas nas paredes da cripta, mas a de Sebastian se enroscava e se retorcia como uma coluna de fumaça. Estava se mexendo, estendendo braços espectrais, se segurando nos ombros dele.

— Sebastian, abaixe essa lança — disse Cassie, devagar.

Ela não queria assustá-lo, mas não podia chegar perto dele enquanto a estivesse segurando.

— Por quê? Para você levá-la para a tia Miranda? Você pode estar desesperada para impressioná-la, mas eu não me importo nem um pouco com o que ela pensa.

— Do que você está falando? O que deu em você, Sebastian? Me dê a lança e vamos para casa juntos.

— Casa? — repetiu ele, e sua voz começou a mudar, ficando mais profunda e estranha, ecoando na câmara de pedra. — Casa? Eu não tenho casa. Durante longos anos eu vaguei, sem forma, sem corpo, procurando, até que o Rei Elfo me encontrou. Ele me prometeu um lar, um corpo só meu, para eu poder viver e respirar como os mortais, andar pela terra e sentir o vento; um corpo em troca disto. — Ele ergueu a lança mais uma vez.

— Sebastian! — gritou Cassie, dando um passo em direção a ele.

Mas Rue e Tabitha a puxaram de volta.

— Esse não é o Sebastian, Cass — disse Rue.

— Ou não é *só* ele — disse Tabitha. — É a brollachan dentro dele.

— Não posso voltar — disse o menino, com a voz de novo no tom familiar de Sebastian. — Não há lugar para onde voltar. Minha família, minha casa... não existem mais. Eu as destruí, e agora não tenho para onde ir.

Lágrimas escorriam pelas suas bochechas e a sombra crescia; era uma fumaça densa e escura que subia e girava em torno do rosto e corpo de Sebastian.

— Não é verdade. Tio Elliot, seu pai...

— Meu pai foi embora! Ele deixou minha mãe, deixou nossa casa e depois me deixou *aqui*, no meio do nada. Ele não está nem aí com o que acontece comigo, não me quer por perto.

Cassie não acreditou, nem por um momento, que o tio havia feito isso, mas não sabia como eram as coisas na casa de Sebastian. Não podia lhe prometer que tudo ficaria bem.

— Ele vai me dar um lar — disse Sebastian com voz mais grave. — Ele mudará o mundo para que seja nosso de novo, e ninguém poderá nos expulsar dele. Ele libertará todos os que foram presos e despertará os adormecidos. A terra entoará seu nome.

— Tudo bem, pode ficar com a lança — disse Cassie. — Mas deixe o meu primo em paz! Saia dele e vá embora!

— Preciso dele para realizar esta tarefa e voltar enquanto as velhas estradas permanecem abertas, nesta noite. Preciso voltar para o meu senhor, oferecer este presente e reivindicar a minha recompensa.

— Você não pode ficar com ele! — gritou ela. — Liberte-o!

— Mas ele já me acolheu! Só posso tomar quem perdeu algo, uma memória, algo precioso, um sonho de futuro. A perda cria um buraco que me permite entrar. A maioria só permite que eu preencha uma pequena parte de si, mas este menino tem um vazio muito maior dentro dele, que deseja ser preenchido. Foi muito, muito fácil tomá-lo; ele não resistiu.

Elas não tinham água de zimbro nem frutos de sorveira dessa vez, nada com que expulsar a criatura sombria que mantinha seu primo cativo. Mesmo que tivessem, Cassie duvidava da força desses métodos. Sebastian não estava atordoado como o pai de Rue; parecia estar presente, acordado e consciente, trabalhando com a criatura, quase lhe dando as boas-vindas. Para expulsá-la, precisava conversar com ele.

— Sebastian — disse, baixinho dessa vez —, não sei o que você passou, mas tenho certeza de que nada foi culpa sua. E sei o que é sentir que não temos ninguém, estar sozinha e disposta a fazer qualquer coisa para mudar isso. Mas ela está errada, você não está vazio, está cheio de ideias, esperanças e sonhos. Você mesmo me disse que vai ser piloto, e cientista, e… e… ir à Lua!

O menino a fitou com olhos vagos e arregalados. A sombra havia crescido de novo; uma nuvem escura que o envolvia como uma mortalha. Não estava funcionando. Não era o suficiente.

— Você tem outra casa! — gritou ela.

Por um momento, Sebastian ergueu os olhos, como se a houvesse ouvido, como se de fato a ouvisse pela primeira vez.

— Você tem um lar aqui, com a gente, com a tia Miranda e a sra. Briggs, com Brogan e eu. Nós também somos sua família, queremos você com a gente, e você será sempre, sempre bem-vindo em Hartwood!

Sebastian ergueu o queixo e sacudiu a cabeça. A sombra recuou, afastando-se dele.

— Cassie? — disse ele, como se a visse pela primeira vez. — Onde estou?

Ele cambaleou e caiu, soltando a lança, que tilintou ao atingir o chão de pedra.

Tabitha e Cassie correram para ele, enquanto Rue se abaixava para pegar a lança, segurando-a com cuidado com a mão protegida pela luva.

— Ele vai ficar bem — disse Tabitha, checando o pulso e a testa de Sebastian. — Só desmaiou; precisamos tirá-lo daqui e levá-lo para um lugar mais quente.

As três juntas pegaram o menino inconsciente e o arrastaram para a porta. Mas antes de chegar, ouviram uma lufada de vento e a porta se fechou, deixando-os na escuridão.

Capítulo 30

A Brollachan

A cripta caiu em silêncio, exceto pela respiração pesada de Cassie, Rue e Tabitha. Sebastian estava inconsciente, apoiado por Tabitha, enquanto Cassie tentava abrir a porta de novo.
— Está emperrada.
Rue bateu na madeira apodrecida com os punhos e o cabo de sua espada.
— *Shhh* — disse Cassie. — O que foi isso?
Todas ouviram, dessa vez, o ranger de pedra contra pedra.
Cassie e Rue deram um passo em direção ao som, empunhando suas lanternas. Provinha da tumba de Sir Egad. O cavaleiro de pedra havia erguido a cabeça, estava sentado, rígido, com as pernas para fora do sarcófago. Elas viram primeiro um pé, depois outro, tocar o chão de pedra fria. O cavaleiro se ergueu em toda sua altura, segurando a haste da lança quebrada. Ao redor dele, as sombras se adensaram, espirais de fumaça se enroscaram em seus braços e pernas. Seu rosto continuava inexpressivo, emoldurado pelo capuz de uma cota de malha, e quando se movia, era com movimentos lentos e espasmódicos, como uma marionete ou um sonâmbulo.

Rue deu um passo à frente. Levantou sua espada de mentira e apertou os lábios.
— Fiquem atrás de mim!

Conforme se aproximava, o cavaleiro ia despertando mais plenamente. Seu ritmo cambaleante ficou mais rápido, mais natural, como se lembrasse como era ser de carne e osso, e não de pedra fria. Rue ficou firme ali, enquanto Cassie e Tabitha arrastavam Sebastian para a parede e puxavam a maçaneta da porta com toda a força.

Voltando-se, viram o cavaleiro avançando sobre Rue. Com um movimento de uma manopla de pedra, ele arrancou a frágil espada da mão dela.

O cavaleiro ergueu sua haste de pedra quebrada e derrubou Rue no chão. Ela gritou de dor e Tabitha correu para a amiga. A lança, um fragmento preto na escuridão, também caiu da mão de Rue e deslizou pelo chão em direção a Cassie. Ela se abaixou para pegá-la com a mão protegida pela luva. Sentiu a frieza através do couro e o fio da lâmina. Se não tomasse cuidado, cortaria a luva de pele de selkie como se fosse papel.

O cavaleiro estava ao lado de Rue e Tabitha, levantando sua arma mais uma vez.

— Espere! Eu tenho o que você quer! — gritou Cassie, segurando a lança acima de sua cabeça e levantando sua lanterna para que ele pudesse ver o que ela segurava.

O cavaleiro deteve seu movimento e foi em direção a Cassie.

Ela engoliu o medo que crescia nela. Sentiu seu estômago gelar; estava toda gelada e achou que ia vomitar quando aquela estátua horrível e pesada do cavaleiro foi em sua direção.

— Pode ficar com ela, é sua — disse ela, com o tom mais calmo que pôde. — Só que não acredito que seja isso que você quer de verdade.

O cavaleiro parou com o punho ainda levantado. Não era Sir Egad voltando para assombrá-las, e sim a brollachan, a criatura mágica disforme que Aoife havia descrito; e sendo uma criatura do povo da Terra das Fadas, era possível negociar com ela.

— Você não quer a lança, quer? Você quer um corpo; foi o que o Rei Elfo prometeu a você.

O cavaleiro estava ao lado de Cassie, e ela fitava a máscara de pedra. A brollachan podia dar movimentos à pedra, mas, pelo visto, não podia fazê-la falar.

— E se... e se eu te der um corpo, um lar? — ofereceu.

— Cassie, o que está fazendo? — perguntou Tabitha. — Você viu o que isso fez com o Sebastian e os outros.

Mas Cassie não tinha intenção de deixar que a criatura tomasse qualquer um deles. Outra ideia estava se formando em sua cabeça. E se Aoife estivesse certa e o dever de uma bruxa não fosse apenas proteger sua comunidade, mas também ajudar o povo da Terra das Fadas? Trabalhar com eles, não contra eles? E se ela pudesse proteger suas amigas e seu primo sem lutar contra aquela coisa, mas sim salvá-la?

— Eu tenho uma casa, um lugar chamado Hartwood Hall, mas falta algo nela. Ela não tem um duende doméstico, um protetor. Há um lugar para você lá. É disso que você precisa, não é? Venha comigo, e a minha casa poderá ser o seu lar também.

O cavaleiro levantou a arma sobre Cassie, dando mais um passo em sua direção. Ela se encolheu, fechou os olhos e esperou o golpe.

— Cassie, olhe! — disse Tabitha.

O cavaleiro estava paralisado. A haste de pedra caiu de sua mão e se espatifou no chão. Sombras começaram a sair dele, de cada fenda de sua armadura, do capuz da cota, das manoplas e do peitoral. Os fiapos de escuridão se reuniram e formaram uma massa, uma sombra disforme e inconstante. Era aquela coisa que elas haviam visto na Floresta, no Halloween, uma criatura sem forma, sem corpo, sem rosto, apenas vazio, a ausência de tudo, inclusive de luz. Cassie teve a mesma sensação terrível de perda quando se aproximou. O bracelete de carvalho que Aoife lhe havia dado esquentou seu pulso. Sentiu aquele calor fluir por ela e o vazio se encher de esperança suave e gentil, de boas lembranças e da certeza de que seu lugar era em Hedgely. A brollachan teria sido capaz de tomá-la antes de ela chegar a esse lugar, quando era tão solitária, tão desesperada quanto Sebastian; mas não mais. Não era só o bracelete que a protegia agora, mas também suas próprias lembranças, frescas e novas, do *coven*, do vilarejo, de seu lar, da família e dos amigos.

A brollachan ficou atrás dela e sussurrou em seu ouvido:

— Me mostre esse lugar que você chama de lar.

Quando tentaram abrir a porta de novo, ela cedeu com facilidade, mas a viagem de volta a Hartwood foi exaustivamente lenta. Rue conseguia andar, mas estava com dor; havia torcido o tornozelo ao cair. Sebastian ainda estava inconsciente e Cassie e Tabitha tinham que carregá-lo pela neve cada vez mais profunda, enquanto Cassie segurava a lança com cuidado, com medo constante de deixá-la cair. O tempo todo a sombra foi agarrada a ela, seguindo-a pela neve, e Cassie sentia o constante e doloroso vazio em suas costas.

A estrada sobre o rio e colina acima, entre as faias, nunca lhes pareceu tão longa, mas finalmente se encontraram diante dos portões abertos de Hartwood. Sebastian abriu os olhos, gemeu e se levantou, cambaleando. Embora estivesse fraco e desorientado, conseguiu passar pelos portões apoiado em Tabitha. Rue entrou mancando atrás deles.

Cassie se voltou para a sombra, um buraco escuro entre as faias que estendia longos tentáculos de fumaça em direção às luzes de Hartwood.

— Não posso entrar sem corpo — sussurrou. — Os amuletos de bruxa são muito fortes. Você tem que me convidar a entrar.

Cassie respirou fundo. Se passasse por aqueles portões, a criatura não poderia segui-la. Ela poderia correr para dentro de casa, encontrar sua tia e fazer que a Bruxa da Floresta cuidasse daquele ser, banindo-o de volta para a Floresta, que era o lugar dele. Mas Cassie havia feito uma promessa, havia lhe oferecido um lar, como tinha feito com Sebastian. E que tipo de bruxa seria se quebrasse sua palavra?

— Eu nem sei seu nome — disse à sombra disforme.

— Nunca recebi um nome. Estou sempre sozinha, não tenho ninguém para me chamar.

— Neste caso, vou dar um a você. — Cassie procurou um nome adequado em sua memória. Decidiu escolher um dos nomes que havia visto nas lápides; afinal, o dono não precisava mais dele. — Morpeth. Vou chamá-la de Morpeth.

— Mor-peth... — repetiu a sombra, saboreando cada sílaba. — Eu sou Morpeth...

Cassie respirou fundo. Sem dúvida, teria muito que explicar quando sua tia descobrisse, mas sabia como era sentir a necessidade de um lar de verdade, onde pudesse se sentir segura e feliz. Agora que tinha um lugar assim, descobriu que precisava aprender a compartilhá-lo.

— Morpeth, convido você a entrar em Hartwood Hall.

A criatura suspirou – um som leve e sibilante – e foi se expandindo à medida que se aproximava. Conforme crescia, passava de uma sombra escura e pesada a uma névoa fina e, ao atingir as paredes de Hartwood, desapareceu por completo.

Havia sido uma longa noite para as três integrantes da Patrulha do Carvalho. Sebastian foi colocado na cama, com uma bolsa de água quente, pois estava fraco demais para contar seu lado da história, mas a Bruxa da Floresta manteve Cassie, Rue e Tabitha na cozinha para que contassem tudo sobre Sir Egad, a tumba e a brollachan. A lança estava sobre um tecido fino, no meio da mesa, captando a luz do fogo e seus lampejos escuros. Quando Cassie explicou o acordo que havia feito com a criatura sombria para que pudessem sair da cripta, sua tia se endireitou na cadeira, quase derrubando sua xícara de chá de urtiga.

— Está me dizendo, Cassandra, que acolheu essa criatura em Hartwood? O único lugar de Hedgely onde ela não poderia entrar? O único lugar onde você pode se sentir segura?

— Mas ela já esteve aqui, escondida dentro de Sebastian, desde que o encontramos na Floresta, no Halloween. Não tínhamos outra maneira de impedir isso, e pensei...

— Você pensou que essa criatura monstruosa, que vem tomando conta da mente e corpo de pessoas inocentes, daria um bom ser mágico doméstico? Ela não é um duende doméstico, Cassandra. Me diga de novo o nome que você lhe deu.

Cassie disse, e a Bruxa da Floresta foi até a despensa e voltou com um potinho de ervas secas. Jogou uma pitada no fogo e as chamas ficaram azuis, soltando faíscas prateadas.

— Eu a conjuro, Morpeth! Sou a senhora desta casa, apareça diante de mim, agora!

A princípio, não houve resposta; mas logo ouviram um som áspero à porta da cozinha. Miranda foi abri-la, deixando uma rajada de neve entrar.

Diante dela, viu uma criatura baixinha e volumosa, agachada, delineada de preto contra a brancura do jardim. Tinha chifres, asas e garras.

Miranda deu um passo para o lado, deixando-a entrar na casa. Cassie a reconheceu: era uma das gárgulas que em geral ficavam empoleiradas no telhado.

Quando ela entrou na cozinha, levando consigo uma rajada de vento frio, elas ouviram suas garras de pedra batendo no piso. Neve derretida pingava de seu bico.

— Bem, como minha sobrinha inadvertidamente a convidou a entrar em Hartwood, vamos pelo menos ver que tipo de ajuda você pode oferecer. Pode começar me dizendo por que o Rei Elfo estava procurando isto — disse a Bruxa da Floresta, apontando para a lança preta.

A gárgula voltou sua cabeça de pedra e olhou para Cassie, que falou:

— Fique tranquila, ele não pode falar com você aqui.

— O Senhor dos Trapos e Farrapos procura a lança assassina — disse a gárgula com voz áspera. — Ela mataria aquilo que não pode ser morto. O terceiro vigilante, aquele que guarda o caminho.

Miranda respirou fundo.

— Ele quer matar a wyrm da floresta... tem certeza?

— Morpeth foi encarregada de encontrá-la e levá-la para ele. Ele está esperando; está quase pronto, muitos se juntaram à causa.

— Então, ele está *mesmo* construindo um exército — disse Rue.

A Bruxa da Floresta refletiu.

— O fato de um punhado de duendes contrabandistas poderem passar nas Noites de Travessia não significa que ele pode trazer um exército; temos as pedras de barragem e os Vigilantes guardando o caminho. É por isso que ele está destruindo as pedras. Galtres é nossa última linha de defesa contra tal incursão da Terra das Fadas.

— Mas a wyrm da floresta tentou matar a gente! — disse Tabitha.

— Os Vigilantes não discriminam — explicou a Bruxa da Floresta. — Eles são os antigos guardiões da floresta, mantêm o equilíbrio e não interessa se alguém é mortal ou mágico. Para passar por eles, é preciso pagar o preço, e para Galtres, esse preço é a vida. Não, embora a wyrm seja um perigo para quem entra nas profundezas da Floresta, ela também nos garante proteção. Então, foi por isso que o Rei Elfo tentou levar Hyldamor para seu lado; quer ganhar o controle da fronteira. Se ele matar Galtres, poderá trazer seu povo na próxima Noite de Travessia e se tornar o senhor da Floresta. Isso lhe daria um ponto de apoio em nosso mundo.

Todas se voltaram ao mesmo tempo para olhar a lança.

— Enviarei uma mensagem para Elliot pela manhã. A Wayland Yard precisa ser informada sobre isso, e precisaremos encontrar um lugar mais seguro para guardar a lança — disse a Bruxa da Floresta. — Por enquanto, Morpeth, agradeço pela informação, mas não posso aceitá-la como duende doméstico de Hartwood. Você fez muito mal ao povo deste vilarejo e se aliou ao Rei Elfo. Se não fosse pela interferência dessas jovens bruxas, não duvido de que você teria entregado a lança a ele e causado um grande mal.

— Mas, tia Miranda — disse Cassie —, eu prometi para ela!

— Seria bom que pensasse nas consequências de sua promessa antes de fazê-la, Cassandra. Por lei, ela deveria ser banida para a Terra das Fadas, mas ainda não tomei uma decisão. — Ela se voltou para a gárgula. — Enquanto isso, preciso prendê-la em algum recipiente. — A Bruxa da Floresta examinou tudo que havia na cozinha. — Tabitha, me passe esse pote de mostarda. Está vazio? Ótimo.

— Passei longas semanas em confinamento, sempre inundada com água fervente e ervas malcheirosas. Não me faça sofrer tanto de novo, senhora!

— Você estará perfeitamente segura e confortável aqui — disse a Bruxa da Floresta, retirando a tampa do pequeno pote de cerâmica. — Se fizer o que eu digo, isso contará a seu favor.

A gárgula lançou um último olhar de pedra para Cassie e ficou rígida. Fios de sombra vazaram da pedra, se reunindo e formando uma massa escura que fluiu para o pote de mostarda, formando uma poça lá dentro. A Bruxa da Floresta colocou a tampa mais uma vez e sussurrou um rápido feitiço sobre ela.

— E agora, acho que foi emoção suficiente para uma véspera de solstício de inverno…

Mas Miranda foi interrompida pelo som de pancadas que reverberou pela casa.

Cassie, Rue e Tabitha seguiram a Bruxa da Floresta até o saguão de entrada, onde antes ela tinha aberto a porta, deixando entrar uma rajada de neve e ar gelado. Parados à porta estavam a sra. Mossley, Emley Moor e o pai de Rue, Ted Whitby. Tinham tochas acesas nas mãos e seus olhos arregalados brilhavam à luz do fogo.

— Graças a Deus você está aqui, Bruxa da Floresta — disse a sra. Mossley. — Precisa vir com a gente, depressa. Uma grande wyrm está vindo destruir o vilarejo!

Capítulo 31

Galtres

— Ela saiu da Floresta à meia-noite, quando estávamos subindo para dormir — disse Ted Whitby. — Ouvimos um berro alto e o som de estilhaços de madeira.

— É enorme! — exclamou Emley Moor. — Nunca vi nada igual, nem nos tempos de meu pai. E está indo para a praça do mercado!

A Bruxa da Floresta se voltou para Cassie, Rue e Tabitha.

— Fiquem aqui, vocês três. Não coloquem um pé para fora desta porta, entenderam?

— Mas... — disse Cassie, enquanto Rue tentava passar por Miranda para alcançar o pai.

— Obedeça à Bruxa da Floresta — disse Ted Whitby. — Não é hora de jovens bruxas se meterem nisso, é perigoso. Voltarei para buscar você quando for seguro, Rue.

A Bruxa da Floresta pegou sua capa e bolsa e chamou seu familiar, Malkin, que estava perto do fogo da cozinha. Segundos depois, já estavam voando morro abaixo em direção ao vilarejo com Emley Moor, Ted Whitby e a sra. Mossley correndo atrás deles.

Rue, Cassie e Tabitha ficaram no saguão, sob os galhos da árvore Hartwood. Uma folha caiu aos pés de Cassie, verde-dourada e com a forma de coração. Ela se abaixou para pegá-la.

— Galtres — disse. — As pedras de barragem estão mais fracas, porque é noite de solstício de inverno, e ela encontrou um caminho.

— Mas por que atacar o vilarejo? — perguntou Tabitha. — É longe demais do território dela, e não fizemos nada para provocá-la.

— É como na peça — disse Cassie.

Ela pensou nas marcas de garras nas pedras de Castle Hill. Talvez não fosse a primeira vez que um grande wyrm saía da floresta.

Rue apertava os punhos com força, olhando para a porta.

— É o Rei Elfo; ele sabe que encontramos a lança. Ele mandou essa wyrm até a gente, incitou a raiva dela… é vingança.

Era mais que isso. O Rei Elfo não tinha nada a ganhar com a destruição do vilarejo; com isso, não conseguiria a lança.

— Não podemos simplesmente ficar esperando sem fazer nada — disse Rue, andando de um lado para o outro diante das grandes portas de carvalho. — Não me interessa o que a Bruxa da Floresta disse, vou descer.

Tabitha a segurou pelo braço.

— Mas o que podemos fazer? Quase morremos da última vez que encontramos Galtres.

Sua tia já estava furiosa por terem ido procurar a lança sozinhas, mas elas não podiam simplesmente ficar ali, seguras e aquecidas, enquanto uma grande wyrm aterrorizava o vilarejo.

— Ela tem razão — disse Cassie, levando-as de volta ao calor da cozinha de Hartwood. — As duas têm. Não podemos ficar aqui sentadas, mas, para ajudar, precisamos de um plano.

Na mesa diante delas, a lança brilhava sombriamente.

— Temos que usar a lança — disse Rue. — É a única coisa que pode acabar com isso.

— Não! — exclamou Tabitha. — Não podemos simplesmente matá-la.

— Agora não é hora de ser frouxa, Tabitha. Esse negócio de Aoife de ser gentil com as criaturas é muito bom quando se trata de duendes e domésticos, mas essa é uma *wyrm gigante*. Não dá para argumentar com ela. Você ouviu o Emley; aquela criatura está indo para a praça do mercado, para a loja e para minha família!

Cassie sacudiu a cabeça.

— Não! Você não entende? Se o Rei Elfo está por trás disso, é exatamente isso que ele quer. Quer nos forçar a fazer o trabalho sujo dele. Não podemos matar a wyrm da floresta, pois isso colocaria Hedgely em perigo ainda maior. Mas há outra maneira.

Ela pegou o pote de mostarda.

Não foi difícil encontrar a wyrm da floresta; tiveram apenas que seguir o rastro de destruição. Havia grandes cortes marrons no gramado ao lado de árvores arrancadas pela raiz. Os bancos de piquenique em frente ao Diabrete Bêbado estavam achatados e o telhado havia perdido um bom pedaço de palha. A rua Loft estava em ruínas; placas foram arrancadas das lojas, janelas, quebradas, e um buraco tinha sido aberto na parede da Marchpane.

Cassie incitou Galope à frente, voando alto sobre os telhados, com o pote de mostarda bem firme em uma das mãos. Rue e Tabitha seguiam logo atrás dela. Viram uma coluna de fumaça e o brilho intenso do fogo à frente e voaram nessa direção.

Passaram por pessoas correndo na direção oposta, subindo a colina para Hartwood ou para o leste, rumo à segurança de fazendas e campos. Alguns carregavam crianças pequenas, outros levavam pertences preciosos. Widdershin estava jogando livros em uma carroça atrelada a um pônei bastante volúvel.

Cassie o ouvia falar enquanto corria para buscar mais livros:

— Ah, e o *Archimelius*! Não posso esquecer o *Archimelius*... fique quieto, sua criatura covarde! E o *Catálogo de influências planetárias*, de Ficino, é a primeira edição!

Enquanto ela sobrevoava as fachadas destruídas das lojas e as pessoas correndo assustadas, um novo medo fez seu estômago gelar: e se algo acontecesse com sua tia? E se Miranda estivesse ferida, ou pior?

— Lá! — gritou Rue, apontando.

Seu rosto e seu braço estavam iluminados pelo brilho do fogo.

A grande wyrm havia se enrolado em volta da fonte da praça do mercado, esmagando as barracas como se fossem palitos de fósforo. Com uma pata cheia de garras, ela tinha atravessado a janela da loja de Whitby, e sua cauda coberta de musgo jazia nas ruínas do muro do pátio da escola.

Uma trilha de escombros levava à oficina do sr. Darnwright. A wyrm havia derrubado uma parede e a forja incendiou o resto do prédio. Lá embaixo, elas viram Aoife Early organizando uma pequena multidão, incluindo o pai de Rue e Eris Watchet, que tentavam apagar o fogo antes que se espalhasse pelo vilarejo todo. Tinham baldes nas mãos, mas não conseguiam alcançar a fonte para pegar água.

É isso que o Rei Elfo quer, pensou Cassie. *Fogo e destruição, caos e medo. Ele sabe que faríamos qualquer coisa para acabar com isso, para proteger essas pessoas, que mataríamos para salvar as pessoas que amamos. Ele está contando com isso.*

Então, ela viu Miranda. Ela estava em pé em sua vassoura, que pairava diante da wyrm, com os braços estendidos nas laterais e sua longa capa esvoaçando ao seu redor.

A Bruxa da Floresta estava enfrentando Galtres. Na mão direita, ela tinha uma faca que brilhava à luz do fogo. Na esquerda, algo pequeno e redondo. Parecia uma bola de barbante verde, que ela tinha jogado e se enroscava nos chifres da wyrm da floresta. Ela segurava o barbante esticado, como um pescador com um peixe particularmente grande no anzol, e entoava um canto, elevando a voz acima do crepitar do fogo e dos berros do povo. Cassie se esforçou para ouvir as palavras, mas logo percebeu que era uma língua estranha, totalmente desconhecida para ela.

Cassie, Rue e Tabitha pairavam a uma distância segura, observando. Cassie já havia visto sua tia trabalhando, curando mordidas de urchins e encontrando joias roubadas por diabretes; mas isso era o dia a dia da bruxaria. Só agora ela via o que de fato significava ser a Bruxa da Floresta, ser a primeira linha de defesa contra os perigos da Terra das Fadas.

— Ela está amarrando a fera — disse Tabitha, sem fôlego, pairando ao lado de Cassie. — Esse barbante é uma escada de bruxa. Está vendo os nós? Ela não vai escapar agora.

De verdade, não parecia que Miranda precisasse de ajuda. Ela estava concentrada em seu trabalho e no cântico que entoava na noite com sua voz fria e clara.

Mas então, ouviram outro barulho atrás delas; uma explosão de calor e o estrondo de pedra se desintegrando. Cassie, Rue e Tabitha viram que a chaminé da forja de Darnwright havia desmoronado e o som chamou a atenção de Miranda, fazendo-a interromper o cântico por apenas um segundo.

A wyrm da floresta rugiu e se ergueu sobre as patas traseiras, ficando acima das lojas e casas, e puxou sua grande cabeça chifruda, arrancando o novelo de barbante da mão de Miranda e a desequilibrando.

Cassie se assustou, mas a Bruxa da Floresta recuperou o equilíbrio e se agachou sobre a vassoura.

Mas agora a wyrm da floresta estava livre de novo. Ficou outra vez de quatro e ergueu a cauda, girando-a em direção a Miranda, forçando a Bruxa da Floresta a se agarrar à vassoura e mergulhar antes que fosse atingida.

Miranda perdeu o controle que tinha sobre a criatura. Então, Cassie pegou o pote de mostarda. Não podia esperar para ver o que sua tia tentaria; não podia esperar a uma distância segura, enquanto a wyrm destruía seu vilarejo, sua casa e a única pessoa de sua família que sempre havia tentado protegê-la. Mas também não podia fazer nada sozinha. A wyrm da floresta a veria chegando, e ela não voava tão bem a ponto de poder escapar das mandíbulas da fera e concluir a tarefa que tinha em mente. Precisava de sua patrulha.

— Rue, Tabitha, desculpem ter que pedir isso, mas vocês poderiam distraí-la para mim?

Rue concordou, já virando a vassoura.

— Precisamos afastá-la do vilarejo. Tenho meia dúzia de bombas de duende na bolsa. Aperfeiçoei a receita de sal de bruxa para deixá-las mais fortes. Não vão causar muito dano, mas vão incomodar um pouco. Vou chamar a atenção dela, então. Tabitha, preciso que você voe o mais rápido que puder na direção da Floresta, vamos ver se ela te segue.

Tabitha concordou e fez a saudação da bruxa.

— Cassie, você vai ficar bem com isso? — perguntou, indicando o pote de mostarda.

— Só preciso chegar mais perto e torcer para que Morpeth faça o resto.

— Tudo bem. Lá vou eu! — disse Rue, dando seu melhor sorriso. Ela mergulhou com Labareda, com uma bomba de duende já pronta na mão. Tabitha estava logo atrás dela.

Cassie lhes deu certa vantagem e depois voou em direção à escola, até ficar pairando ao lado da torre do relógio. Com cuidado, segurando firme a vassoura com as pernas, usou uma das mãos para tirar a tampa do pote de mostarda e explicou seu plano à brollachan, que espreitava lá dentro.

Então, chegou a hora. Rue mergulhou sobre a wyrm e bateu na cabeça da fera com feixes de ervas secas e sal. Isso chamou sua atenção, pois a criatura se afastou de Miranda e atacou Rue, que mergulhou para longe do perigo bem a tempo.

Tabitha passou zunindo pela boca aberta da wyrm. Parou só o tempo suficiente para que a fera a visse e, a seguir, mergulhou em direção à Floresta.

Enfurecida pelo sal de bruxa de Rue, ela correu atrás da outra, subindo a colina em direção a travessa Nearwood, onde ficava o chalé da própria Tabitha.

Segurando Galope com uma das mãos e o pote de mostarda com a outra, Cassie voou o mais rápido que pôde atrás delas. Esse era o tipo de voo que Galope sempre ansiava, e ela logo alcançou Tabitha e a wyrm, sentindo o vento assobiar em seus ouvidos.

— Cassandra! — Ouviu sua tia gritar.

Quando olhou, viu a Bruxa da Floresta voando abaixo dela. Mas sua tia não a alcançaria antes que ela alcançasse a wyrm.

A grande fera atravessou uma cabana ao perseguir Tabitha, que ainda voava para a Floresta. Cassie viu Tabitha mergulhar entre as árvores, usando-as como cobertura e desaparecendo da linha de visão da wyrm. Cassie estava bem atrás da fera. Podia ver as escamas musgosas das costas da wyrm, que pareciam telhas de madeira, as árvores pequenininhas que ainda se agarravam à sua pele, e os grandes chifres que coroavam sua cabeça serpentina. Ela se aproximou o máximo que ousou, respirou fundo e jogou o pote de mostarda.

O pote quebrou ao atingir a pele dura da wyrm e caiu em forma de cacos de cerâmica. Cassie deu meia-volta e fugiu, até ficar fora do alcance das garras da fera. De longe, pensou ter visto a sombra-brollachan subir, livre dos limites do pote, em direção à cabeça da wyrm. Mas era difícil distinguir na escuridão. A wyrm parou com uma garra levantada e bufou, como se houvesse sentido um cheiro ruim. Fechou seus grandes olhos dourados devagar e, quando os abriu, estavam vidrados e sem foco.

— Cassandra! — exclamou Miranda, finalmente a alcançando. — Eu disse para você ficar em Hartwood. Pelas estrelas, o que você pensa que está fazendo?

Mas Cassie apenas apontou para a wyrm.

— Veja!

E elas viram juntas a fera se erguer, retirar cada membro da terra e sair caminhando de forma lenta e cambaleante. Ela voltou com calma para a Floresta, deixando um rastro de galhos quebrados e neve lamacenta.

— Como...? — perguntou a Bruxa da Floresta.

— Foi Morpeth. Como ela pode dominar e controlar humanos e nos forçar a fazer coisas contra a nossa vontade, pensei que talvez pudesse controlar a wyrm da floresta também.

— E o que a fez pensar que isso poderia funcionar?

— A brollachan só pode assumir o corpo de alguém que sofreu uma grande perda — explicou Cassie. — E Galtres é a última de sua espécie.

As três bruxas da Patrulha do Carvalho pousaram ao lado da Bruxa da Floresta, na praça. As ruínas do mercado do solstício de inverno as cercavam: paredes caídas e janelas quebradas, calhas e placas penduradas. Rue viu a fachada escancarada da Whitby e correu para lá.

— Mãe! — gritou.

— Está tudo bem — disse a Bruxa da Floresta. — Ela fugiu antes que a wyrm chegasse à praça, e seus irmãos também estão a salvo.

Aoife atravessava os escombros em direção a elas; seu manto amarelo brilhava, vívido, na escuridão.

— Bruxa da Floresta! — chamou. Quando Aoife se aproximou, ofegante, viram que ela estava suja de fuligem, com as mãos quase pretas. — Apagamos o fogo; ele se espalhou para a casa ao lado, mas não foi mais longe. Graças a Deus pela neve. Estão todas bem?

— Todos foram evacuados com segurança; obrigada por supervisionar essa operação. E, milagrosamente, estas três jovens bruxas estão ilesas, apesar do comportamento bastante imprudente de hoje.

Aoife sorriu para elas, mas logo uma expressão de horror cruzou seu rosto e ela apontou para trás delas.

— Bruxa da Floresta... aquela sombra!

Elas se viraram e viram uma forma sobre a fonte. Era mais escura que a noite e parecia absorver a luz das estrelas, da lua e da lanterna bruxuleante que Aoife segurava.

— Bem, brollachan, vejo que você está disposta a fazer por merecer — disse a Bruxa da Floresta, dirigindo-se a ela. — Conseguiu levar a wyrm para as profundezas da Floresta, para que ela não nos perturbe de novo tão cedo?

Cassie ouviu de novo aquela voz que provinha de todos os lados e de lugar nenhum, como se uma presença invisível sussurrasse em seu ouvido.

— A wyrm dorme de novo, e não será tão facilmente acordada desta vez.

— Por favor, tia Miranda — disse Cassie. — Isso significa que Morpeth pode ficar? Ela protegeu o vilarejo... sem dúvida pode ajudar a proteger Hartwood.

A Bruxa da Floresta pensou por um momento.

— Ela pode ficar, mas quanto a vocês, já chega de riscos tolos por hoje. De volta a Hartwood, as três! Quero vocês a salvo na cama quando eu voltar.

Capítulo 32

A biblioteca perdida

Tabitha e Rue dormiram no quarto de Cassie naquela noite. As três jovens bruxas ficaram sentadas ao redor do calor da lareira, falando sobre os acontecimentos da noite, que parecia exaustivamente longa, mesmo para a noite mais longa do ano. Por fim, adormeceram jogadas sobre almofadas, com seus familiares, e acordaram quase ao meio-dia, quando o sol entrou pela janela de Cassie.

Ao descerem para a cozinha de pijamas emprestados e as barrigas roncando, Cassie, Rue e Tabitha encontraram a Bruxa da Floresta à espera. Pelas olheiras sob seus olhos, era evidente que ela havia passado a noite toda acordada, sem dúvida lidando com as consequências da visita da wyrm da floresta a Hedgely.

— Sentem-se — disse Miranda, cruzando as mãos sobre a mesa. — Imagino que nenhuma de vocês lembrou que eu as havia proibido de sair de casa ontem à noite, não é?

Elas se sentaram, empenhadas em se mostrar arrependidas, lançando olhares furtivos a sra. Briggs, que estava fritando algo de cheiro delicioso.

— Eu não faço essas regras e proibições para restringir a liberdade de vocês, e sim porque meu papel como mestra do *coven* e guardiã de Cassie exige que as proteja dos perigos que vocês ainda não estão preparadas para enfrentar.

As três ficaram olhando para as mãos, se preparando para uma bronca.

— No entanto — prosseguiu a Bruxa da Floresta —, não posso negar que o raciocínio rápido de vocês, na noite passada, muito provavelmente salvou o povo de Hedgely e nos impediu de acordar entre ruínas hoje. Vocês demonstraram um admirável trabalho em equipe como patrulha. Dessa vez, funcionou da melhor maneira, mas nem sempre terão tanta sorte. Por favor, não corram riscos desnecessários no futuro.

— Está bem, tia Miranda — disse Cassie.

Rue e Tabitha concordaram.

— Pelos roncos que ouço desse lado aí da mesa, imagino que as três estejam prontas para as panquecas da sra. Briggs, não é?

No fim de semana entre o solstício de inverno e o Natal, o 1º *Coven* de Hedgely foi mobilizado para ajudar a consertar os estragos causados pela wyrm da floresta. A Patrulha das Cinzas ajudou os temporariamente desabrigados a arranjar camas e um lugar para ficarem, com seus vizinhos, a recuperar seus pertences e a distribuir suprimentos. A Patrulha dos Espinhos ajudou Ted Whitby e Emley Moor nos reparos do Diabrete Bêbado, da Whitby e outras lojas, que foram destruídas pelo ataque, limpando, pintando e providenciando madeira e pregos. Enquanto isso, a Patrulha do Carvalho acompanhou Miranda até a Floresta para verificar as pedras de barragem, contando as que ainda estavam em pé para fornecer um relatório à Assembleia das Bruxas. Trabalharam do amanhecer ao anoitecer e voltaram para casa exaustas todas as noites, cansadas demais para pensar nas festividades que se aproximavam.

Na véspera de Natal, a sra. Briggs entregou a Cassie uma cesta cheia de biscoitos fresquinhos e pediu que os levasse às famílias desabrigadas. Ela estava atravessando a ponte para a rua Loft quando viu Ivy, sentada sozinha em um banco perto do lago dos patos. Cassie esboçou seu sorriso mais convincente e atravessou o gramado.

— Feliz Véspera de Natal.

Ivy olhou para ela com os olhos vermelhos e o rosto manchado de lágrimas. Apertou os lábios e encarou Cassie.

— Você, Cassandra Morgan, terá um Natal maravilhoso, sem dúvida. Mas não é um dia feliz para todo mundo!

Cassie hesitou, sem saber muito bem como responder. Soltou um leve suspiro, tirou a neve do banco de madeira e se sentou ao lado de Ivy.

— O que foi? — perguntou.

— Minha mãe foi embora. Os reparadores de Convall Abbey vieram buscá-la ontem à noite, para levá-la ao hospital das bruxas em Devon, e este é... este é o primeiro Natal que passo sem ela.

— Sinto muito, Ivy... — disse Cassie.

— A culpa é sua, Cassandra. Se você não tivesse me impedido, eu teria feito o Rei Elfo quebrar a maldição, ela ficaria bem de novo. Quem dera se você nunca tivesse vindo para Hedgely. Você estraga tudo. Me deixe em paz!

E Ivy saiu correndo, deixando um rastro de pegadas na neve.

Cassie só viu Morpeth de novo na manhã do Natal, quando acordou cedo ao ouvir uma batida à vidraça. Seu quarto estava gelado, o fogo havia se apagado durante a noite, e Montéquio estava enroladinho a seus pés. A princípio, ela pensou ter imaginado a batida, mas logo a ouviu de novo, na janela oeste, aquela que dava para a Floresta. Ainda estava escuro lá fora, e não foi fácil deixar o conforto de sua cama quentinha e pôr os pés no chão frio de madeira para procurar seus chinelos. Só a força motriz da curiosidade pôde fazê-la se levantar. As batidas voltaram, dessa vez insistentes.

— Espera, estou indo! — disse.

Montéquio levantou a cabeça para observá-la, enquanto ela atravessava o tapete verde-musgo para abrir a janela.

Duas garras de pedra se agarravam ao parapeito coberto de neve. Morpeth entrou.

— Bom dia — disse Cassie. — Onde você esteve?

— Morpeth esteve em toda parte — disse a gárgula. — Alto e baixo, dentro e fora, Morpeth tem estado em porta e janela, lâmpada e viga, chaminé e telha e escada em caracol! Nunca Morpeth teve casa como esta, viva ela está, mas não viva. Acordada e dormindo, aberta e escondida. Há muito para ser, muito para ouvir, e ver, e mostrar.

— Mostrar? — perguntou Cassie.

— Sim, Morpeth veio mostrar a Cassandra, para agradecer.

Cassie foi pegar seu roupão; estava congelando.

— Tudo bem, mas preste atenção, obedeça à Bruxa da Floresta. Não lhe dê nenhuma razão para mandar você embora.

Mas Morpeth não ouviu, já havia corrido para a porta do quarto de Cassie.

— Venha, venha agora, Cassandra.

— Montéquio? — chamou Cassie.

— O sol ainda nem nasceu — resmungou o gato — e você quer que eu siga esse enfeite de jardim ridículo sabe-se lá para onde?

Mas ele foi com ela do mesmo jeito.

Morpeth conduziu Cassie pelo corredor escuro e, para sua grande surpresa, quando passou, as luzes se acenderam. Isso não seria notável em uma casa comum, mas, embora Hartwood tivesse luminárias em todas as paredes, não tinha eletricidade para acendê-las. A sra. Briggs havia explicado, quando Cassie tinha chegado, que tentaram instalar a fiação, mas que o velho duende doméstico não havia gostado. Ela tinha se acostumado a carregar sempre uma lamparina ou um castiçal à noite, mas com Morpeth à sua frente, não havia necessidade. Sua única preocupação era que a luz acordasse sua tia, a sra. Briggs ou Brogan. Mas quando olhou para trás, viu que o corredor estava escuro mais uma vez. Morpeth acendia só as luminárias bem acima delas.

Essa foi a primeira mudança que Cassie notou na casa. A segunda foi que não se perderam nem uma vez. A casa costumava ficar mais agitada à noite e, quando alguém se levantava para ir ao banheiro, inevitavelmente ia parar em um quarto de hóspedes, ou na sala de música, ou no grande corredor, pois as portas se recusavam a abrir para os mesmos aposentos duas vezes. Mas agora, a casa parecia resolvida, contente, e elas desceram a escada dos fundos para uma parte de Hartwood onde Cassie quase não entrava.

Ao final de um pequeno corredor havia uma porta que Cassie nunca havia visto antes. Era pintada de azul e tinha uma plaquinha de latão afixada, logo acima da cabeça de Cassie. E na placa havia uma palavra mágica.

— Biblioteca — leu Cassie. — Não pode ser... é ela mesma? A biblioteca perdida?

— Morpeth vai mostrar — disse a gárgula e, sem que ninguém tocasse a maçaneta, a porta se abriu.

A primeira coisa que Cassie notou foi a poeira. Havia uma camada grossa, pálida e brilhante em todas as superfícies. Montéquio foi andando à frente dela pelo piso de madeira – que tinha um desenho escondido sob o pó –, deixando um rastro de pegadas atrás dele.

Parada no centro daquela sala hexagonal, ela girou e olhou ao redor. E então, o lustre pendurado logo acima ganhou vida, iluminando todo o espaço. As paredes tinham o dobro da altura de uma sala comum, e para acessar o segundo andar havia uma escada estreita, em espiral. Cassie se deu conta de que devia estar em uma das duas torres de Hartwood Hall, logo abaixo do escritório de sua tia. Durante todos esses anos, Miranda não havia conseguido acessar a biblioteca, mesmo estando bem debaixo dos pés dela.

Havia uma mesa, e um sofá, e uma poltrona funda perto da lareira vazia. Um grande globo mostrava as constelações e duas lebres de bronze guardavam a lareira. As paredes eram forradas de estantes de livros até o teto, todas lotadas de obras de capa de couro. Muito mais arrumados e organizados que na loja de Widdershin, os livros também pareciam mais velhos, alguns com títulos desbotados nas lombadas e outros sem qualquer indicação do que poderia haver em suas páginas. Ela foi até a prateleira mais próxima e tirou uma fina camada de poeira de um livro grosso e preto. Era o *Herbaria Magica*, de Grieve, um livro referência sobre plantas mágicas que ela só tinha visto no boticário de Saltash, e lá estava seu próprio exemplar que ela poderia ler sempre que quisesse. Cassie correu até a parede oposta e pegou outro livro, fino e azul, intitulado *As provações de Nimue*, sobre a lendária Bruxa da Floresta.

Apertando o livro junto ao peito, Cassie foi girando devagar, olhando as prateleiras. Esses livros pertenceram a cada Bruxa da Floresta que tinha vivido em Hartwood, por centenas de anos. Tudo que ela poderia querer saber sobre a história de Hedgely, sobre a Terra das Fadas e sobre bruxaria estava bem ali!

— Cassandra — chamou Montéquio —, por aqui.

Ele havia pulado na pesada mesa de carvalho que parecia uma ilha no meio da sala, com várias cadeiras cuidadosamente enfiadas embaixo dela, de cada lado. Uma cadeira estava puxada para fora, como se seu ocupante tivesse acabado de se levantar e esquecido de devolvê-la ao lugar. Em frente a essa cadeira havia uma pilha de papéis, um livro e uma velha caneta-tinteiro.

Montéquio cutucou o livro com o focinho.

— Está meio fraco agora, mas tem o cheiro das coisas de sua mãe.

Cassie pegou o livro e espirrou quando uma nuvem de poeira se levantou da capa. Chamava-se *Os andarilhos* e parecia ser um livro de poesia. Um pedaço de papel rosa-claro caiu. Cassie o pegou e, ao ver a caligrafia, seu coração disparou. Era de sua mãe.

Segunda-feira, 21 de dezembro

Meu amor,

Por favor, perdoe-me por tudo que eu disse ontem à noite, pois vejo agora que você tinha razão o tempo todo. Eu nunca deveria ter confiado nele, agora, ele mostrou sua verdadeira natureza e vejo que, por trás de suas promessas, por trás da esperança que ele ofereceu, há apenas grande amargura e engano. Ele me usou, e se não fosse você, eu teria traído minha família e tudo que aprendi a amar.

Mas agora sei, e ainda há tempo para reparar meus erros. Vou devolver a chave, acho que ela ainda não sentiu falta, e depois, vamos fugir deste lugar, pois ele tentará nos punir.

Encontre-me na faia de cobre hoje à meia-noite. Tenho uma última coisa a dizer que não ouso escrever em palavras, mas que mudará tudo.

Sempre sua,
Rose

— Cassandra? É você? — chamou uma voz à porta.

Miranda entrou, de camisola preta e roupão, deixando um rastro na poeira com seus chinelos.

— A biblioteca… como você a encontrou?

A Bruxa da Floresta percorreu as prateleiras com o olhar, com um anseio que Cassie entendia muito bem.

— Foi Morpeth, ela me mostrou.

Ao se virar para agradecer à gárgula, encontrou apenas uma janela aberta e uma brisa agitando os papéis sobre a mesa.

— Tia Miranda, achei outra carta da minha mãe, veja.

Miranda pegou o papel e leu. Cobriu a boca com a mão enquanto lia.

— Ela a estava colocando de volta naquela noite em que discutimos... não estava roubando a chave, e sim a devolvendo...

— Mas para quem ela estava escrevendo? — perguntou Cassie.

— A carta não tem destinatário, mas a biblioteca está sumida há quase dez anos, o papel é velho... Rose deve ter escrito antes de abandonar Hedgely. E a data, 21 de dezembro, é véspera do solstício de inverno.

— Toby Harper — disse Cassie. — A sra. Whitby disse que ele desapareceu, catorze anos atrás, no solstício de inverno, e que minha mãe se culpava. Ela e Toby eram amigos.

— É provável que mais que amigos, se esta carta era mesmo para ele.

A Bruxa da Floresta leu a carta de novo, parando na última linha.

— Se foi no ano em que Toby Harper desapareceu, esta carta é de seis meses e meio antes de você nascer, Cassandra.

— Ela já devia saber sobre mim, então — disse Cassie. — Será que... será que era isso que ela queria contar para Toby?

Mas antes que Miranda pudesse responder, Cassie saiu correndo, deixando a porta da biblioteca aberta.

O sol estava começando a nascer e a neve sob os pés altos de Cassie estava imaculada, quase azul à luz fraca.

Ela pousou sua vassoura ao pé da faia de cobre onde sua patrulha tinha a toca. Estava frio demais para ficarem ali agora, entre os galhos nus e cinzentos, por isso a Patrulha do Carvalho a havia abandonado até a chegada da primavera.

Afundando os pés na neve e respirando fundo, Cassie foi até a árvore. Era ali que eles deveriam se encontrar – Toby e sua mãe, na véspera do solstício de inverno, tantos anos atrás.

Cassie circundou a árvore, fazendo um círculo na neve, olhando para os galhos nus e desejando que lhe contassem o que haviam testemunhado.

Então ela viu, acima de um nó na madeira, marcas de arranhões. Limpou um pedaço de neve seca e passou o dedo sobre os arranhões, quase indiscerníveis depois de a árvore ter se recuperado, com o passar dos anos. Mas mal conseguiu distingui-las. Eram letras: RM e TH – Rose Morgan e Toby Harper. Seus pais.

Capítulo 33

O azevinho e a hera

Quando Cassie voltou a Hartwood, o sol havia nascido e tingido a neve de ouro e rosa. Encontrou todos na cozinha à espera: Miranda, a sra. Briggs, Brogan e até Sebastian, que estava bem melhor e comia um belo prato de ovos, bacon e torradas.

— Você demorou — disse Sebastian. — Por acaso você sabe que tivemos que esperar você para abrir os presentes?

Cassie pegou uma torrada e passou manteiga e geleia nela, enquanto a sra. Briggs lhe servia uma xícara de chocolate quente com especiarias. Faminta por causa do voo matutino, ela devorou tudo, enquanto Sebastian também limpava o prato e Miranda tomava seu chá de urtiga. Quando terminou, ela seguiu Sebastian até o grande salão, onde ficava a árvore Hartwood, vestida de festa, toda elegante, enfeitada com bolas de vidro colorido e frágeis flocos de neve prateados. Quando se mexia — o que, de vez em quando, ela fazia por vontade própria —, fazia os sininhos dourados pendurados tilintarem em seus galhos. Em suas raízes havia vários pacotes, embrulhados com papel pardo e fitas xadrezes de veludo. Acaso estavam lá quando Cassie tinha saído correndo pela porta, ao nascer do sol, para visitar a faia cor de cobre? Ela nem havia olhado.

Brogan tinha levado cadeiras da sala para que ele, Miranda e a sra. Briggs pudessem se sentar com certa dignidade durante a cerimônia de abertura dos presentes, mas Sebastian se esparramou no chão, feliz, e Cassie logo fez o mesmo, terminando seu chocolate quente, enquanto seu primo pegava um pacote e o sacudia.

No caos de papéis rasgados e fitas voando, gritos de alegria e surpresa, os pacotes foram abertos. Os presentes de Cassie para a família – uma calçadeira nova para Brogan, uma colher de pau para a sra. Briggs, em cujo cabo estavam inscritas runas, e um frasco de tintura de amora para sua tia – foram bem recebidos. Ela havia feito cada um deles usando as habilidades que havia aprendido no *coven*, enquanto trabalhava em seu distintivo de bruxa do bosque. Sebastian ficou encantado com o kit de mecânica que seu pai tinha mandado, e havia um pacote de Elliot para Cassie também: uma pulseira de prata com pingentes, um de gatinho que parecia Montéquio, uma vassourinha e um chapéu de bruxa. De Brogan, ela ganhou um par de chinelos de veludo azul, forrados com lã de carneiro macia. A sra. Briggs lhe deu um cachecol e um chapéu tricotados à mão e sorriu quando Cassie os experimentou.

— Você vai precisar deles, agora que a neve chegou!

Por fim, Miranda entregou a Cassie um pacote plano e retangular. No mesmo instante a menina soube que era um livro, mas ficou surpresa ao rasgar o papel e descobrir que as páginas estavam vazias.

— Já é hora de você ter o seu próprio grimório — explicou a tia. — Nele, você poderá registrar os feitiços e poções que aprender enquanto se prepara para o teste de Árvore Nova.

O caderno tinha capa de couro castanho e uma fita vermelha, e havia uma caneta-tinteiro verde com uma ponta dourada em forma de bico de ganso.

A sra. Briggs voltou à cozinha para pegar um prato de biscoitos de gengibre e, ao sair, ouviu uma batida à grande porta de carvalho.

— Eu atendo — disse Cassie, visto que Sebastian estava absorto demais em seu kit de mecânica, construindo uma aeronave com uma pequena chave de fenda.

— Olá, Cassie. Feliz Natal! — desejou Elliot, à porta, batendo a neve de seus belos sapatos de couro.

— Tio Elliot! — exclamou ela e agradeceu pela pulseira.

— Pai!? — disse Sebastian, se levantando devagar do chão.

— Em que tipo de travessuras você tem se metido, meu rapaz? — perguntou Elliot.

Sem dizer uma palavra, Sebastian pulou seus presentes e correu para abraçar o pai.

Elliot ficaria para o almoço de Natal e, enquanto Cassie ajudava a sra. Briggs a pôr a mesa no salão de banquetes, ela ouviu a grande porta de carvalho se abrir de novo e correu para ver quem era.

— Olá, Cassie — disse Aoife Early, que estava com um gorro felpudo de tricô com um pompom roxo, e nos braços, trepadeiras de hera. — Saí para minha caminhada matinal e decidi colher ervas para guirlandas. Posso deixar isto em algum lugar?

— Claro! — disse Cassie e correu para ajudá-la com os galhos.

— A árvore Hartwood! — disse Aoife, avançando para admirar a decoração e sorrindo para Cassie. — As lendas antigas dizem que esta árvore foi plantada pela própria Morgana, e que a casa foi construída ao redor dela, sabia? A semente veio da Terra das Fadas, claro. Não há outra igual em toda a Grã-Bretanha nem na Irlanda.

— Aoife — disse Cassie, arrancando uma folha de hera morta. — Eu queria agradecer por tudo que você nos ensinou este ano, sobre os feitiços de convocação e a brollachan e, bem, desculpe se não fomos muito receptivas quando você veio para o *coven*. Mas não poderíamos ter encontrado a lança nem detido a wyrm sem você.

Aoife sorriu.

— Você já se perguntou, Cassie, por que as pessoas têm medo da Terra das Fadas?

— Bem, houve a guerra… e eles ferem os humanos o tempo todo, e fazem encantamentos, e prendem a gente, e roubam os filhos…

— Mas por que você acha que eles fazem isso? Por que uma cobra ou uma aranha mordem? Não porque nos odeiam, e sim porque têm medo. Eu tentei mostrar a vocês uma maneira diferente de lidar com o povo da Terra das Fadas, sem ferro, fogo e sal. Só peço que mantenha a mente aberta; ouça os dois lados e tente entender aquilo que teme, em vez de atacar sem pensar.

— Mas isso significa que… você vai embora? — perguntou Cassie.

Embora o trabalho de Aoife fosse estranho e até indesejado por algumas meninas do *coven*, era difícil imaginar as sextas-feiras sem o rosto alegre da bruxa e seus braceletes barulhentos.

— Sim, vou voltar para a Irlanda amanhã. A mestra do meu *coven* vai se aposentar e vou substituí-la. Vou sentir saudade de vocês, meninas. Ah! Antes que eu me esqueça — disse Aoife, largando o resto da hera. — Trouxe uma coisa para a sua patrulha.

Ela remexeu nos bolsos até encontrar três pedacinhos redondos de tecido, e os entregou a Cassie. Tinham bordado um par de vassouras cruzadas, e de cada uma brotavam folhas.

— Mas são...

— Distintivos de bruxa do bosque, isso mesmo. Vocês fizeram por merecer.

— Mas a tia Miranda disse que tiraram esse distintivo do manual, que não poderia consegui-lo para nós.

Aoife deu um tapinha na lateral do nariz.

— Na Grã-Bretanha, não mesmo. Eu tive que mandar trazer da Irlanda. Nem preciso perguntar se vocês são as únicas jovens bruxas do país a ter este distintivo. Vocês vão causar inveja no *coven*, sem dúvida!

Cassie agradeceu bastante.

— Minha pombinha! — disse a sra. Briggs, chegando pelo corredor com um enorme ganso assado. — Seja gentil e traga as batatas, ah, e veja como está Sebastian, eu o mandei buscar os brotos, mas o coitado não sabe diferenciar cenoura de pepino! Olá, querida Aoife, venha, tenho um lugar reservado para você.

Todos estavam sentados para o almoço de Natal. Cassie ficou feliz por ter comido só uma fatia de torrada no café da manhã, pois isso significava que tinha muito espaço para toda aquela comida. Além do ganso e das batatas douradas assadas, havia presunto glaceado e cenoura com mel, porco com bacon e couve--de-bruxelas – de que Cassie não gostou – com castanhas – dessas, sim, gostou. De sobremesa, comeram um pudim de Natal com caramelo, mais pão de mel e torta, chocolate e sidra quentes, até que ninguém conseguia se mexer. Mas Cassie havia prometido se encontrar com Rue e Tabitha, portanto, empurrou sua cadeira para trás, pediu licença e foi buscar Galope na cozinha.

Cassie atravessou o rio em sua vassoura, passando pelo Diabrete Bêbado, de onde Emley Moor acenou para ela, jovial como o próprio Papai Noel. Ela chegou ao gramado do vilarejo, onde Rue e Tabitha já estavam à espera.

— Feliz Natal! — entoaram.

— Feliz Natal! É isso? — perguntou Cassie, apontando para a cesta coberta com um pano de prato que Tabitha carregava.

Tabitha confirmou.

— Fiz hoje de manhã. Acha que ele vai gostar?

— Acho que eu deveria provar primeiro — disse Rue, levando a mão à cesta.

Tabitha a puxou para longe de seu alcance.

— Tomem — disse Cassie, entregando a cada uma um dos distintivos redondos que Aoife lhe tinha dado.

— Mas eu pensei que... — disse Tabitha.

— Foi Aoife; ela mandou trazer da Irlanda, e a tia Miranda disse que está tudo bem. Mas, a partir de agora, quer que a gente se atenha aos distintivos oficialmente aprovados.

— Sabe o que isso significa, Cass? — disse Rue, sorrindo. — Que você pode começar a se preparar para o teste de Árvore Nova!

Foram em fila, de volta ao vilarejo, subindo a encosta da montanha em direção à Floresta, com Rue na frente, abrindo caminho na neve. Não pararam nos limites da Floresta; encontraram uma maneira de passar pelos sabugueiros e abrunheiros. A neve havia escondido todos os caminhos, mas os galhos sem folhas tornavam a caminhada mais fácil, revelando mais terreno do que era visível no verão. Chegaram a uma clareira, um círculo branco imaculado cercado por azevinhos – o único verde na floresta preta e branca.

— Já estamos longe o suficiente? — perguntou Tabitha.

— Acho que sim — disse Rue. — Trouxe o apito, Cass?

Cassie tirou do bolso o apito em forma de pássaro. Hesitou.

— Ele disse para eu usar só em caso de grande necessidade.

— Ora, com certeza ele pode abrir uma exceção para o Natal, não? — disse Tabitha.

Cassie levou o apito aos lábios e soprou uma nota longa e aguda. Era o único som na floresta silenciosa. Esperaram uns dez minutos, mas o chamado de Cassie não foi atendido. Ela tentou de novo.

— Não podemos acender uma fogueira? — perguntou Rue. — Tabitha está tremendo.

— Ele não gosta de fogo, lembra? Acho que ele não virá se acendermos.

Elas se aninharam no centro da clareira, esperando, atentas ao menor ruído, cada uma olhava em uma direção, querendo ser a primeira a localizá-lo, se ele aparecesse.

Todas tremiam; até Cassie estava quase sugerindo que voltassem para casa, quando uma voz as assustou.

— Está um dia frio para passear na floresta.

— Lailoken! — gritou Cassie, e as três meninas correram para ele, que estava perto de um arbusto de azevinho.

Ele havia chegado sem fazer barulho e, apesar do dia claro de inverno, sem que elas percebessem sua aproximação. Estava com seu manto de folhas e, sobre ele, um grande manto de pele, salpicado de neve.

— Silêncio — disse. — Vocês não parecem estar em perigo mortal, mas mesmo com as árvores adormecidas, a Floresta tem olhos e ouvidos. Por que me convocaram hoje?

— Porque é Natal! — disse Rue.

— E queríamos agradecer a você por nos ajudar. Fiz biscoitinhos de queijo e ervas para você.

— A ideia foi minha! — disse Rue. — E todas nós colhemos as ervas.

— Espero que não se importe por termos chamado você; só queríamos agradecer, e tenho uma coisa para perguntar — Cassie falou.

— Muito bem — disse Lailoken. — Embora eu não saiba nada sobre essa festa humana de que vocês falam, estaremos seguros aqui, enquanto o sol estiver alto.

Ele estendeu seu manto de pele sobre a neve e se aninharam nele. Tabitha desembrulhou os biscoitinhos e os distribuiu, acompanhados de uma faquinha e manteiga. Ela tinha levado também uma garrafa térmica de chá com especiarias. Embora a caminhada pela floresta invernal tivesse devolvido um pouco do apetite de Cassie, ela ainda estava cheia demais para comer mais de um biscoitinho. E quando Lailoken terminou de comer, ela disse:

— Acho que sei por que a minha mãe foi para a Terra das Fadas, por que ela procurou Hyldamor e tocou a flauta antiga. — Cassie respirou fundo. — Acho que ela foi atrás do meu pai. Ele desapareceu, catorze anos atrás, na véspera do solstício de inverno. O nome dele era Toby Harper.

Tabitha e Rue pararam de comer para ouvir.

— E eu fiquei imaginando — continuou Cassie. — Você sabe de alguma coisa? Só queria saber o que aconteceu naquela noite, por que ele foi embora e por que minha mãe fugiu de Hedgely; e por que escondeu tudo isso de mim.

— Eles não vieram a mim para pedir ajuda — disse o homem-selvagem, sacudindo a cabeça.

Cassie suspirou.

— Mas se passaram pela Floresta, as árvores vão se lembrar. A maioria está dormindo agora, mas você poderia perguntar ao azevinho e à hera...

— Perguntar às *plantas*? — disse Rue.

— Venha comigo, bruxinha — disse Lailoken, gesticulando para que Cassie o seguisse.

Foram até o maior azevinho que circundava a clareira.

— Ponha a mão no tronco.

Cassie enfiou a mão por entre as folhas espinhosas, que arranharam sua pele e ficaram presas em sua manga. Empurrou-a por entre os galhos densos até que seus dedos roçaram o tronco firme.

O homem-selvagem colocou a mão no ombro dela.

— Agora, faça sua pergunta, em alto e bom som.

Cassie respirou fundo.

— Quero saber o que aconteceu com meus pais, catorze anos atrás, no solstício de inverno, quando eles vieram para a Floresta.

A princípio, não se ouviu som nenhum além da neve derretida gotejando dos galhos. Então, Cassie ouviu um leve farfalhar, como uma brisa passando, mas não sentiu o vento em seu rosto. As folhas afiadas de azevinho pinicavam seu rosto e se enroscavam em seu cabelo, mas ela não se encolheu nem se afastou.

— Eu quero saber! — disse de novo, mais alto.

Então, o sussurro começou – o mesmo leve sussurro que tinha ouvido quando ela e Ivy encontraram as nozes prateadas, tantos meses atrás. As árvores murmuravam em uma língua própria e estranha, e dessa vez Cassie não conseguiu distinguir palavras conhecidas. Fechou os olhos com força e, então, viu. Uma imagem passou diante de seus olhos, rápida como um raio, onírica, mas clara como o dia: a Floresta viva, sob um tapete de neve; sua mãe, com sua auréola de cachos ruivos; e diante dela, um jovem loiro e inconsciente aos pés de uma figura alta e morena, com o rosto escondido pela máscara pálida de um crânio de cervo.

Cassie ofegou quando a visão desapareceu e se afastou da árvore, com a imagem ainda gravada em sua mente.

— Está tudo bem, Cassie? — perguntou Tabitha, enquanto ela e Rue corriam para ajudá-la.

— O Rei Elfo... — disse Cassie, ofegante. — O Rei Elfo estava lá, na noite em que Toby desapareceu.

E ela contou o que havia visto, o que as árvores lhe mostraram. Mas ainda tinha tantas perguntas...

— Está escurecendo — disse o homem-selvagem. — Vocês têm que voltar para a segurança do vilarejo antes do anoitecer.

Elas jogaram as migalhas para os pássaros e juntaram as coisas do piquenique.

— Encontrarão o caminho de volta? — perguntou Lailoken, à beira da clareira.

— Acho que vamos ficar bem — disse Rue, sorrindo. — Agora, somos bruxas do bosque!

De braços dados, Cassie, Rue e Tabitha voltaram para as calorosas luzes amarelas do vilarejo, deixando a Floresta e seus segredos para trás.

Agradecimentos

Dizem que escrever o segundo livro é difícil, mas este foi infinitamente mais fácil graças a Felicity Alexander, a editora gentil, paciente e perspicaz com a qual todos os escritores sonham. Ela sabe fazer as perguntas certas e costuma entender meus personagens melhor que eu mesma. Este livro não teria sido possível sem ela. Meus agradecimentos também vão para Emma Roberts e Lois Ware, pela preparação e revisão minuciosas e cuidadosas.

Sou bastante grata a Margaret Hope e aos ilustradores Saara Katariina Söderlund e Tomislav Tomic, que mais uma vez fizeram deste livro algo belo, por dentro e por fora. Sua atenção aos detalhes e o amor pelo mundo natural aparecem em todas as imagens e de fato dão vida a Hedgely.

A maravilhosa equipe da Welbeck Kids, incluindo Jane Harris, Susan Barry, Lorraine Keating e Jess Brisley, fez muito para ajudar meus livros a chegar a lindas livrarias e bibliotecas mágicas. Também ofereço meus sinceros agradecimentos à equipe da Welbeck ANZ, que ajudou Cassie a voar até os leitores no Hemisfério Sul.

Estou em dívida para com minha lendária agente, Philippa Milnes-Smith, e a incrível equipe da The Soho Agency e da ILA, que defenderam

A bruxa da floresta desde o início e continuam celebrando cada marco e guiando esta jovem escritora com seus conselhos inestimáveis.

Ano passado, tive a sorte de conhecer muitos escritores maravilhosos, novos e experientes, que compartilharam sua sabedoria e me inspiraram com sua coragem e perseverança. Agradeço especialmente ao grupo de estreia de 2022, Leah Mohammed, Jessica Scott-Whyte, Alex Mullarky e Natasha Hastings.

Minha família e meu parceiro, Neil, têm sido meus apoiadores infalíveis nos altos e baixos e merecem medalhas especiais por sua compreensão e encorajamento.

Por fim, minha gratidão sem reservas aos livreiros, professores, bibliotecários, escritores, blogueiros, críticos e organizações que fazem um trabalho incrível incentivando jovens leitores, e que ajudaram tantos a descobrir o mundo de Hedgely. Conhecer e conversar sobre livros com vocês foi o ponto alto do meu ano.

Skye McKenna
Escócia, solstício de inverno, 2022

ASSINE NOSSA NEWSLETTER E RECEBA INFORMAÇÕES DE TODOS OS LANÇAMENTOS

www.faroeditorial.com.br

Leia também:

ESTA OBRA FOI IMPRESSA EM AGOSTO DE 2023